KANDYDAT NA OJCA

Susan Elizabeth Phillips

Kandydat na Ojca

Przekład
Ewa Spirydowicz

AMBER

Korekta
Hanna Lachowska

Projekt graficzny okładki
Małgorzata Cebo-Foniok

Zdjęcie na okładce
© FotoimperiyA/Thinkstock

Tytuł oryginału
Nobody's Baby But Mine

Druk
Drukarnia ReadMe

ISBN 978-83-241-5480-7

Warszawa 2015. Wydanie II

Wydawnictwo AMBER Sp. z o.o.
02-952 Warszawa, ul. Wiertnicza 63
tel. 620 40 13, 620 81 62

www.wydawnictwoamber.pl

Mojej matce

Rozdział 1

Postawmy sprawę jasno – powiedziała Jodie Pulanski. – Chcecie mu dać kobietę na urodziny.

Trzej obrońcy chicagowskich Gwiazd, drużyny futbolowej, siedzieli w przytulnej loży w barze Zebra, ulubionej knajpie całego zespołu, w okręgu DuPage.

Junior Duncan zamówił jeszcze jedną kolejkę.

– Stuknie mu trzydzieści sześć lat, więc chcemy, żeby to było coś wyjątkowego.

– Bzdura – stwierdziła Jodie. Każdy, kto miał choćby blade pojęcie o futbolu, wiedział, że Cal Bonner, genialny napastnik Gwiazd, od początku sezonu był nerwowy, humorzasty, krótko mówiąc – nie do wytrzymania. Bonner, żywa legenda amerykańskiego futbolu, był najwyżej notowanym napastnikiem. Miał przydomek „Bomber”.

Jodie splotła ramiona na piersi, a obcisła biała bluzeczka jeszcze bardziej podkreślała jej kształty. Ani jej, ani żadnemu z trzech mężczyzn przy stoliku nawet przez myśl nie przeszło, żeby rozważyć moralną stronę ich planów. To, jakby nie było, sportowcy.

– Myślicie, że jak podsuniecie mu kobietę, to wam odpuści – zakpiła.

Willie Jarrell kontemplował szklankę piwa przez zasłonę długich brązowych rzęs.

– Sukinsyn ostatnio strasznie dał nam w tyłek, nie można z nim wytrzymać.

Junior pokręcił głową.

– Wczoraj nazwał Germaine'a Clarka nowicjuszem. Germaine'a!

Jodie uniosła brew, znacznie ciemniejszą niż tlenione jasne włosy. Germaine Clark był profesjonalistą, jednym z najskuteczniejszych obrońców.

– O ile wiem, Bomber i bez waszego prezentu ma więcej kobiet, niż mu potrzeba.

Junior przytaknął z namysłem.

– Owszem, ale rzecz w tym, że z nimi nie sypia.

– Co?

– Tak. – Chris Plummer, lewoskrzydłowy, podniósł głowę. – Niedawno się o tym dowiedzieliśmy. Jego dziewczyny rozmawiały czasem z żonami chłopaków i wyszło na to, że Cal nie robi z nimi nic poza spacerkami za rączkę.

Willie Jarrell pokiwał głową.

– Może gdyby poczekał, aż wyrosną z pieluch, bardziej by go kręciły.

Junior wziął te słowa poważnie.

– Nie mów takich rzeczy, Willie. Wiesz, że Cal nigdy nie umawia się z dziewczynami, które nie skończyły dwudziestu lat.

Być może Cal Bonner się starzał, ale o kobietach w jego życiu nie można tego powiedzieć. Nikt sobie nie przypominał, żeby kiedykolwiek spotykał się z dziewczyną, która miała więcej niż dwadzieścia dwa lata.

– O ile wiemy – ciągnął Willie – Bomber nie spał z żadną, odkąd zerwał z Kelly. Czyli od lutego. To nie jest normalne.

Kelly Berkley była śliczną dwudziestojednolatką, której znudziło się oczekiwanie na pierścionek zaręczynowy od piłkarza i rzuciła go dla gitarzysty z zespołu heavymeta-lowego. Od tego czasu Cal na zmianę wygrywał mecze, podrywał co tydzień nową dziewczynę i dawał w kość kolegom z drużyny.

Jodie Pulanski była najwierniejszą fanką Gwiazd. Nie skończyła jeszcze dwudziestu trzech lat, ale nikomu nawet na myśl nie przyszło, że mogłaby wystąpić w roli prezentu dla Cala Bonnera. Było publiczną tajemnicą, że odtrącił ją co najmniej tuzin razy. Bomber był więc jej Wrogiem Numer Jeden. Tego nie zmieniał nawet fakt, że w szafie ukrywała kolekcję złoto-granatowych koszulek Gwiazd – pamiątek po sportowcach, z którymi spała – i wiecznie rozglądała się za nową zdobyczą.

– Potrzebna nam kobieta, która w niczym nie będzie podobna do Kelly – wyjaśnił Chris.

– Czyli babka z klasą – dodał Willie. – I koniecznie starsza. Może dobrze mu zrobi taka, powiedzmy, dwudzie-stopięciolatka.

– Dama z towarzystwa. – Junior napił się piwa.

Jodie co prawda nie słynęła z wybitnej inteligencji, ale nawet ona dostrzegła, w czym problem.

– Jakoś nie widzę tłumów dam z towarzystwa, walą-cych drzwiami i oknami, żeby wystąpić w roli prezentu urodzinowego. Nawet dla Cala Bonnera.

– No właśnie. Chyba weźmiemy prostytutkę.

– Ale taką z klasą – zastrzegł pospiesznie Willie. Wszyscy wiedzieli, że Cal nie korzysta z usług prostytutek.

Junior smętnie zapatrzył się w dno szklanki.

– Problem w tym, że do tej pory nie znaleźliśmy od-powiedniej.

Jodie znała kilka prostytutek, ale o żadnej nie dałoby się powiedzieć, że ma klasę. Zresztą o jej przyjaciółkach też nie. Były to bez wyjątku rozbawione miłośniczki sportowców, których największym marzeniem było zaliczenie kolejnego napastnika czy obrońcy.

– Czemu mi to wszystko mówicie?

– Chcemy, żebyś nam znalazła odpowiednią kobietę – wyjaśnił Junior. – Jego urodziny już za dziesięć dni, musimy znaleźć jakąś babkę.

– Co będę z tego miała?

Koszulki całej trójki już leżały w jej szafie, musieli więc wymyślić coś innego. Chris zaczął ostrożnie:

– Czy jest ktoś, na kim ci szczególnie zależy, a kogo jeszcze nie ma w twojej kolekcji?

– Z wyjątkiem osiemnastki – zastrzegł Willie. To był numer Cala Bonnera.

Jodie namyśliła się szybko. Co prawda, wolałaby sama iść z Bomberem do łóżka, zamiast szukać mu kobiety. Z drugiej strony... miała wielką ochotę na koszulkę innego zawodnika.

– Owszem, jest. Jeśli załatwię wam prezent dla Bombera, dwunastka jest moja.

Jęknęli jednocześnie.

– Cholera, Jodie. Kevin Tucker i bez tego ma tłumy kobiet.

– To już wasz problem.

Tucker był rezerwowym napastnikiem Gwiazd. Młody, agresywny i bardzo zdolny, pojawił się w drużynie, by przejąć rolę Cala, gdy wiek i kontuzje zmuszą go do odejścia. Choć przy ludziach odnosili się do siebie uprzejmie, obaj mieli naturę wojowników i nienawidzili się gorąco. Między innymi dlatego Kevin Tucker był dla Jodie tak pociągający.

Mężczyźni ponarzekali jeszcze trochę, ale koniec końców zgodzili się dopilnować, by koszulka Kevina zawisła w jej szafie, jeśli znajdzie odpowiednią kobietę na urodziny Cala.

Do baru weszli nowi klienci i Jodie, która pracowała tu jako hostessa, pospieszyła ich powitać. W drodze do drzwi dokonywała w myślach błyskawicznego przeglądu swoich koleżanek. Żadna się nie nadawała. Znała wiele kobiet, ale o żadnej nie dałoby się powiedzieć, że ma klasę.

Dwa dni później Jodie nadal zmagała się z tym problemem. Powlokła się do kuchni. Była u swoich rodziców w Glen Ellyn, w stanie Illinois. Wprowadziła się do nich chwilowo, dopóki nie spłaci zadłużenia na swojej karcie kredytowej. Była sobota, dochodziło południe, rodzice wyjechali na weekend. Zaczynała pracę dopiero o piątej; i dobrze, przynajmniej zdąży podleczyć potężnego kaca, pamiątkę po wczorajszej imprezie.

Otworzyła kredens i znalazła tylko puszkę kawy bezkofeinowej. Cholera! Za oknem padał śnieg z deszczem, głowa bolała ją tak bardzo, że nie odważyłaby się usiąść za kierownicą, a jeśli nie podreperuje się sporą dawką kofeiny, nie będzie w stanie ani pracować, ani z należytą uwagą śledzić meczu.

Nic się nie układa. Gwiazdy grają tego popołudnia w Buffalo, więc nie wpadną na drinka po meczu. Zresztą, kiedy w końcu ich zobaczy, jak ma im powiedzieć, że zawiodła i nie znalazła prezentu dla Bombera? Jednym z powodów, dla których w ogóle z nią rozmawiali, było to, że zawsze umiała znaleźć im kobiety.

Wyjrzała przez okno i zobaczyła, że w kuchni sąsiadki z naprzeciwka, tej okularnicy, pali się światło. Jane Darlington była doktorem fizyki. Mama Jodie w kółko się zachwycała, jaka z niej miła kobieta; zawsze pomagała Pulanskim z papierkową robotą. W takim razie może poratuje Jodie odrobiną kawy.

Szybko nałożyła makijaż. Nie zawracała sobie głowy bielizną, wciągnęła obcisłe czarne dżinsy, koszulkę Williego Jarrella i długie buty. W drodze do drzwi chwyciła jedną z ceramicznych puszek matki.

Mimo fatalnej pogody nie wzięła kurtki. Zanim doktor Jane otworzyła drzwi, przemokła do suchej nitki.

– Dzień dobry.

Sąsiadka stała po drugiej stronie obitych siatką zewnętrznych drzwi i gapiła się na Jodie przez wielkie okulary w szylkretowych oprawkach.

– Jestem Jodie, córka Pulanskich.

Doktor Jane nie zrobiła najmniejszego ruchu, by zaprosić ją do środka.

– Strasznie zimno na dworze. Mogę wejść?

Okularnica w końcu otworzyła drzwi.

– Przepraszam, nie poznałam pani.

Jodie weszła i zaraz zrozumiała, dlaczego gospodyni nie kwapiła się z wpuszczaniem gości. Oczy za wielkimi szkłami były wilgotne, a nos czerwony. Pani doktor płakała rzewnymi łzami, chyba że Jodie miała większego kaca niż sądziła.

Okularnica była wysoka, jakieś metr siedemdziesiąt pięć, i Jodie podniosła głowę, wyciągając różową puszkę.

– Czy mogłabym pożyczyć odrobinę kawy? W domu jest tylko bezkofeinowa, a muszę się obudzić.

Doktor Jane wzięła puszkę z wyraźnym ociąganiem. Nie wyglądała na skąpą, więc pewnie nie miała ochoty na towarzystwo.

– Tak, tak… już… – Obróciła się na pięcie i poszła do kuchni, najwyraźniej oczekując, że Jodie poczeka przy drzwiach. Jodie miała jednak pół godziny do początku meczu i była na tyle ciekawa, że poszła za nią.

Przeszły przez salonik, na pierwszy rzut oka dość nudny: białe ściany, wygodne, bezpretensjonalne meble, wszędzie

12

książki. Jodie już, już miała iść dalej, gdy jej uwagę przykuły oprawione artystyczne plakaty, zdobiące ściany. Chyba wszystkie namalowała jakaś Georgia O'Keeffee. Jodie co prawda zawsze myślała tylko o jednym, ale nawet to nie tłumaczyło, dlaczego wszystkie kwiaty, co do jednego, wyglądały jak żeńskie narządy płciowe.

Patrzyła na kwiaty o ciemnych, tajemniczych wnętrzach. Kwiaty o płatkach kryjących wilgotne skarby. Patrzyła na... Jezu, a ten dzwonek z mokrą perełką w środku? Nawet mnich miałby przy tym robaczywe myśli. Może okularnica jest lesbijką? No bo niby dlaczego miałaby obwieszać sobie ściany czymś takim?

Jodie weszła do kuchni, utrzymanej w kolorze lawendy. W oknie wisiały zasłonki w kwiatki, ale w takie normalne, nie pornograficzne. Wszystko było tu słodkie i przytulne, z wyjątkiem właścicielki, bardziej wyniosłej niż sam Pan Bóg.

Doktor Jane była kobietą konserwatywną. Miała na sobie eleganckie spodnie w czarno-brązową kratkę i sweterek w kolorze karmelu. Zdaniem Jodie był to kaszmir. Mimo wysokiego wzrostu, wydawała się drobna ze swoimi zgrabnymi nogami i wąską talią. Właściwie Jodie zazdrościłaby jej figury, gdyby nie to, że okularnica w ogóle nie miała piersi, w każdym razie piersi godnych uwagi.

Blond włosy z pasemkami platyny i miodu wyglądały zbyt naturalnie, by pochodzić z gabinetu fryzjerskiego. Jodie za żadne skarby świata nie pokazałaby się nikomu w takiej fryzurze – okularnica sczesywała je do tyłu i przytrzymywała opaską.

Odwróciła się, więc Jodie miała lepszy widok. Te okulary są okropne, zwłaszcza że skrywają bardzo ładne zielone oczy. Pani doktor ma niezłe czoło i ładny nos, taki w sam raz, ani za duży, ani za mały. I ciekawe usta, z wąską górną wargą i pełną dolną. Przede wszystkim jednak miała wspaniałą cerę. Ale chyba nie bardzo przejmowała się swoim wyglądem. Jodie poświęciłaby więcej czasu na makijaż. W sumie Jane Darlington była nawet ładna, ale onieśmieliłaby każdego, zwłaszcza w tych cholernych okularach.

Zamknęła puszkę i podała ją Jodie. Dziewczyna już miała ją wziąć, gdy dostrzegła na stole podarty papier ozdobny i prezenty.

– Z jakiej to okazji?

– Och, nic takiego. Moje urodziny – powiedziała Jane ochryple. Jodie zwróciła uwagę na pognieconą chusteczkę w jej dłoni.

– Proszę, proszę. Wszystkiego najlepszego.

– Dziękuję.

Nie zwracając uwagi na różową puszkę w dłoni doktor Jane, Jodie podeszła do stołu i popatrzyła na prezenty: komplet białej papeterii, elektryczna szczoteczka do zębów, pióro, talon do sklepu ze słodyczami. Fatalnie. Ani jednej seksownej koszulki, ani śladu koronkowych majteczek z rozcięciem.

– Kiepsko.

Ku jej zdziwieniu, doktor Jane parsknęła śmiechem.

– Tu się z panią zgodzę. Moja przyjaciółka Caroline zawsze trafia w dziesiątkę, jeśli chodzi o prezenty, ale akurat teraz jest na wykopaliskach w Etiopii. – Po policzku okularnicy, ku niedowierzaniu Jodie, spłynęła łza.

Doktor Jane zachowywała się jak gdyby nigdy nic, ale prezenty były naprawdę żałosne i Jodie nagle zrobiło się jej żal.

– Hej, głowa do góry. Przynajmniej nie dostała pani niczego w niewłaściwym rozmiarze.

– Przepraszam. Nie powinnam… – Zacisnęła usta, lecz spod okularów wypłynęła następna łza.

– Nic się nie stało. Niech pani siada, zaparzę kawy. – Pchnęła doktor Jane na kuchenne krzesło, wzięła puszkę, podeszła do ekspresu. Chciała zapytać, gdzie są filtry, widząc jednak smutną minę okularnicy, zmieniła zdanie. Otwierała po kolei wszystkie szafki, aż znalazła wszystko, czego potrzebowała.

– Które to urodziny?

– Trzydzieste czwarte.

Jodie była zaskoczona. Nie dałaby doktor Jane więcej niż dwadzieścia siedem, może osiem.

– Kiepsko.

– Przepraszam, zazwyczaj się tak nie zachowuję. – Okularnica wytarła nos. – Zazwyczaj nie ulegam emocjom.

Kilka łez nie miało, według Jodie, wiele wspólnego z „uleganiem emocjom", ale dla takiej sztywniaczki to pewnie to samo co napad histerii.

– Nic nie szkodzi. Ma pani pączki albo coś takiego?

– W zamrażarce są ciasteczka owsiane.

Jodie skrzywiła się tylko i wróciła do stołu. Był to malutki okrągły mebelek o szklanym blacie i metalowych nóżkach. Pasował raczej do ogrodu niż do kuchni. Usiadła naprzeciwko gospodyni.

– Od kogo te prezenty?

Doktor Jane usiłowała uśmiechnąć się uprzejmie.

– Od kolegów.

– Z pracy?

– Tak. Moich współpracowników z Newberry i z Laboratorium Preeze.

Jodie nie miała co prawda pojęcia, co to jest Laboratorium Preeze, ale wiedziała, że Newberry to jeden z najlepszych college'ów w całych Stanach Zjednoczonych i wszyscy byli bardzo dumni, że znajduje się właśnie tutaj, w okręgu DuPage.

– No tak. Pani uczy nauk ścisłych, prawda?

– Jestem fizykiem. Wykładam teorię względności pola kwantowego. Poza tym badam kwarki w Laboratorium Preeze.

– Coś takiego. Pewnie w szkole miała pani same piątki.

– Niewiele czasu spędziłam w szkole. Kiedy miałam czternaście lat, poszłam do college'u. – Kolejna łza spłynęła po policzku. Doktor Jane wyprostowała się tylko.

– Czternaście? Nie do wiary!

– Zanim skończyłam dwadzieścia, obroniłam pracę doktorską. – Chyba coś w niej pękło. Oparła łokcie na stole, zacisnęła dłonie w pięści, pochyliła głowę. Jej ramiona zadrżały, ale nie wydała nawet jednego dźwięku. Widok tej dumnej kobiety pogrążonej w rozpaczy był tak żałosny, że Jodie zrobiło jej się żal. Poza tym ogarnęła ją ciekawość.

– Pokłóciła się pani z narzeczonym?

Okularnica nie podniosła głowy, tylko zaprzeczyła powolnym ruchem.

– Nie mam narzeczonego. Miałam. Byłam przez sześć lat z doktorem Craigiem Elkhartem.

Więc nie jest lesbijką.

– To kawał czasu.

Podniosła głowę. Miała mokre policzki i zaciśnięte usta.

– Niedawno ożenił się z dwudziestoletnią sekretarką imieniem Pamela. Kiedy mnie rzucił, oznajmił: „Przykro mi, Jane, ale już mnie nie podniecasz".

Biorąc pod uwagę jej sztywniactwo, Jodie wcale mu się nie dziwiła, ale i tak nie powinien był tego mówić.

– Faceci to dupki.

– Nie to jest najgorsze. – Splotła dłonie. – Najgorsze jest to, że byliśmy razem przez sześć lat, a nawet za nim nie tęsknię.

– Więc czym się pani tak martwi? – Kawa była gotowa. Jodie podeszła do ekspresu.

– Nie chodzi o Craiga, tylko o to, że… Nie, właściwie o nic. Nie powinnam się tak rozklejać. Nie wiem, co mi jest.

– Skończyła pani trzydzieści cztery lata i dostała w prezencie talon do sklepu ze słodyczami. Każdy by się wściekł.

Wzdrygnęła się.

– Spędziłam całe życie w tym domu, wyobraża to sobie pani? Po śmierci ojca miałam go sprzedać, ale jakoś nigdy nie mogłam się za to zabrać. – W jej głosie pojawiły się nowe nuty, jakby zapomniała, że Jodie jej słucha. – Badałam wtedy kolizje jonowe i nie chciałam, by cokolwiek mnie rozpraszało. Praca zawsze była najważniejszą częścią mojego życia. Do trzydziestki to mi wystarczało. A potem jedne urodziny następowały po drugich w zastraszającym tempie.

– I w końcu do pani dotarło, że te fizyczne cuda nie podniecają pani nocami, tak?

Poruszyła się zaskoczona, jakby zapomniała o obecności Jodie. Wzruszyła ramionami.

– Nie tylko to. Szczerze mówiąc, uważam że seks jest stanowczo przereklamowany. – Zawstydzona, opuściła wzrok. – Chodzi mi raczej o poczucie jedności.

– Trudno o większe poczucie jedności, niż kiedy się razem wypala dziurę w materacu.

– No tak… zakładając, że się ją wypala. Osobiście… – Pociągnęła nosem, wstała, wsunęła chusteczki do kieszeni. – Mówiąc o wspólnocie, mam na myśli coś trwalszego niż seks.

– Religię?

– Nie, niezupełnie, chociaż to też jest dla mnie ważne. Rodzina, dzieci, takie rzeczy. – Wyprostowała się i posłała Jodie uprzejmy uśmiech. – Wystarczająco długo panią zanudzałam. Przepraszam. Niestety, przyłapała mnie pani na chwili słabości.

– Już rozumiem! Pani chce mieć dziecko!

Doktor Jane gorączkowo szukała chusteczek w kieszeni. Jej usta zadrżały. Ciężko osunęła się z powrotem na krzesło.

– Craig powiedział mi wczoraj, że Pamela jest w ciąży. To nie tak, że… Nie jestem zazdrosna. Szczerze mówiąc, wcale mi na nim nie zależy, więc nie mogę być zazdrosna. Tak naprawdę wcale nie chciałam za niego wyjść, w ogóle nie chcę wychodzić za mąż. Po prostu… – mówiła coraz ciszej – chodzi o to, że…

– Chodzi o to, że chce pani mieć dziecko. Sama.

Skinęła głową i zagryzła usta.

– Od dawna pragnęłam dziecka. Teraz mam trzydzieści cztery lata, mój zegar biologiczny bije coraz szybciej, ale chyba nigdy nie będę matką.

Jodie rzuciła okiem na zegarek. Chciała słuchać dalej, ale zaraz zacznie się transmisja.

– Czy mogę włączyć telewizor?

Doktor Jane wydawała się zagubiona, jakby nie do końca wiedziała, co to takiego.

– Tak, proszę bardzo.

– Super. – Jodie wzięła swój kubek i przeszła do saloniku. Usadowiła się na kanapie, postawiła kawę na stoliku, wyciągnęła pilota spod jakiegoś bardzo mądrego miesięcznika. Wyświetlano akurat reklamę piwa, więc wyłączyła dźwięk.

– Naprawdę chce pani mieć dziecko? Sama?

Doktor Jane znowu założyła okulary. Przycupnęła na miękkim fotelu z falbanką na dole, dokładnie pod zdjęciem kwiatu z perłą w środku. Zacisnęła uda, skrzyżowała nogi w kostkach. Ma świetne nogi, zauważyła Jodie, smukłe i kształtne.

Jane po raz kolejny wyprostowała się, jakby połknęła kij.

– Dużo nad tym myślałam. Nie planuję małżeństwa, praca jest dla mnie zbyt ważna. Ale… najbardziej na świecie pragnę dziecka. Wydaje mi się, że byłabym dobrą matką. Dzisiaj dotarło do mnie, że moje marzenie prawdopodobnie nigdy się nie spełni i dlatego się rozkleiłam.

– Znam samotne matki. Jest im bardzo ciężko. No, ale pani pewnie byłoby łatwiej, ma pani dobrze płatną pracę.

– Pieniądze nie są przeszkodą. Problem polega na tym, że nie wiem, jak się za to zabrać.

Jodie gapiła się na nią przez dłuższą chwilę. Jak na wykształconą osobę, jest głupia jak but.

– Chodzi pani o faceta?

Twierdzący ruch głowy.

– W college'u jest ich chyba sporo? To nic wielkiego. Niech go pani tu zaprosi, puści wolną muzykę, napoi piwem i do dzieła.

– Nie, to nie może być nikt znajomy.

– Więc niech pani poderwie kogoś w knajpie.

– Nie mogłabym. Muszę wiedzieć, czy jest zdrowy. – Zniżyła głos. – Zresztą nie umiałabym nikogo poderwać.

Jodie nie wyobrażała sobie nic prostszego, ale chyba miała w tym więcej doświadczenia niż doktor Jane.

– No a, wie pani, banki spermy?

– Nie wchodzą w grę. Zbyt wielu dawców to studenci medycyny.

– I co z tego?

– Nie chcę, żeby ojcem mojego dziecka był ktoś inteligentny.

Zdumienie Jodie było tak wielkie, że choć skończyły się reklamy i na ekranie pojawił się główny trener Gwiazd, Chester „Duke" Raskin, zapomniała włączyć dźwięk.

– Chce pani, żeby jakiś głupi facet zrobił pani dzieciaka?

Doktor Jane uśmiechnęła się.

– Wiem, to brzmi dziwnie, ale dzieciom inteligentniejszym niż rówieśnicy jest bardzo ciężko. Nie potrafią się dostosować. Dlatego nie mogłabym mieć dziecka z człowiekiem o inteligencji Craiga; i dlatego nie chcę ryzykować z bankiem spermy. Muszę brać pod uwagę moje geny i znaleźć mężczyznę, który będzie stanowił kontrast. Tylko że wszyscy znani mi mężczyźni to geniusze.

Doktor Jane jest zdrowo szurnięta, zawyrokowała Jodie.

– Czyli uważa pani, że dlatego, że jest taka mądra i w ogóle, musi znaleźć głupiego faceta?

– Nie uważam, tylko wiem. Nie pozwolę, by moje dziecko przechodziło przez to samo co ja, kiedy dorastałam. Nawet teraz… No, ale to nie ma nic do rzeczy. Problem w tym, że choć bardzo pragnę dziecka, nie mogę myśleć tylko o sobie.

Nowa twarz na ekranie przykuła uwagę Jodie.

– O Boże, momencik, muszę tego posłuchać. – Złapała pilota i włączyła dźwięk.

Paul Fenneman, sprawozdawca sportowy, przeprowadzał wywiad z Calem Bonnerem. Jodie wiedziała z pierwszej ręki, że Bomber go nie znosi. Dziennikarz słynął z zadawania głupich pytań, a Bomber nie trawił durniów.

Wywiad nakręcono na parkingu klubu Gwiazd, w Naperville, największym miasteczku okręgu DuPage. Fenneman mówił patrząc prosto do kamery. Miał przy tym tak poważną minę, jakby prowadził relację z wojny światowej.

– Moim rozmówcą jest Cal Bonner, napastnik Gwiazd.

Kamera przesunęła się na Cala i Jodie spociła się z niechęci i pożądania zarazem. Cholera, jest fantastyczny, nawet jeśli nie ubywa mu lat.

Stał przy wielkim harleyu. Miał na sobie dżinsy i czarną koszulkę, podkreślającą wspaniałe mięśnie. Inni faceci w drużynie byli napakowani, jakby mieli zaraz wybuchnąć, ale nie Cal. Miał też świetny kark, muskularny, ale nie potężny jak pień drzewa. Brązowe włosy kręciły się lekko, więc strzygł je krótko, żeby nie przeszkadzały. Taki właśnie był Bomber. Nie zawracał sobie głowy nieważnymi sprawami.

Miał ponad metr osiemdziesiąt, był wyższy niż większość napastników. Szybki i inteligentny, odznaczał się telepatyczną niemal umiejętnością przewidywania posunięć obrony, którą poszczycić się mogą tylko najlepsi gracze. Był niemal równie dobry jak legendarny Joe Montana. Świadomość, że koszulka z numerem osiemnaście nigdy nie zawiśnie w jej szafie, była dla Jodie solą w oku.

– Cal, twoja drużyna straciła w zeszłym tygodniu cztery piłki w meczu z Patriotami. Co zrobisz, żeby ta sytuacja nie powtórzyła się w meczu z Bykami?

Pytanie było przeraźliwie głupie, nawet jak na Paula Fennemana. Jodie była ciekawa, co powie Bomber.

Podrapał się w głowę, jakby pytanie było tak skomplikowane, że musiał je dokładnie przemyśleć. Bomber nie miał cierpliwości do ludzi, których nie szanował. Miał za to zwyczaj podkreślania w takich sytuacjach swoich korzeni na amerykańskim Południu.

Oparł nogę na pedale harleya i zamyślił się.

– Wiem, co zrobimy, Paul. Będziemy pilnować piłki. Sam nigdy nie grałeś, więc pewnie nie wiesz, że ilekroć pozwolimy przeciwnikom zabrać nam piłkę, sami jej nie mamy. A bez piłki nijak nie nabijemy sobie punktów.

Jodie zachichotała. Bomber załatwił Paula na szaro, trzeba mu to przyznać.

Paulowi nie spodobało się, że robią z niego głupka.

– Słyszałem, że trener Raskin jest bardzo zadowolony z Kevina Tuckera. Niedługo skończysz trzydzieści sześć lat, jesteś już trochę za stary na tę grę. Czy nie obawiasz się, że Kevin zajmie twoją pozycję rozgrywającego?

Przez ułamek sekundy Bomber zesztywniał, zaraz jednak wzruszył lekceważąco ramionami.

– E tam, Paul, jeszcze nie zeszłem z boiska.

– O, ktoś w jego typie byłby idealny – szepnęła doktor Jane.

Jodie spojrzała na nią i zobaczyła, że wpatruje się w ekran.

– O czym pani mówi?

Doktor Jane wskazała telewizor.

– Ten mężczyzna. Sportowiec. Jest zdrowy, przystojny i niezbyt inteligentny. Właśnie kogoś takiego szukam.

– Ma pani na myśli Bombera?

– Tak się nazywa? Nie mam pojęcia o futbolu.

– Cal Bonner. Rozgrywający napastnik chicagowskich Gwiazd.

– A, rzeczywiście. Widziałam jego zdjęcie w gazecie. Dlaczego nie znam nikogo takiego? To znaczy… nikogo tępego.

– Tępego?

– Niezbyt inteligentnego. Głupiego.

– Głupi? Bomber? – Jodie już otwierała usta, by poinformować doktor Jane, że Bomber to najinteligentniejszy, najbardziej przebiegły, sprytny, utalentowany, nie wspominając już, że najpodlejszy rozgrywający napastnik w całej cholernej lidze, kiedy nagle wpadł jej do głowy szalony pomysł. Zrobiło jej się gorąco. Nie wierzyła, że w ogóle bierze to pod uwagę.

Opadła z powrotem na poduszki kanapy. Cholera jasna. Namacała pilota, ściszyła dźwięk.

– Mówi pani poważnie? Chciałaby pani, żeby Cal Bonner był ojcem jej dziecka?

– Oczywiście pod warunkiem, że mogłabym zajrzeć w jego kartę chorobową. Prosty mężczyzna to mój ideał: siła, wytrzymałość i niski iloraz inteligencji. Uroda to dodatkowy atut.

Jodie myślała o tysiącu rzeczy jednocześnie.

– A gdybym… – Przełknęła ślinę i skupiła się na wizji nagiego Kevina Tuckera. – A gdybym mogła to zorganizować?

– Co?

– Panią i Cala Bonnera w łóżku?

– Pani żartuje?

Jodie energicznie zaprzeczyła.

– Ale ja go wcale nie znam.

– Nie musi pani.

– Chyba nie rozumiem.

Jodie przedstawiła jej starannie ocenzurowaną historię – nie napomknęła nawet słowem, jaki drań z tego Bombera, generalnie jednak powiedziała prawdę. Mówiła o prezencie urodzinowym i o tym, jaką kobietę wymyślili sobie chłopcy. I stwierdziła, że w odpowiednim makijażu doktor Jane nadaje się znakomicie.

Doktor Jane zbladła tak, że wyglądała jak mała dziewczynka z filmu o wampirach z Bradem Pittem.

– Czyli… czyli miałabym udawać prostytutkę?

– Taką z klasą, bo Bomber nie lubi dziwek.

Podniosła się z fotela i nerwowo krążyła po pokoju. Jodie niemal widziała jej mózg, który pracuje jak kalkulator; dodaje i odejmuje, dzieli i mnoży. W jej oczach na chwilę rozbłysła nadzieja, by zaraz zgasnąć. Ciężko oparła się o gzyms nad kominkiem.

– Karta chorobowa… – westchnęła głęboko, boleśnie. – Przez moment wydawało mi się, że to możliwe, ale co z jego kartą chorobową? Piłkarze często zażywają sterydy, prawda? I jeszcze AIDS…

– Bomber nie bierze narkotyków. Nigdy nie uganiał się za panienkami i dlatego chłopcy mu to organizują. Chyba z nikim nie spał, odkąd zerwał ze swoją dziewczyną zeszłej zimy.

– I tak musiałabym zobaczyć jego kartę chorobową.

Jodie pomyślała, że albo Willie, albo Junior na tyle zbałamucą sekretarkę, że da im co trzeba.

– We wtorek, najpóźniej w środę będę ją miała.

– Nie wiem, co powiedzieć…

– Jego urodziny są za dziesięć dni – poinformowała Jodie. – Wszystko sprowadza się do tego, czy ma pani dość odwagi, żeby to zrobić.

Rozdział 2

Co ona najlepszego zrobiła? Żołądek Jane Darlington wywinął potężnego kozła, gdy szła do damskiej toalety w barze Zebra. Przyprowadziła ją tu Jodie Pulanski. W barze miał czekać piłkarz, który zawiezie ją do mieszkania Cala Bonnera. Nie zwracając uwagi na kobiety paplające przy umywalkach, weszła do kabiny, zamknęła zasuwkę i przywarła policzkiem do zimnej ścianki działowej.

Naprawdę dopiero dziesięć dni minęło od chwili, gdy za sprawą Jodie jej życie stanęło na głowie? Dlaczego w przypływie szaleństwa zgodziła się na ten wariacki plan? Co, po latach racjonalnego myślenia, skłoniło ją do takiego idiotyzmu? Było już za późno; niestety, dopiero teraz uświadomiła sobie, że popełniła szczeniacki błąd i zapomniała o podstawowej zasadzie termodynamiki: porządek nieuchronnie przeradza się w chaos.

Może to forma regresji? Jako dziecko wiecznie pakowała się w kłopoty. Matka umarła kilka miesięcy po jej narodzinach, więc wychowywał ją oschły, zamknięty w sobie ojciec. Wydawało się, że zwraca na nią uwagę jedynie wówczas, gdy psoci. Jego podejście, a także zabójcza nuda w szkole, zaowocowały więc serią psot i dowcipów. Punkt kulminacyjny osiągnęła, gdy doprowadziła do tego, że lokalny przedsiębiorca budowlany pomalował dom dyrektora szkoły jasnoróżową farbą.

To wspomnienie do dziś poprawiało jej humor. Dyrektor jak najbardziej na to zasłużył; był okrutnym sadystą i nie znosił dzieci. Co więcej, incydent otworzył oczy władzom szkolnym. Pozwolili jej na indywidualny tok nauczania, tak że nie miała już czasu na psoty. Nauka wciągnęła ją do tego stopnia, że coraz bardziej odsuwała się od rówieśników, więc z czasem zaczęli w niej widzieć tylko dziwaczkę i kujona. Chwilami wydawało jej się, że sama wolała rozbrykanego dzieciaka, którym kiedyś była, niż przemądrzałą panią profesor, którą się stała, ale uznała, że jest to cena, jaką przychodzi jej zapłacić za to, że urodziła się inna niż wszyscy.

I nagle okazało się, że rozbrykany dzieciak żyje nadal. A może to przeznaczenie? Co prawda nigdy nie przywiązywała zbytniej wagi do wróżb i przepowiedni, ale czy można tak po prostu zignorować fakt, że urodziny Cala Bonnera przypadają akurat w najbardziej płodnym momencie jej cyklu? Podniosła słuchawkę i zadzwoniła do Jodie Pulanski, zanim opuściły ją resztki odwagi.

Jutro, być może, będzie już w ciąży. Owszem, to mało prawdopodobne, ale jej cykl był zawsze idealnie regularny, no i tak bardzo pragnęła dziecka. Niektórzy zapewne uznaliby jej pragnienie za egoizm, ona jednak wcale tak nie uważała. Tak będzie dobrze. Inni widzieli w niej osobę godną szacunku i podziwu. Skupiali się na jej umyśle, tyle że przy tym nikt nie dostrzegał, jak bardzo potrzebuje miłości. Nie widział tego ani jej ojciec, ani Craig.

Czasami wyobrażała sobie, jak siedzi przed ekranem komputera, wpatrzona w wykresy i obliczenia, które, być może, pomogą jej zrozumieć tajemnicę wszechświata. Nagle z zadumy wyrywa ją głosik dziecka, które wchodzi do gabinetu.

Podniesie wtedy głowę, dotknie miękkiego policzka.

– Mamusiu, pójdziemy dzisiaj puszczać latawce?

Roześmieje się, wstanie od komputera, porzuci obliczenia i tajemnice kosmosu, i wybierze bardziej dosłowną penetrację przestworzy.

Szum spuszczanej wody w sąsiedniej kabinie sprowadził ją na ziemię. Zanim będzie puszczała latawce, musi przeżyć dzisiejszy wieczór. A to oznacza uwiedzenie nieznajomego, i to na dodatek takiego, który ma w tym względzie dużo większe doświadczenie od niej. Dotychczas miała tylko jednego kochanka.

Oczyma wyobraźni zobaczyła długie, chude ciało Craiga, nagie, jeśli nie liczyć czarnych skarpetek – nosił je zawsze ze względu na kłopoty z krążeniem. Jeżeli nie miała okresu, a jego nie męczyła migrena, kochali się co sobota, szybko i niezbyt ekscytująco. Teraz żałowała, że tak długo tkwiła w nudnym związku, zdawała sobie jednak sprawę, że skłoniła ją do tego samotność.

Zawsze miała kłopoty z męskim towarzystwem. W szkole koledzy z klasy byli dla niej za starzy, podobnie jak później na uczelni. Nie była brzydka i wielu znajomych z pracy chciało się z nią umówić, tyle że byli od niej średnio o dwadzieścia lat starsi. To budziło w niej niesmak. Ci, którzy ją pociągali, rówieśnicy, byli jej studentami. Umawianie się z nimi było sprzeczne z jej kodeksem moralnym. W rezultacie zdobyła sobie opinię osoby chłodnej i nudnej, i powoli przestano zapraszać ją na randki.

To się zmieniło, gdy zaproszono ją do pracy w Laboratorium Preeze. Badała kwarki marząc, jak każdy fizyk, że właśnie ona odkryje równanie równie proste jak einsteinowskie E=mc2, dające odpowiedź na wszystkie tajemnice wszechświata. Jednym z naukowców, których poznała na seminarium w Chicago, był Craig.

Początkowo wydawało jej się, że spotkała mężczyznę swojego życia. Z czasem jednak okazało się, że chociaż mogą godzinami dyskutować o eksperymentach Einsteina, nigdy razem nie żartują i nie ma między nimi tego poczucia wspólnoty, które, jak sobie wyobrażała, łączy zakochanych. Z czasem zaakceptowała fakt, że są razem raczej z wygody niż z potrzeby emocjonalnej.

Szkoda tylko, że związek z Craigiem nie przygotował jej w żaden sposób do uwiedzenia Cala Bonnera. Zdawała sobie sprawę, że mężczyźni nie uważają jej za kobietę pociągającą. Zatem cała nadzieja w tym, że piłkarz okaże się jednym z tych okropnych facetów, którym właściwie wszystko jedno, z kim idą do łóżka, byle to była chętna kobieta. Obawiała się, że przejrzy ją na wylot, zorientuje się, jaka z niej oszustka, ale trudno... musi spróbować, dać losowi szansę. Nie ma wyjścia. Nie skorzysta z banku spermy, nie narazi swojego dziecka na ryzyko takiego dzieciństwa jak jej.

W miarę jak kobiety się oddalały, cichły ich głosy. Zdawała sobie sprawę, że nie może ukrywać się bez końca. Nie podobała jej się też świadomość, że się czai i kryje, więc z rezygnacją otworzyła drzwi. Wychodząc, odruchowo zerknęła w lustro na przeciwległej ścianie i przez chwilę wydawało jej się, że patrzy na obcą osobę.

Jodie nalegała, by rozpuściła włosy, ba, nawet przyniosła swoje wałki i zakręciła loki, które teraz miękko spływały na ramiona. Zdaniem Jane wyglądało to troszkę nieporządnie, ale postanowiła uwierzyć w zapewnienia Jodie, że mężczyznom się podoba. Zdała się także na Jodie w kwestii makijażu, pozwoliła, by dziewczyna nałożyła grubą warstwę kolorowych kosmetyków. Jane nie protestowała, przekonana, że jasnoróżowa szminka i dyskretny brązowy tusz do rzęs nie pasują do prostytutki, nawet takiej z klasą.

Krytycznym spojrzeniem obrzuciła natomiast swój strój. Szukały go razem z Jodie. W ciągu minionych dziesięciu dni poznała Jodie Pulanski zdecydowanie lepiej niż miała na to ochotę. Dziewczyna była próżna, skupiona tylko na sobie: jej zainteresowania ograniczały się do ciuchów, imprez i randek z piłkarzami. Była także uparta i, z powodów dla Jane niezrozumiałych, bardzo jej zależało, żeby wszystko się udało.

Jane wyperswadowała jej czarną skórę i wysokie botki na rzecz obcisłego kostiumu z jedwabiu w kolorze écru. Krótka spódniczka ściśle przylegała do ciała. Doskonale skrojony żakiet, zapinany na jeden guzik, podkreślał nikły biust Jane. Stroju dopełniał biały pas do pończoch, cieniutkie pończochy i wysokie szpilki. Jane co prawda wspomniała coś o bieliźnie, ale Jodie zaprotestowała:

– Prostytutki nie noszą bielizny. Zresztą tylko by ci przeszkadzała.

Jane z trudem opanowała przypływ paniki. Co jej przyszło do głowy? Przecież to szaleństwo. W przypływie obłędu uwierzyła, że się uda. Co innego opracować wszystko teoretycznie, a co innego plan zrealizować.

Jodie wpadła do łazienki jak burza.

– Co się z tobą dzieje, u licha? Junior po ciebie przyjechał.

Żołądek Jane fiknął salto.

– Ja… zmieniłam zdanie.

– Bzdura. Nie zrobisz mi tego. Cholera, wiedziałam, że tak się to skończy. Poczekaj tu.

Jodie wybiegła. Jane nie zdążyła zaprotestować. Było jej gorąco i zimno jednocześnie. Jakim cudem wpakowała się w takie tarapaty? Ona, powszechnie szanowany naukowiec, autorytet w swojej dziedzinie. To czysty obłęd.

Rzuciła się do drzwi i zderzyła z Jodie, która wróciła równie szybko jak wyszła. Przyniosła butelkę piwa. Otworzyła dłoń i podała Jane niebieskie tabletki.

– Połknij.

– Co to jest?

– Jak to, co? Lekarstwo. Nie widzisz?

– Mówiłam ci, że jestem dalekowidzem. Bez okularów mam kłopoty.

– Połknij. Pomoże ci się wyluzować.

– Sama nie wiem…

– Zaufaj mi. Pomogą ci.

– Nie uważam, by zażywanie leków niewiadomego pochodzenia…

– Dobrze, dobrze. Chcesz mieć dziecko czy nie?

Zrobiło jej się przykro.

– Przecież wiesz, że tak.

– Więc połknij te cholerne tabletki!

Jane usłuchała, popiła piwem i wzdrygnęła się; nie znosiła piwa. Znowu stanęła okoniem, gdy Jodie wyprowadziła ją z toalety i zimny powiew powietrza uświadomił jej, że nie ma na sobie bielizny.

– Nie mogę.

– Słuchaj, to nic takiego. Chłopcy już upili Cala. Wyniosą się zaraz po twoim przyjściu. Jedyne, co masz robić, to trzymać buzię na kłódkę i się nim zająć. Ledwie się obejrzysz, a już będzie po wszystkim.

– To nie takie proste…

– Sama zobaczysz.

Jane poczuła na sobie wzrok mężczyzn. W pierwszej chwili wydawało jej się, że coś jest nie tak, że ciągnie za sobą rolkę papieru toaletowego albo coś podobnego, ale zaraz zrozumiała, że patrzą na nią nie krytycznie, ale z pożądaniem, i jej przerażenie wzrosło.

Jodie zaprowadziła ją do ciemnowłosego potwora bez szyi. Siedział za barem. Miał czarne krzaczaste brwi, zrośnięte nad nosem. Wyglądały jak gigantyczna gąsienica.

– Oto ona, Junior. I nie waż się powiedzieć, że na Jodie Pulanski nie można polegać.

Potwór otaksował Jane wzrokiem i uśmiechnął się.

– Dobrze się spisałaś, Jodie. Ma klasę. Jak masz na imię, kochanie?

Jane była tak przerażona, że nie mogła myśleć. Dlaczego się na to nie przygotowała? Nagle zobaczyła neonowy napis, jedyny, który była w stanie przeczytać bez okularów.

– Bud.

– Nazywasz się Bud?

– Tak. – Zaniosła się kaszlem, grając na zwłokę. Przez całe dorosłe życie poszukiwała prawdy, kłamstwo przychodziło jej z trudem. – Bud. Rose Bud.

Jodie tylko przewróciła oczami.

– Brzmi raczej jak striptizerka – skomentował Junior.

Jane posłała mu nerwowe spojrzenie.

– To nazwisko rodowe. Budowie przypłynęli do Ameryki na „Mayflower".

– Coś takiego.

Zmyślała dalej, chcąc być bardziej przekonująca, ale ze zdenerwowania nie mogła się skupić.

– Walczyli we wszystkich amerykańskich wojnach, we wszystkich ważnych bitwach: Lexington, Gettysburg… Jedna z moich przodkiń pomagała przy organizacji pierwszej kolei.

– Coś takiego. Mój wujek pracował na kolei w Santa Fe. – Przechylił głowę i zapytał z nagłą podejrzliwością: – A tak właściwie ile masz lat?

– Dwadzieścia sześć. – Jodie nie dopuściła jej do głosu.

Jane spojrzała na nią ze zdumieniem.

– Wygląda na więcej – stwierdził Junior.

– Ale ma tyle.

– Muszę ci to przyznać, Jodie: w niczym nie przypomina Kelly. Może to mu dobrze zrobi. Mam tylko nadzieję, że nie przerazi go fakt, że jest taka stara.

Stara! W jakim świecie oni żyją, uważając kobietę pod trzydziestkę za starą! Gdyby się dowiedział, że naprawdę ma trzydzieści cztery lata, uznałby ją za antyk.

Junior ściągnął pas oliwkowego prochowca.

– Chodź, mała. Spadamy stąd. Pojedziesz za mną swoim samochodem.

Ruszył do drzwi, ale nagle zatrzymał się tak niespodziewanie, że mało brakowało, a wpadłaby na niego.

– Jezu, na śmierć zapomniałem. Wille chciał, żebyś to włożyła.

Wsadził rękę do kieszeni. Znieruchomiała, gdy zobaczyła, co z niej wyjął.

– O, nie. Nie uważam, by…

– Dalej, dziecino. Za to ci płacimy.

Udekorował jej szyję wielką różową kokardą. Z niesmakiem dotknęła końców satynowej wstążki.

– Wolałabym to zdjąć.

– Nie ma mowy, Różyczko. – Poprawił kokardę. – Jesteś prezentem urodzinowym od chłopaków.

Melvin Thompson, Willie Jarrell i Chris Plummer, obrońcy Gwiazd, obserwowali, jak Cal Bonner celuje. W jego przestronnym, choć skąpo umeblowanym apartamencie zaimprowizowali pole golfowe. Cal i Wille kończyli mecz. Stawka wynosiła sto dolarów za dołek. Bomber prowadził czterema setkami.

– Kogo wolałbyś przelecieć? – zapytał Willie Chrisa, gdy Cal celował do kubka z Dunkin Donuts, czyli symbolicznego piątego dołka. – Żonę Ala Bundy'ego ze *Świata według Bundych* czy żonę Michaela Landona z *Domku na prerii*?

– Pewnie, że żonę Ala Bundy'ego. – Chris uwielbiał *Świat według Bundych*.

– Ja też. Cholera, niezła jest.

Willie szykował się do następnego uderzenia, a Cal odsunął się na bok.

– Podobno ona i Al naprawdę mają romans.

– Coś ty? Słyszałeś, Cal?

Bonner napił się whisky i ze spokojem obserwował, jak Willie mija dołek z prawej strony.

– Nawet nie wiem, o czym rozmawiacie.

– Żona Ala Bundy'ego ze *Świata według Bundych* i żona Michaela Landona z *Domku na prerii* – wyjaśnił Melvin. – Gdybyś miał okazję wyp… – W ostatniej chwili ugryzł się w język. – Gdybyś mógł bzyknąć jedną z nich, którą byś wybrał?

Gracze, jak zwykle, założyli się, który z nich wytrzyma najdłużej, nie wypowiadając ulubionego przekleństwa. Cal nie uczestniczył w zakładzie, bo stwierdził, że nie zrezygnuje z wolności słowa, co wcale ich nie martwiło. Znając go przypuszczali, że zawsze by wygrywał.

– Musiałbym się zastanowić. – Cal opróżnił szklankę i sięgnął po kij, gdy Willie wbił kolejną piłkę. Zmierzył wzrokiem odległość od następnego dołka, czyli kubełka z KFC. Ilekroć grał w cokolwiek, nawet w golfa na pijackiej imprezie, musiał wygrywać. Właśnie ta determinacja sprowadziła go z Salvation w Karolinie Północnej na Uniwersytet Chicago. Dzięki niemu uniwersytecka drużyna wygrywała mistrzostwa kraju, dopóki nie przeszedł do zawodowej ligi NFL, gdzie okazał się jednym z najlepszych napastników w historii amerykańskiego futbolu.

Chris dokończył piwo.

– Pytanie dla ciebie. Wolałbyś laskę z *Pięknej i bestii* czy Pocahontas?

– Pocahontas – zdecydował Melvin.

– Oczywiście – włączył się Willie.

– A wiecie, kogo ja bym najchętniej wyp… to znaczy bzyknął? – oznajmił Chris. – Brendę Starr. Kurczę, ale z niej babka.

Cal nie mógł powstrzymać uśmiechu. Uwielbia ich. Dzień po dniu, tydzień po tygodniu ochraniają na boisku jego tyłek. Ostatnimi czasy dawał im się ostro we znaki. Wiedział, że nie przypadło im to do gustu, ale w tym roku drużyna miała szanse walczyć o Wielki Puchar, trofeum, na którym bardzo mu zależało.

Był to najgorszy rok jego życia. Gabriel, jego brat, stracił żonę i dziecko w wypadku samochodowym. Cal bardzo kochał i Cherry, i Jamiego. Od wypadku nie był w stanie wykrzesać z siebie entuzjazmu do niczego innego oprócz gry w piłkę.

Strzelił. Piłeczka zatrzymała się tuż koło kubełka.

Melvin zerknął na zegarek i dolał Calowi bardzo starej i bardzo drogiej whisky. W przeciwieństwie do kolegów z drużyny, Bonner upijał się rzadko, ale dzisiaj są jego urodziny, ma depresję – czy to nie wystarczające powody, by pozwolić sobie na wyjątek od reguły? Niestety, miał żelazny żołądek, więc niełatwo było zrealizować plan.

Uśmiechnął się na wspomnienie ostatnich urodzin. Kelly, z którą się wtedy spotykał, zaplanowała dla niego przyjęcie-niespodziankę, ale była na tyle kiepską organizatorką, że przyszedł przed gośćmi. Właściwie powinien bardziej za nią tęsknić, ale jedynym uczuciem, które się w nim budziło na myśl o Kelly był wstyd, że rzuciła go dla dwudziestotrzyletniego gitarzysty, który zaproponował jej małżeństwo. Mimo wszystko miał nadzieję, że jest szczęśliwa. Miła z niej dziewczyna, chociaż doprowadzała go do szału.

Często wrzeszczał, już taki miał charakter. Nie miał przy tym nic złego na myśli, po prostu w ten sposób komunikował się z otoczeniem. Kelly jednak zalewała się łzami, ilekroć na nią nakrzyczał, zamiast mu się postawić. Dlatego między innymi czuł się wobec niej jak damski bokser, więc nigdy nie mógł zachowywać się swobodnie.

Zawsze miał ten problem. Pociągały go kobiety łagodne, troskliwe. Tylko że takie były zazwyczaj miękkie i tchórzliwe i pozwalały mu się zdominować.

Kobiety bardziej agresywne i pewne siebie okazywały się poszukiwaczkami złota. Nie żeby miał im za złe, że zależy im na forsie, o ile szczerze się do tego przyznają.

Phoebe Calebow, właścicielka drużyny i jego kandydatka na najwspanialszą kobietę wszech czasów, jeżeli, ma się rozumieć, akurat się go nie czepiała, twierdziła, że nie miałby tylu kłopotów z kobietami, gdyby przestał umawiać się wyłącznie z młodziutkimi dziewczętami. Tylko że Phoebe nie rozumie jednego: futbol to gra młodych. On jest młody, do cholery! A skoro może przebierać w kobietach, niby dlaczego miałby wziąć podstarzałą trzydziestolatkę nie pierwszej świeżości, jeśli może mieć młodziutkie, śliczne stworzonko? Nawet w myślach nie przyznawał, że lata młodości ma już za sobą, szczególnie teraz, gdy czuje na karku gorący oddech Kevina Tuckera. Przysiągł sobie, że prędzej go piekło pochłonie, niż odda temu zarozumiałemu gnojkowi swoją pozycję.

Dopił whisky do dna i poczuł przyjemny szum w głowie, znak, że powoli zbliża się do miejsca, w którym chciał się znaleźć, do miejsca, w którym zapomni o śmierci dwóch bliskich mu osób, o Kevinie Tuckerze, o tym, że się starzeje, o tym wreszcie, że wieki minęły, odkąd ostatnio miał ochotę iść do łóżka z jedną z młodziutkich dziewczątek, z którymi się spotykał. Nagle dotarło do niego, że Chris zerknął na zegarek po raz trzeci w ciągu kwadransa.

– Spieszysz się gdzieś, Chris?

– Co? Eee, nie. – Wymienili znaczące spojrzenia z Melvinem. – Niee, byłem po prostu ciekaw, która jest godzina.

– O trzy minuty późniejsza niż wtedy, kiedy ostatnio sprawdzałeś. – Sięgnął po swój kij i skierował się do jadalni, przestronnej, z kryształowym żyrandolem, ale bez mebli. Po co mu graty? Lubił przestrzeń, a nie planował wydawania żadnych kolacji. Kiedy chciał zabawić gości, wynajmował samolot i leciał do Scottsdale.

Był przeciwnikiem gromadzenia zbędnych rzeczy. Jeśli zbyt długo mieszkał w jednym miejscu, ogarniał go niepokój; im mniej posiadał, tym łatwiejsza była przeprowadzka. Jest doskonałym graczem właśnie dlatego, że w jego życiu nie istnieją zbędne graty. Nie ma stałego domu, kobiety, niczego, co sprawiłoby, że poczułby się stary i zużyty. Niczego, co sprawiłoby, że złagodnieje, straci pazur.

Rozległ się dzwonek do drzwi. Willie gwałtownie podniósł głowę.

– To pewnie pizza, którą zamówiłem.

Wszyscy trzej rzucili się do drzwi.

Cal obserwował ich z rozbawieniem. Przez cały wieczór dziwnie się zachowywali. Zaraz się dowie dlaczego.

Jane stała w przedpokoju luksusowego apartamentu Cala Bonnera. Różowa kokarda na szyi sprawiała, że czuła się jak prezent dostarczony pocztą kurierską.

Serce biło jej tak szybko, że podejrzewała, iż mężczyźni widzą pulsujące poły żakietu. Kręciło jej się w głowie, co, jak podejrzewała, zawdzięczała pigułkom Jodie.

Junior o brwiach jak gąsienica pomógł jej zdjąć płaszcz i pospiesznie przedstawił ją szeptem pozostałym. Na pierwszy rzut oka było widać, że to piłkarze. Chris był biały, łysiał i miał najpotężniejszy kark, jaki kiedykolwiek widziała u człowieka. Melvin był czarny i nosił okulary w drucianych oprawkach. Nadawały mu wygląd naukowca, kłócący się z potężnym korpusem. Wille był koloru kawy z mlekiem i miał uwodzicielskie oczy.

Junior zakończył prezentację i z dumą wskazał ją kciukiem.

– Jodie świetnie się spisała, nie? Mówiłem wam, że jej się uda.

Otaksowali ją wzrokiem. Willie skinął głową.

– Dziewczyna z klasą, ale ile ma lat?

– Dwadzieścia pięć – oznajmił Junior, tym samym odmładzając ją o kolejny rok.

– Niezłe nogi. – Chris obszedł ją dookoła. – I świetny tyłek. – Uszczypnął ją w pośladek.

Obróciła się na pięcie i z całej siły kopnęła go w łydkę.

– Hej!

Zbyt późno uświadomiła sobie, że popełniła błąd. Kobieta tej profesji nie może tak gwałtownie reagować na zaczepki obcych mężczyzn. Szybko odzyskała panowanie nad sobą i obrzuciła go wyniosłym spojrzeniem najdroższej call-girl:

– Nie ma nic za darmo. Jeśli interesuje pana towar, proszę złożyć zamówienie.

Wcale się nie obrazili. Parsknęli śmiechem, a Willie z zadowoleniem pokiwał głową.

– Idealna! Akurat tego mu trzeba.

– Jutro będzie w siódmym niebie – zachichotał Melvin.

– Chodźcie, chłopaki. Zabawa się zaczyna.

Junior popchnął ją lekko. Drobiąc niezdarnie na karykaturalnie wysokich obcasach, szła po kamiennej posadzce, a mężczyźni zaintonowali *Happy Birthday*.

Zaschło jej w ustach ze strachu, jeszcze zanim doszła do końca korytarza. Kolejny krok i oto jej stopy zanurzyły się w puszystym białym dywanie. Podniosła głowę, zobaczyła Cala Bonnera i zastygła w bezruchu. Nawet przez narkotyczną mgiełkę jedno uświadomiła sobie z całą wyrazistością: telewizor kłamał.

Stał na tle przeszklonej ściany, tak że za nim była tylko ciemna listopadowa noc. W telewizji widziała przystojnego wiejskiego prostaka o świetnym wyglądzie i fatalnej gramatyce, ale ten mężczyzna nie ma w sobie nic z wiejskiego głupka. To wojownik.

Przechylił głowę na bok i obrzucił ją badawczym spojrzeniem. Miał zimne, ponure oczy. Gdy w nie patrzyła, na myśl przychodziły jej okropne rzeczy.

Oczy tak szare, że prawie srebrne. Oczy bez litości.

Gęste brązowe włosy, krótko, praktycznie ostrzyżone, a jednak zdradzające tendencję do kręcenia się.

Mięśnie i siła. Bestia.

Brutalne, barbarzyńskie kości policzkowe, podbródek znamionujący bezwzględność. Żadnej miękkości. Ani śladu cieplejszych uczuć. To zdobywca, stworzony by walczyć.

Przeszył ją dreszcz. Nie musiała pytać, by wiedzieć, że rozprawi się brutalnie z każdym, kogo uzna za wroga. Dobrze, że nie jest jego wrogiem, uspokajała się. Nigdy się nie dowie, jakie ma plany wobec niego. Zresztą zdobywcy i wojownicy nie zawracają sobie głowy takimi drobiazgami jak potomstwo z nieprawego łoża. Dzieci to naturalny skutek rabunków i gwałtów i nie zasługują na uwagę.

Silne męskie ręce pchnęły ją w stronę tego, którego wybrała na ojca swojego dziecka.

– Oto prezent dla ciebie, Cal.

– Od nas.

– Wszystkiego najlepszego, stary. Postaraliśmy się o najlepszy towar na rynku.

Jeszcze jeden ruch i wpadła na muskularną klatkę piersiową. Przed upadkiem powstrzymało ją silne ramię. Poczuła zapach whisky. Chciała się odsunąć, jednak on nie miał zamiaru jej puścić, więc została na miejscu.

Przerażała ją własna bezsilność. Przewyższał ją niemal o głowę. Na jego silnym, umięśnionym ciele nie było nawet grama tłuszczu. Postanowiła się nie wyrywać, choć przyszło jej to z trudem. Wiedziała, że gotów ją zmiażdżyć, gdy wyczuje jej słabość.

Nagle przez głowę przemknęła jej wizja tego ciała na niej, ale szybko odepchnęła ją od siebie. Jeśli będzie o tym myślała, ucieknie gdzie pieprz rośnie.

Przesunął dłoń wzdłuż jej ramienia.

– Proszę, proszę. Nie przypominam sobie, żebym kiedykolwiek dostał podobny prezent. Chłopaki, macie więcej pomysłów niż kundel pcheł.

Ledwie usłyszała przeciągły, niski głos z południowym akcentem, odzyskała panowanie nad sobą. Może i ma ciało wojownika, ale to tylko piłkarz, na dodatek niezbyt bystry. Przekonanie o własnej wyższości intelektualnej dało jej tyle pewności siebie, że śmiało spojrzała w jasne oczy.

– Wszystkiego najlepszego, panie Bonner. – Chciała, by zabrzmiało to uwodzicielsko, ale wypadło zwięźle i rzeczowo, jakby witała spóźnionego studenta.

– To jest Cal – oznajmił Junior. – Zdrobnienie od Calvin, ale lepiej tak na niego nie mów, bo strasznie go to wkurza, a wkurzanie Bombera to nie jest dobry pomysł. Cal, to Róża. Eee… Różyczka.

Uniósł brew.

– Chłopaki, przyprowadziliście striptizerkę?

– Też tak myślałem na początku, ale nie. To dziwka.

Przez jego twarz przemknął grymas niesmaku.

– Cóż… Dzięki, żeście o mnie pomyśleli, ale nie skorzystam.

– Nie możesz! – oburzył się Junior. – Wiemy, co sądzisz o dziwkach, ale Różyczka to nie zwykła panienka z ulicy. Kurczę, nie. To dziwka z klasą. Jej przodkowie przypłynęli na „Mayflower" czy coś takiego. No, Różyczko, powiedz mu.

Do tego stopnia pochłonęło ją analizowanie faktu, że o niej, doktor Jane Darlington, mówi się „dziwka", że dopiero po chwili zdobyła się na odpowiedź:

– Jeden z Budów służył u Milesa Standisha.

Chris zerknął na Melvina.

– Znam go. Chyba grał dla Niedźwiedzi w latach osiemdziesiątych?

Melvin parsknął śmiechem.

– Do licha, Chris, niczego cię nie nauczyli w college'u?

– Grałem w piłkę, nie miałem czasu na bzdury. A teraz najważniejsze są urodziny Bombera. Chłopaki, kupiliśmy mu najlepszy możliwy prezent, a on odmawia!

– Pewnie jest za stara! – stwierdził Willie. – Mówiłem, że trzeba było znaleźć młodszą, ale upieraliście się, że nie może być podobna do Kelly. Ma tylko dwadzieścia cztery lata, Cal, słowo.

No i odmłodzili ją o kolejny rok.

– Nie możesz zrezygnować. – Chris naburmuszył się jak dziecko. – To twój prezent urodzinowy. Musisz ją… eee, bzyknąć.

Czuła, że się rumieni, ale nie chciała, by to zauważyli, więc obróciła się na pięcie, udając, że z zainteresowaniem ogląda salon. Wszystko w nim było drogie, ale nieciekawe:

wieża stereo, szara kanapa, duży telewizor, biały dywan. Na podłodze poniewierały się plastikowy kubek, kubełek z KFC, puste opakowanie po płatkach śniadaniowych. Nie dość, że głupi, to bałaganiarz. Na szczęście nie jest to cecha dziedziczna, więc jej nie obchodzi.

Przerzucił kij golfowy z jednej ręki do drugiej.

– Wiecie co, chłopaki? Ludzie w kółko wymieniają prezenty. Może wymienię ją na porządny obiad?

Nie może tego zrobić! Nie znajdzie równie idealnego kandydata na ojca.

– Cholera, Bomber, ona jest droższa niż najlepszy obiad!

Zaintrygowało ją, ile kosztuje. Junior już wcześniej dał jej zwitek banknotów, które schowała nie licząc. Jutro z samego rana wpłaci wszystko na cel dobroczynny.

Opróżnił szklankę.

– Doceniam wasze starania, ale dzisiaj nie mam ochoty na dziwkę.

Wpadła w złość. Jak śmie tak o niej mówić! Czasami zawodziły ją uczucia, ale nie umysł, i teraz zdrowy rozsądek podpowiadał, że musi coś zrobić. Nie może tak łatwo zrezygnować. Jest doskonały. Musi go przekonać, że warto spróbować. Owszem, fizycznie jest przerażający i pewnie nie będzie delikatnym kochankiem, ale kilka minut szarpaniny to nic strasznego. Zresztą czy nie wybrała go właśnie dlatego, że stanowił jej przeciwieństwo pod każdym względem?

– No, dalej, Bomber – zachęcał Willie. – Jest niezła. Staje mi od samego patrzenia na nią.

– Więc ją weź. – Bonner skinął głową w stronę korytarza. – Wiesz, gdzie jest sypialnia.

– Nie!

Wszyscy patrzyli na nią.

Powtarzała sobie, że to tylko głupi piłkarz. Tabletki dodawały jej odwagi. Musi go przechytrzyć i tyle.

– Nie jestem zabawką, którą można przekazywać z rąk do rąk. Pracuję na zlecenie imienne, w tym wypadku dla pana Bonnera. – Unikając jego wzroku, skupiła się na pozostałych. – Panowie, zostawcie nas samych.

– Dobry pomysł – stwierdził Melvin. – Chodźcie, chłopaki.

Nie musiał ich długo namawiać. Rzucili się do drzwi zaskakująco szybko, biorąc pod uwagę ich potężną budowę.

Melvin odwrócił się w progu.

– Różyczko, nie zawiedź nas. Masz zrobić wszystko, czego zechce, jasne? Wszystko.

Przełknęła ślinę i skinęła głową. Chwilę później drzwi zamknęły się głośno.

Ona i mężczyzna zwany Bomberem zostali sami.

Rozdział 3

Jane obserwowała, jak piłkarz dolewa sobie whisky z butelki stojącej na stole. Unosząc szklankę do ust, przyglądał się jej jasnymi oczami, a spojrzenie miał tak groźne, że już sam jego wzrok by wystarczył, by spalić żyzne okolice na popiół.

Musi coś wymyślić, żeby go uwieść, ale co? Najprościej byłoby się rozebrać, ale jej drobne piersi nie zasługują raczej na miano modelowych, więc takie postępowanie mogłoby przynieść wręcz odwrotny skutek. Zresztą nic dziwnego, że nie wydawała jej się atrakcyjna wizja striptizu na oczach nieznajomego, w jasno oświetlonym pokoju, przy oknie na całą ścianę. Ilekroć dochodziła w myślach do scen bez ubrania, wyobrażała sobie, że będzie ciemno.

– Właściwie równie dobrze możesz wyjść z nimi, Różyczko. Chyba ci już powiedziałem, że nigdy nie poszłem
z dziwką?

Fatalna gramatyka wznieciła w niej nowy zapał. Z każdym błędem, który popełniał, iloraz inteligencji nienaro-
dzonego dziecka obniżał się o kilka punktów.

Grała na zwłokę.

– Moim zdaniem nie należy bezmyślnie szufladkować
ludzi.

– Coś takiego.

– Okazywanie komuś pogardy tylko na podstawie jego
pochodzenia, wyznania czy zawodu jest nieuczciwe.

– Naprawdę? A mordercy?

– Mordercy nie stanowią, ściśle rzecz biorąc, zamkniętej
grupy zawodowej, więc nie możemy ich rozpatrywać w tych
samych kategoriach. – Zdawała sobie sprawę, że debata
intelektualna nie jest najlepszym sposobem na podniecenie
faceta, ale ponieważ dyskusje wychodziły jej o wiele lepiej
niż uwodzenie, nie mogła oprzeć się pokusie i kontynuowała
wywód: – Ameryka powstała jako kraj wolności wyznania
i różnorodności etnicznej, a jednak głupie uprzedzenia
stanowią główne źródło problemów i konfliktów w naszym
społeczeństwie. Nie widzisz w tym ironii losu?

– Chcesz powiedzieć, że moim obowiązkiem, jako wier-
nego syna Wuja Sama, jest pokazać ci sufit w mojej sypialni?

Uśmiechnęła się lekko, ale zaraz do niej dotarło, że on
mówi poważnie. Wobec takiej tępoty, iloraz inteligencji
przyszłego potomka spadł o kolejne kilka punktów.

Przez moment zwątpiła w moralną czystość swoich
intencji – w końcu manipuluje człowiekiem nieskończenie
głupim, ba, na dodatek pozbawionym nawet szczątków
poczucia humoru, jednak ciało wojownika przekonało ją,
że warto nadwerężyć zasady.

– Chyba tak.

Przechylił szklankę z resztką whisky.

– No dobrze, Różyczko. Chyba upiłem się na tyle, że dam ci szansę, zanim pokażę ci drzwi. Do roboty.

– Słucham?

– Pokaż towar.

– Towar?

– Ciało. Sztuczki. Od dawna jesteś dziwką?

– Od... szczerze mówiąc, jesteś moim pierwszym klientem.

– Pierwszym klientem?

– Nie obawiaj się, przeszłam doskonałe szkolenie.

Zacisnął usta w wąską linię. Przypomniało jej się, że nie lubi prostytutek. To tylko komplikowało jej i bez tego trudną sytuację. Ilekroć o tym wspominała, Jodie zbywała to wzruszeniem ramion i stwierdzeniem, że koledzy i tak go upiją, więc będzie mu wszystko jedno. Tymczasem, choć widziała, że ostro popija, wcale nie był pijany.

Znowu będzie musiała skłamać. Być może za sprawą niebieskich tabletek wydawało jej się, że ma wszystko pod kontrolą. Kłamstwo wcale nie jest takie trudne. Trzeba po prostu wymyślić nową postać, nową tożsamość, dodać kilka pikantnych szczegółów, opowiadać pewnym głosem i cały czas patrzeć w oczy.

– Najwyraźniej jest pan przedstawicielem starej szkoły, panie Bonner, i wierzy pan, że kobiety w moim zawodzie zdobywają wykształcenie tylko w jeden sposób, ale to nieprawda. Ja, na przykład, jestem wierna.

Szklanka zatrzymała się w powietrzu.

– Jesteś dziwką.

– To fakt. Ale chyba już wspomniałam, że jest pan moim pierwszym klientem? Dotychczas łączyły mnie intymne stosunki tylko z jednym mężczyzną, z moim świętej pamięci mężem. Jestem wdową, bardzo młodą wdową.

Nie wydawał się przekonany, więc zaczęła koloryzować:

– Mój świętej pamięci małżonek zostawił mi masę długów, więc potrzebowałam pracy lepiej płatnej niż posada kelnerki. Niestety, nie mam żadnego wykształcenia, więc została mi tylko jedna droga. A potem przypomniałam sobie, jak mój mąż zawsze wychwalał moje talenty… eee… intymne. Więc bardzo proszę nie myśleć, że jestem niewykwalifikowana wyłącznie dlatego, że dotychczas miałam tylko jednego partnera.

– Może coś mi umknęło, ale nie mogę pojąć, jak możesz twierdzić, że jesteś doskonale wyszkolona, skoro, jak powiedziałaś, miałaś tylko jednego partnera?

Punkt dla niego. Myślała gorączkowo.

– Miałam na myśli szkoleniowe kasety wideo, które oglądają wszystkie nowe pracownice mojej agencji.

– Szkolą was na kasetach? – Zmrużył oczy i wyglądał teraz jak myśliwy celujący do bezbronnego zwierzęcia. – A to ciekawe.

Cudownie. Wyniki jej dziecka we wszelkich testach obniżyły się dramatycznie. Jest idealnym partnerem, nawet komputer nie znalazłby kogoś lepszego.

– To nie są zwykłe kasety wideo. W każdym razie nie takie, które pokazałbyś niewinnemu dziecku. Niestety, tradycyjne metody szkoleniowe nie sprawdzają się w dzisiejszych czasach, wobec konieczności bezpiecznego seksu, więc bardziej postępowe agencje szkolą swoje pracownice właśnie w ten sposób.

– Agencje? Masz na myśli burdele?

To słowo zabolało.

– Poprawne politycznie określenie to „agencja towarzyska" – przypomniała mu. Umilkła na chwilę. Miała wrażenie, że głowa zaraz oderwie się od szyi i poszybuje pod sufit. – A prostytutki to akwizytorki rozkoszy seksualnej, w skrócie ARS.

– ARS? Jezu, z ciebie chodząca encyklopedia.

Ciekawe, że jego akcent nasila się z każdą chwilą. To pewnie wpływ alkoholu. Dzięki Bogu jest za głupi, żeby się zorientować, jak dziwaczny obrót przybrała ich rozmowa.

– Mamy pokazy slajdów i prelekcje gości, którzy opowiadają o swoich specjalnościach.

– Na przykład?

– Na przykład… – zastanawiała się gorączkowo. – Udawanie.

– Jakie udawanie?

Rzeczywiście, jakie? Nerwowo szukała w głowie czegoś, co nie wiązałoby się z bólem i upokorzeniem.

– Na przykład scenariusz zatytułowany *Książę i Kopciuszek.*

– Na czym to polega?

– Bardzo ważnym elementem są… róże. Kochanie się na łożu zasypanym różami.

– Za gogusiowate dla mnie. Masz coś bardziej pikantnego?

Dlaczego, u licha, w ogóle wspominała o odgrywaniu?

– Oczywiście, ale skoro jesteś moim pierwszym klientem, spiszę się lepiej, jeśli będziemy trzymali się podstaw.

– Pozycja misjonarska?

Przełknęła ślinę.

– Moja specjalność. – Nie wydawał się zachwycony tą perspektywą, chociaż z drugiej strony… z jego twarzy niewiele dawało się wyczytać. – To, i… mam też talent do… znajdowania się na górze.

– Wiesz co? Chyba dzięki tobie zmienię zdanie o dziwkach.

– Akwizytorkach rozkoszy seksualnej.

– Wszystko jedno. Widzisz, problem w tym, że jesteś dla mnie trochę za stara.

Za stara! To naprawdę ją rozzłościło. Ten trzydziestosześcioletni facet ma czelność uważać kobietę dwudziestosześcioletnią za starą! Może to znowu sprawa tabletek, ale nagle fakt, że w rzeczywistości jest starsza, stracił znaczenie. Chodzi o zasady!

Przybrała współczującą minę.

– Przepraszam, chyba zaszło jakieś nieporozumienie. Myślałam, że dasz sobie radę z dorosłą kobietą.

Kolejny łyk whisky trafił do niewłaściwego otworu. Cal zaniósł się kaszlem.

Zachwycona swoją władzą, podeszła do telefonu.

– Chcesz, żebym zadzwoniła do agencji i poprosiła o Małą? Jeśli skończyła odrabiać lekcje, będzie tu za pół godziny.

Przestał kaszleć i łypnął na nią gniewnie.

– Nie masz dwudziestu czterech lat, wiemy o tym oboje. Masz co najmniej dwadzieścia osiem. A teraz zabieraj się do roboty i pokaż, czego się nauczyłaś na kasetach wideo i wykładach. Jeśli uda ci się mnie zainteresować, może zmienię zdanie.

Najchętniej wysłałaby go do wszystkich diabłów, ale nie pozwoli, by oburzenie, choćby i słuszne, pokrzyżowało jej szyki. Jak go uwieść? Nie planowała gry wstępnej, zakładała, że się na nią rzuci, zrobi, co do niego należy i stoczy na bok, jak Craig.

– Jakiego rodzaju grę wstępną preferujesz?

– Przyniosłaś pejcz?

Zaczerwieniła się.

– Nie.

– A kajdanki?

– Nie.

– Cholera. No, trudno. Jestem otwarty na propozycje. – Rozparł się wygodnie w wielkim fotelu i skinął niedbale ręką. – Dalej, Różyczko, możesz… jak to się mówi? Improwizować. Pewnie i tak wszystko mi się spodoba.

Może wykona dla niego uwodzicielski taniec. W domowym zaciszu dobrze tańczyła, jednak publicznie potykała się i myliła. Może zaprezentuje układ z aerobiku, choć niezbyt regularnie uczęszczała na zajęcia.

– Gdybyś włączył ulubioną muzykę…

– Pewnie. – Wstał, podszedł do wieży. – Chyba nawet mam coś intelektualnego. Pewnie taka SAR jak ty lubi muzykę klasyczną.

– ARS.

– A co, nie to powiedziałem? – zdziwił się. Włożył płytę, nacisnął guzik. Zanim wrócił na fotel, pokój wypełniły dźwięki *Lotu trzmiela* Rimskiego-Korsakowa. Utwór o tak szaleńczym tempie nie był jej zdaniem idealnym podkładem do uwodzicielskiego tańca, ale co ona tam wie?

Unosiła i opuszczała ramiona, jak na rozgrzewce na aerobiku. Usiłowała wyglądać przy tym kusząco, ale niełatwo o to przy tak szybkiej muzyce. Do działania popychały ją jednak narkotyki. Dodała kilka przechyłów tułowia, dziesięć na prawo i dziesięć na lewo, żeby nie stracić równowagi.

Włosy muskały jej policzki, gdy poruszała się w sposób, jak miała nadzieję, uwodzicielski i kuszący. Facet jednak obserwował ją bezlitosnym wzrokiem, nie widziała żadnych oznak podniecenia. Przyszły jej na myśl skłony, uznała jednak, że nie są to ruchy zbyt podniecające. Zresztą, musiałaby zgiąć kolana. I wtedy wpadła na genialny pomysł.

Raz, dwa, trzy, i wyrzut!

Raz, dwa, trzy i wyrzut!

Założył nogę na nogę i ziewnął.

Pozwoliła sobie na kołysanie bioder, jakby kręciła wy-imaginowane hula-hoop.

Zerknął na zegarek.

To przegrana sprawa. Zatrzymała się. Niech trzmiel leci dalej bez niej.

– Już koniec? Nie mogłem się doczekać pajacyków.

– Nie umiem tańczyć, kiedy ktoś na mnie patrzy.

– Więc trzeba było oglądać więcej kaset treningowych i dorzucić kilka starych, wiesz, z Travoltą. – Wstał, ściszył muzykę. – Czy mogę być z tobą szczery, Różyczko?

– Bardzo proszę.

– Nie podniecasz mnie. – Sięgnął do tylnej kieszeni, wyjął portfel. – Proszę, to za fatygę.

Z trudem powstrzymała łzy cisnące się od oczu, choć nie była beksą. Wyrzuci ją i tym samym pozbawi szansy na dziecko. Zdesperowana, obniżyła głos do ochrypłego szeptu.

– Panie Bonner, nie może mi pan tego zrobić.

– Owszem, mogę.

– Wtedy… wtedy stracę pracę. Zlecenia od drużyny są bardzo istotne dla naszej agencji.

– Więc dlaczego, do cholery, wysłali ciebie? Na pierwszy rzut oka widać, że nie masz pojęcia, co to znaczy być dziwką.

– To dlatego, że w mieście jest zjazd… Mieliśmy za mało personelu.

– Chcesz powiedzieć, że dostał mi się wybrakowany egzemplarz?

Skinęła głową.

– Jeśli się dowiedzą, że nie był pan zadowolony z moich usług, wyrzucą mnie na bruk. Błagam, panie Bonner. Bardzo mi zależy na tej pracy. Jeśli mnie zwolnią, stracę wszystkie przywileje socjalne.

– Przywileje socjalne?

Jeśli prostytutki ich nie dostają, to powinny.

– Mamy doskonałą opiekę stomatologiczną, a czeka mnie leczenie kanałowe. Czy nie moglibyśmy... pójść do sypialni?

– Nie wiem, Różyczko...

– Błagam! – W akcie desperacji złapała go za ręce, zacisnęła oczy i uniosła jego dłonie do swoich piersi.

– Różyczko?

– Tak?

– Co ty robisz?

– Pozwalam ci... dotknąć moich piersi.

– Aha. – Jego dłonie ani drgnęły. – Czy na którejś z twoich kaset była mowa o tym, że najpierw należałoby się rozebrać?

– Żakiet jest bardzo cienki i na pewno zorientowałeś się już, że nie mam nic pod spodem.

Jego dłonie parzyły przez cieniutki jedwab. Nie pozwoliła sobie na rozważanie, co by było, gdyby nie dzieliła ich tkanina.

– Jeśli masz ochotę, możesz pogłaskać.

– Dziękuję za propozycję, ale... Czy masz zamiar otworzyć oczy w najbliższej przyszłości?

Zapomniała, że są zamknięte, więc pospiesznie uniosła powieki.

I to był błąd. Stał tak blisko, że musiała odchylić głowę do tyłu, żeby na niego o spojrzeć. Z tej odległości jego rysy były zatarte, nie na tyle jednak, by nie dostrzegła, że jego usta są jeszcze bardziej surowe niż jej się wydawało. Dostrzegła małą bliznę na podbródku, inną – u nasady włosów. Jego ciało to mięśnie i stal. Żaden wredny bachor na całej planecie nie będzie dokuczał dziecku tego mężczyzny.

To moja huśtawka, kujonico! Spadaj albo ci dołożę!

Przemądrzała Janie, przemądrzała Janie...

– Proszę, chodźmy do sypialni.

Puściła jego dłonie. Oderwał je od jej piersi.

– Naprawdę ci na tym zależy, co, Różyczko?

Skinęła głową.

Patrzył na nią, ale oczy wojownika nie zdradzały, o czym myśli.

– Zapłacono za mnie – przypominała mu.

– No tak, to fakt… – Wydawał się nad czymś zastanawiać. Czekała cierpliwie, świadoma, że powolny mózg pracuje ospale.

– Więc wracaj do agencji i powiedz, że to zrobiliśmy.

– Nie umiem kłamać, przejrzeliby mnie od razu.

– Czyli nie mamy innego wyjścia, tak?

Powoli odzyskiwała nadzieję.

– Nie mamy.

– No dobrze, Różyczko, wygrałaś. Lepiej od razu chodźmy do sypialni. – Wsunął palec pod różową wstążkę. – Na pewno nie zabrałaś kajdanków?

Z trudem przełknęła ślinę.

– Nie.

– Więc miejmy to już za sobą.

Pociągnął za kokardę, jakby to była psia obroża. Jej serce waliło jak oszalałe, gdy prowadził ją na górę. Dotykała go przy każdym kroku, chciała się odsunąć, ale jej nie puszczał.

Wchodzili po schodach. Obserwowała go czujnie kątem oka. Zdawała sobie sprawę, że to tylko wyobraźnia, ale wydawał się jej coraz większy i silniejszy. Przesunęła wzrok na jego klatkę piersiową, potem niżej, na biodra, i szeroko otworzyła oczy ze zdumienia. Jeśli wzrok jej nie mylił, był podniecony, choć zachowywał się, jakby było zupełnie inaczej.

– Hej, Różyczko, tutaj jestem.

Potknęła się, gdy prowadził ją do głównej sypialni. Cały czas głowiła się, jakim cudem ktoś tak niedoświadczony jak ona zdołał go podniecić. Zaraz jednak znalazła odpowiedź na to pytanie – jest kobietą, a on mężczyzną o mentalności i umyśle jaskiniowca. Pijany, uznał, że każda kobieta jest dobra. Powinna dziękować losowi, że ciągnie ją do jaskini za kokardę, nie za włosy.

Zapalił światło. Bezlitosna lampa ujawniła wielkie łoże ze stertą poduszek, ale bez kołdry. Na przeciwległej ścianie widniały liczne okna, na szczęście z zamkniętymi okiennicami. Oprócz tego w sypialni stała komódka i krzesło; żadnych zbędnych drobiazgów.

Puścił wstążkę, zamknął za sobą drzwi. Przełknęła ślinę, gdy przekręcał zamek w drzwiach.

– Co robisz?

– Moi kumple mają klucz do mieszkania. Zakładam, że nie życzysz sobie towarzystwa. Oczywiście, jeśli się mylę…

– Nie, nie, nie mylisz się.

– Na pewno? Niektóre RSA specjalizują się w seksie grupowym.

– ARS. Tak, ale one są zaawansowane, a ja dopiero początkująca. Czy mógłbyś zgasić światło?

– A jak będę cię widział, jeśli to zrobię?

– Przecież mamy księżyc. Na pewno zobaczysz tyle, ile trzeba. A w półmroku będzie bardziej tajemniczo.

Nie czekając na jego reakcję rzuciła się do kontaktu. Pokój pogrążył się w półmroku, rozjaśnianym smugami księżyca.

Podszedł do łóżka, odwrócił się do niej tyłem. Obserwowała, jak ściąga koszulkę przez głowę. Mięśnie na plecach napięły się, gdy niedbale rzucał ją w kąt.

– Możesz położyć ciuchy tam, na krześle.

Kolana się pod nią uginały, gdy podchodziła do wskazanego krzesła. Teraz, gdy nadeszła najważniejsza chwila, paraliżował ją strach. Co innego planować wszystko w domowym zaciszu, a co innego naprawdę kochać się z nieznajomym.

– Może wolałbyś najpierw troszkę porozmawiać, żebyśmy mogli się lepiej poznać?

– Straciłem na to ochotę, gdy przekroczyliśmy próg sypialni.

– Rozumiem.

Jego buty uderzyły o podłogę.

– Różyczko?

– Tak?

– Zostaw kokardę.

Żeby zachować równowagę, musiała się przytrzymać oparcia krzesła.

Odwrócił się w jej stronę i jednym ruchem rozpiął rozporek. Światło księżyca, które wyłaniało z mroku nagą klatkę piersiową, kazało jej opuścić wzrok. Był gotów. Czy naprawdę ona to zrobiła?

Zepsuł jej widok, bo przysiadł na krawędzi łóżka, żeby ściągnąć skarpetki. Miał wąskie stopy, o wiele dłuższe niż Craig. Jak na razie wszystko w nim było większe niż u Craiga. Głęboko zaczerpnęła tchu i zsunęła pantofle.

Ubrany tylko w rozpięte dżinsy, ułożył się na plecach, z poduszką pod głową. Odnalazła guzik z boku żakietu. Splótł dłonie za głową i patrzył.

Kiedy dotknęła zapięcia, ogarnęła ją panika. Starała się odzyskać panowanie nad sobą. Nie ma znaczenia, że zobaczy ją nagą. Przecież nie ma żadnych brzydkich znamion, a tak bardzo go potrzebuje. Teraz, gdy już go zobaczyła, nie wyobrażała sobie, by kto inny mógłby być ojcem jej dziecka.

Ale ręka nie słuchała poleceń. Zauważyła, że do końca rozpiął rozporek. Dostrzegła ciemną strzałkę włosów na płaskim brzuchu.

Dalej! – nakazywał mózg. Pokaż mu się! Ale palce nie chciały się ruszać.

Obserwował ją bez słów. W jego wzroku nie było czułości ani delikatności. Nie starał się jej uspokoić.

Za wszelką cenę starała się otrząsnąć z odrętwienia. Przypomniała sobie, że Craig nie lubił gry wstępnej. Powiedział kiedyś, że dla mężczyzny liczy się efekt końcowy. Cal będzie pewnie zadowolony, jeśli od razu przejdzie do rzeczy. Podeszła do łóżka.

– Mam gumki w szufladzie komody, Różyczko. Weź je.

Choć ta prośba komplikowała sytuację, była zadowolona, że wykazuje tyle zdrowego rozsądku. Może nie jest typem naukowca, ale ma sporo ulicznej mądrości; miejmy nadzieję, że dziecko odziedziczy po nim tę cechę.

– Nie ma potrzeby – odparła cicho. – Jestem przygotowana.

Lekko uniosła nogę, podciągnęła spódniczkę, aż biały jedwab odsłonił udo. Sięgnęła pod spód i wyjęła prezerwatywę, ukrytą za podwiązką. W tym momencie z całą wyrazistością uświadomiła sobie, co planuje zrobić. Celowo uszkodziła prezerwatywę. Popełni kradzież.

Fizyka molekularna albo oddala cię od Boga, albo do niego przybliża. W jej przypadku doszło do zbliżenia. W tej chwili wypierała się wszystkiego, w co wierzyła. Zaraz jednak zaczęła szukać usprawiedliwienia. Cal nie potrzebuje tego, po co tu przyszła, więc nie robi mu żadnej krzywdy. On jest tylko narzędziem. To, co zrobi, nie będzie miało dla niego żadnych negatywnych skutków.

Odsunęła na bok obiekcje, rozerwała opakowanie i podała mu prezerwatywę. Wolała nie ryzykować, iż nawet w słabym świetle dostrzeże, że dokonała sabotażu paczuszki.

– No proszę, jaka z ciebie zaradna istotka.

– Bardzo zaradna. – Zaczerpnęła tchu, żeby uspokoić nerwy, Podciągnęła spódniczkę na tyle, że mogła uklęknąć na materacu. Usiadła okrakiem na jego udach, zdecydowana mieć to jak najszybciej za sobą.

Patrzył na nią z jedną ręką za głową, z prezerwatywą w drugiej. Nadal klęcząc, zdobyła się na odwagę i sięgnęła do jego dżinsów. Musnęła palcami twardy brzuch. Zanim się zorientowała, leżała na plecach.

Jęknęła przerażona i spojrzała mu w oczy. Ciężar jego ciała przygważdżał ją do materaca, silne dłonie uniemożliwiały jakikolwiek ruch.

– Co… co ty robisz?

Zacisnął usta w wąską linię.

– Koniec zabawy, moja pani. Kim jesteś, do cholery?

Gorączkowo nabrała tchu. Nie wiedziała, czy to z powodu jego ciężaru, czy ze strachu, w każdym razie miała wrażenie, że jej płuca przestały pracować.

– Nie wiem… nie wiem, o co ci chodzi.

– Chcę poznać prawdę, i to natychmiast. Kim jesteś?

Nie doceniała jego sprytu ulicznika, ale teraz zrozumiała, że nie może ryzykować kolejnej bajeczki. Jedyny ratunek to proste, wiarygodne wyjaśnienie. Pomyślała o Jodie Pulanski i zmusiła się, by patrzeć mu prosto w oczy.

– Jestem fanką.

Patrzył na nią z obrzydzeniem.

– Tak właśnie myślałem. Znudzona laska z towarzystwa, która leci na piłkarzy.

Laska! Uważał ją za laskę! Była tak zdumiona, że przez chwilę nie wiedziała, co powiedzieć.

– Nie na wszystkich – wykrztusiła w końcu. – Tylko na ciebie.

Miała nadzieję, że nie zapyta, z jakim numerem gra, bo nie miała zielonego pojęcia. Dowiadywała się tylko rzeczy istotnych: niski cholesterol, doskonały wzrok, żadnych chorób dziedzicznych w rodzinie, tylko liczne urazy ortopedyczne, dla niej bez znaczenia.

– Powinienem cię stąd wyrzucić.

Jakby wbrew tym słowom, nie poruszył się. Czuła, jak bardzo jest podniecony, i wiedziała, dlaczego nie spełni swojej groźby.

– Ale tego nie zrobisz.

Milczał przez długą chwilę. A potem odsunął się i puścił jej ramiona.

– Masz rację. Jestem dość pijany, by zapomnieć, że od lat nie posuwam fanek.

Odsunął się trochę, ściągnął dżinsy. W świetle księżyca wydawał się bardzo męski i bardzo prymitywny. Odwróciła wzrok, gdy zakładał uszkodzoną prezerwatywę. A więc to się stanie teraz.

Zaschło jej w ustach, gdy szukał zapięcia żakietu. Wzdrygnęła się i instynktownie powstrzymała jego dłoń.

Zacisnął zęby i nie tyle powiedział, co warknął:

– Zdecyduj się, Różyczko, i to szybko.

– Chciałabym... zostać w ubraniu. – Nie czekała na odpowiedź, ujęła jego dłoń i wsunęła pod spódnicę, Jeśli od tej chwili sam nie zacznie sobie radzić, przepadła z kretesem.

Niepotrzebnie się martwiła.

– Zaskakujesz mnie, Różyczko. – Przesunął dłoń wzdłuż jej nogi, minął podwiązkę, musnął koronkowy pas. Teraz wiedział dokładnie, jak mało ma na sobie.

– Nie lubisz marnować czasu, co?

Z najwyższym trudem udało jej się wykrztusić:

– Pragnę cię. Już.

Zmusiła się, by rozszerzyć nogi, ale mięśnie niemal odmawiały jej posłuszeństwa. Głaskał ją, jakby pieścił wystraszonego kota.

– Odpręż się, Różyczko. Jesteś bardzo spięta.

– To… z podniecenia. – Błagam, daj mi dziecko. Daj mi dziecko i pozwól stąd wyjść.

Jego palce odnalazły miękkie włosy miedzy jej nogami. Myślała, że umrze ze wstydu. Skrzywiła się, gdy jego dotyk stawał się coraz bardziej intymny; wydała głos, który w jej mniemaniu brzmiał jak jęk rozkoszy. Musi się odprężyć. Jeśli będzie tak spięta, nie zajdzie w ciążę.

– Sprawiam ci ból?

– Nie, skądże. Nigdy w życiu nie byłam równie podniecona.

Prychnął z niedowierzaniem. Chciał podciągnąć jej spódniczkę, ale powstrzymała go natychmiast.

– Proszę, nie rób tego.

– Boże, mam wrażenie, że znowu mam szesnaście lat i robię to w ciemnej uliczce za apteką Delafielda – mruknął z lekką chrypką w głosie, która sugerowała, że nie jest to przykra fantazja.

Ciekawe, jak by to było, zastanowiła się, kochać się jako nastolatka ze szkolnym bohaterem, gdzieś w alejce za apteką? Kiedy miała szesnaście lat, chodziła do college'u. Koledzy z klasy w najlepszym wypadku traktowali ją jak młodszą siostrę. W najgorszym uważali za cholernego kujona, który niepotrzebnie zawyża średnią ocen.

Usta Cala błądziły po jej dekolcie. Czuła jego gorący oddech. Kiedy dotknął brodawki, myślała, że zerwie się na równe nogi.

Ogarnął ją płomień pożądania, tyleż potężny co nieoczekiwany. Zamknął usta na małym wzgórku, pieścił przez cienki jedwab. Jej ciałem wstrząsały fale rozkoszy.

Walczyła z nimi. Jeśli pozwoli, by jego pieszczoty choć przez chwilę sprawiały jej przyjemność, będzie nie lepsza niż prostytutka, którą udawała. Musi się poświęcić, inaczej nigdy nie pogodzi się z tym, co zrobiła.

Tylko że Craig zawsze ignorował jej piersi, a to takie przyjemne.

– Och, błagam… błagam, nie rób tego. – Rozpaczliwie usiłowała go przyciągnąć do siebie.

– Niełatwo cię zaspokoić, Różyczko.

– Zrób to, dobrze? Po prostu to zrób!

W jego głosie pojawił się gniew.

– Jak pani sobie życzy.

Otworzył ją palcami, potem poczuła bolesny ucisk, gdy w nią wchodził. Odwróciła twarz i starała się nie płakać.

Zaklął, wycofał się.

– Nie! – Wbiła paznokcie w twarde pośladki. – Nie, błagam!

Znieruchomiał.

– Obejmij mnie nogami.

Zrobiła to.

– Mocniej, do cholery!

Posłuchała. Zacisnęła oczy, gdy zaczął się w niej poruszać.

Bolało, ale też spodziewała się, że brutalny wojownik zada jej ból. Nie spodziewała się natomiast, że ból tak szybko przerodzi się w ciepło. Nie spieszył się, jego ruchy przywodziły na myśl stal i jedwab zarazem, i budziły ukryte emocje.

Jego pot wsiąkał w cienkie ubranie. Wsunął dłonie pod nią, zacisnął na jej pośladkach, uniósł lekko, aż ogarnęły ją gorące spazmy. Jej podniecenie rosło, choć robiła co w jej mocy, by je zdławić. Dlaczego Craig nie kochał się z nią w ten sposób chociaż jeden jedyny raz?

Fakt, że seks z nieznajomym sprawia jej przyjemność, zawstydzał ją. W miarę jak te uczucia się potęgowały, starała się skupić na rozważaniu o kwarkach. Tylko że nie była w stanie myśleć o fizyce jądrowej. Wiedziała, że musi coś zrobić, w przeciwnym wypadku on doprowadzi ją do orgazmu, czego nigdy by sobie nie wybaczyła. Zebrała się na odwagę, choć zdrowy rozsądek podpowiadał, że nie powinna drażnić wojownika.

– Długo jeszcze?

Znieruchomiał.

– Co powiedziałaś?

Przełknęła ślinę.

– Słyszałeś. Myślałam, że jesteś doskonałym kochankiem. Dlaczego to tak długo trwa?

– Długo? – Odsunął się na tyle, by na nią gniewnie spojrzeć. – Wiesz co? Jesteś szurnięta! – A potem pchnął.

Zagryzła usta, żeby nie płakać, gdy wnikał w nią coraz głębiej i mocniej.

Otoczyła go udami i ramionami. Przyjmowała brutalne pchnięcia z rozpaczliwą determinacją. Wytrwa do końca i nie pozwoli sobie na rozkosz.

Tylko że jej ciało odmawiało posłuszeństwa. Cholerne fale rozkoszy narastały. Jęknęła.

I wtedy zesztywniał. Znieruchomiał, a po chwili poczuła, że szczytuje.

Zacisnęła pięści i w jednej chwili zapomniała o własnej rozkoszy. Płyńcie! Płyńcie, maleństwa! Z wdzięczności za bezcenny dar przywarła ustami do jego ramienia.

Ciężko na nią opadł.

Nadal otaczała go ramionami, choć czuła, że chce się odsunąć. Jeszcze chwileczkę. Jeszcze nie teraz.

Nie mogła go jednak powstrzymać. Odsunął się od niej i usiadł na skraju łóżka. Oparł łokcie na kolanach i przez długą chwilę wpatrywał się w przestrzeń. Kokarda się rozwiązała; gdy wstała, zostawiła ją na posłaniu.

Księżyc wydobywał z mroku plecy Cala. Nagle przyszło jej do głowy, że nigdy nie widziała równie samotnego człowieka. Chciała go dotknąć, pocieszyć, ale nie mogła zakłócać jego spokoju. Dotarło do niej, co mu zrobiła. Jest kłamczuchą i złodziejką.

Wstał i skierował się do łazienki.

– Kiedy wyjdę, ma cię tu nie być.

Rozdział 4

CAL STAŁ POD PRYSZNICEM w szatni klubu. Przyłapał się, na tym, że zamiast o koszmarnym treningu, który właśnie skończył, rozmyśla o Różyczce. Zignorował fakt, że boli go ramię, kostka napuchła, że w ogóle nie dochodzi do siebie tak szybko jak dawniej. Nie po raz pierwszy myślał o niej od tamtych urodzin przed dwoma tygodniami, ale nadal nie pojmował, dlaczego tak często wraca myślami do tamtego spotkania ani dlaczego błyskawicznie poczuł pociąg do tej dziewczyny. Wiedział tylko, że pragnął jej od pierwszej chwili, gdy weszła do jego salonu z różową kokardą na szyi.

Dziwiło go to tym bardziej, że nie była w jego typie. Choć atrakcyjna, z jasnymi włosami i zielonymi oczami, nie grała w tej samej lidze co jego dotychczasowe przyjaciółki. Miała fantastyczną skórę, musiał jej to przyznać; jak lody waniliowe, ale poza tym była za wysoka, za płaska i przede wszystkim za stara.

Schylił głowę, pozwolił, by woda zmoczyła mu włosy. Może pociągały go przeciwieństwa: inteligencja w jej oczach przeczyła głupiej historyjce, którą usiłowała mu sprzedać, podobnie jak dziwny dystans niweczył niezdarne próby uwiedzenia go.

Szybko wywnioskował, że to kobieta z towarzystwa. Szukała pewnie taniej podniety, udając prostytutkę. A jemu nie spodobało się, że go podnieca, więc kazał jej się wynosić. Nie starał się jednak tak, jak powinien. Zamiast irytacji, jej kłamstwa budziły w nim rozbawienie, gdy rozpaczliwie fabrykowała jedną bajeczkę po drugiej.

Przede wszystkim jednak nie mógł zapomnieć tego, co się działo w jego sypialni. Coś było nie tak. Dlaczego nie chciała się rozebrać? Nawet kiedy zabrali się do akcji, nie pozwoliła mu zobaczyć się nago. Było to dziwne i tak cholernie podniecające, że wolał o tym nie myśleć.

Zmarszczył czoło, przypominając sobie, że nie chciała, by doprowadził ją do orgazmu. To również go męczyło. Uważał, że zna się na ludziach. Wiedział, że kłamała, ale wydawała mu się nieszkodliwa. Teraz jednak nie był już taki pewien. Miał wrażenie, że postępowała według jakiegoś planu, tyle że nie wyobrażał sobie, co chciałaby osiągnąć, oprócz, ma się rozumieć, znaczka przy jego nazwisku przed polowaniem na następnego piłkarza.

Właśnie spłukiwał szampon z włosów, gdy do szatni wpadł Junior.

– Hej, Bomber, dzwoni Bobby Tom. Chciałby z tobą porozmawiać.

Cal owinął biodra ręcznikiem i pospieszył do telefonu. Gdyby dzwonił ktokolwiek inny, powiedziałby, że potem oddzwoni, ale nie Bobby Tom Denton. Nie grali długo razem, zaledwie kilka ostatnich lat kariery B.T., ale to bez znaczenia. Gdyby B.T. poprosił go o prawą rękę, Cal oddałby mu ją bez wahania. Tak wielkim szacunkiem darzył byłego gracza Gwiazd. Był, jego zdaniem, najlepszym piłkarzem wszech czasów.

Uśmiechnął się, słysząc w słuchawce znajomy teksański akcent.

– Hej, Cal, przyjedziesz do Telarosy na golfowy turniej dobroczynny? W maju. Zapraszam. Będzie niezłe przyjęcie i więcej pięknych kobiet, niż możesz to sobie wyobrazić. Oczywiście, na tobie będzie spoczywał obowiązek zabawiania ich, bo Gracie nie spuszcza mnie z oczu. Trzyma mnie na krótkiej smyczy, mówię ci.

Kontuzje sprawiły, że Cal nie grał podczas kilku ostatnich meczów B.T. w drużynie, dlatego nie poznał Gracie Denton. Na tyle jednak znał Bobby'ego Toma, by wiedzieć, że żadna kobieta nie zdoła utrzymać go na smyczy.

– Zrobię, co w mojej mocy, B.T.

– Gracie będzie szczęśliwa. Mówiłem ci już, że tuż przed narodzinami Wendy wybrali ją burmistrzem Telarosy?

– Coś słyszałem.

Bobby Tom rozprawiał dalej o żonie i malutkiej córeczce. Cala nie interesowała ani jedna, ani druga, ale udawał, że słucha z ciekawością, bo wiedział, że B.T. musi udawać, że rodzina jest dla niego równie ważna jak kiedyś futbol. Bobby Tom nigdy się nie skarżył, że musiał odejść po poważnej kontuzji kolana, ale Cal wiedział, że to mu złamało serce. Futbol był całym życiem B.T., tak samo jak jego, Cala. Bez gier i treningów życie przyjaciela było puste jak stadion we wtorkowy wieczór.

Biedny B.T. Cal był pełen podziwu, że nie skarży się na niesprawiedliwość losu, która kazała mu odejść z boiska. Przysiągł sobie, że nie zejdzie z murawy, póki nie będzie do tego gotów. Piłka to całe jego życie i nic nigdy tego nie zmieni. Ani wiek, ani kontuzje, ani w ogóle nic.

Skończył rozmowę. Podszedł do szafki. Kiedy się ubierał, wrócił myślami do swoich urodzin. Kim była, do cholery? I czemu nie może przestać o niej myśleć?

– Kazałeś mi tu przyjść tylko po to, żeby zapytać o koszty wyjazdu na konferencję w Denver? – Jane nigdy nie traciła panowania nad sobą w sytuacjach zawodowych, ale gdy stanęła naprzeciwko przełożonego w Laboratorium Preeze, miała ochotę wrzeszczeć.

Doktor Jerry Miles oderwał wzrok od dokumentów, które z uwagą studiował.

– Może uznasz to za małostkowe, Jane, ale jako dyrektor…

Przeczesał dłonią cienkie, przydługie siwe włosy, jakby doprowadzała go do ostateczności. Gest był tak samo wystudiowany jak jego wygląd. Tego dnia Jerry miał na sobie żółty golf ze sztucznego włókna, podniszczoną granatową marynarkę upstrzoną białymi plamkami łupieżu i rdzawe sztruksy, teraz na szczęście niewidoczne pod biurkiem.

Jane zazwyczaj nie oceniała ludzi po wyglądzie – najczęściej była zbyt zamyślona, by zwracać na to uwagę, ale podejrzewała, że Jerry robił wszystko, by wyglądać jak przysłowiowy roztargniony naukowiec, który to stereotyp umarł śmiercią naturalną dobrą dekadę wcześniej. Jerry jednak miał nadzieję, że przynajmniej zewnętrznie dopasuje się do wizerunku geniusza, bowiem umysłowo nie był w stanie dotrzymać kroku kolegom z laboratorium.

Przerażały go nowe teorie, gubił się w skomplikowanych wzorach i w przeciwieństwie do Jane, nie radził sobie z nową wyższą matematyką, którą naukowcy praktycznie tworzyli na co dzień. Mimo wszystkich tych wad, został dyrektorem placówki dwa lata temu. Doprowadziło do tego lobby starych, konserwatywnych naukowców, którzy chcieli, by ich zwierzchnikiem został człowiek podobny do nich. Od tego czasu współpracę Jane z Laboratorium Preeze cechował nadmiar biurokracji. Jakby dla przeciwwagi, praca w college'u Newberry wydawała się prosta i nieskomplikowana.

– W przyszłości – oznajmił Jerry – żądam dokładniejszej dokumentacji, tłumaczącej tego rodzaju wydatki. Weźmy rachunek za taksówkę z lotniska. Przecież to skandal.

Denerwowało ją, że człowiek na jego stanowisku czepia się rzeczy tak nieistotnej.

– Lotnisko w Denver jest dosyć daleko od centrum.

– Trzeba było zadzwonić po samochód hotelowy.

Z trudem opanowała gniew. Nie dość, że nie ma pojęcia o fizyce, na dodatek jest męskim szowinistą; jej koledzy nigdy nie byli poddawani takim przesłuchaniom. Tylko że oni nie zrobili z Jerry'ego idioty.

Gdy miała niewiele ponad dwadzieścia lat i ciągle żywiła idealistyczne przekonania co do tego świata, napisała artykuł, w którym bezlitośnie skrytykowała głupiutką teoryjkę Jerry'ego, teoryjkę, która przyniosła mu pewien rozgłos. Od tego czasu nigdy nie odzyskał szacunku grona naukowego; nigdy też jej nie wybaczył.

Teraz ze zmarszczonymi brwiami zabierał się do krytykowania jej osiągnięć. Niełatwe to zdanie, zważywszy, że niewiele pojmował z jej wywodów. Mówił i mówił, a zły humor Jane pogarszał się z każdą chwilą. Tak było, odkąd dwa miesiące wcześniej usiłowała zajść w ciążę i poniosła sromotną klęskę. Gdyby spodziewała się dziecka, byłoby jej o wiele łatwiej.

Żarliwa miłośniczka prawdy, zdawała sobie sprawę, że to, co zrobiła, było niewłaściwe z moralnego punktu widzenia. Mimo to jednak żywiła głębokie przekonanie, że dokonała właściwego wyboru i że nigdy nie znajdzie lepszego kandydata na ojca swojego dziecka. Cal Bonner to wojownik, silny i prymitywny, dokładnie taki, jakiego potrzebowała. Było jednak coś jeszcze, coś, czego nie umiała wytłumaczyć, coś, co utwierdzało ją w przekonaniu, że jest idealnym kandydatem. Wewnętrzny głos, stary jak ludzkość, podpowiadał to, czego logika nie umiała uzasadnić. Albo Cal Bonner, albo żaden.

Niestety, wewnętrzny głos nie podpowiadał, skąd wziąć odwagę do ponownego zbliżenia. Minęło Boże Narodzenie, a ona, choć nadal pragnęła dziecka, nie wpadła na żaden pomysł.

Fałszywy uśmiech Jerry'ego Milesa ściągnął ją na ziemię.

– Robiłem co w mojej mocy, by tego uniknąć, Jane, ale wobec kłopotów, jakie nam sprawiałaś przez ostatnie lata, nie mam wyboru. Tymczasem życzę sobie, żebyś co miesiąc składała pisemny raport ze szczegółowym opisem twojej pracy.

– Raport? Nie rozumiem.

Wyjaśnił dokładnie, czego od niej oczekuje. Nie wierzyła własnym uszom. Czegoś takiego nie wymagano od innych pracowników. Była to czysta biurokracja, dokładne przeciwieństwo wszystkiego tego, co symbolizowało Laboratorium Preeze.

– Nie zgadzam się. To niesprawiedliwe.

Popatrzył na nią z litością.

– Rada zapewne nie będzie zachwycona, kiedy to opowiem, zwłaszcza że twoje członkostwo kończy się w tym roku.

Była tak wściekła, że z trudem wydobywała słowa.

– Moja praca jest bez zarzutu, Jerry.

– Więc nie będziesz miała kłopotów ze sporządzaniem miesięcznych raportów.

– Nikt inny nie musi.

– Jesteś jeszcze młoda, Jane, twoja pozycja nie jest tak ustabilizowana.

Jest także kobietą, a on męską szowinistyczną świnią. Tylko lata samodyscypliny powstrzymały ją od powiedzenia tego na głos. Zdawała sobie sprawę, że bardziej zaszkodziłaby sobie niż jemu. Wstała i bez słowa wyszła z gabinetu.

Nadal wściekła, wsiadła do windy i zjechała na dół. Jak długo jeszcze będzie musiała to znosić? Po raz kolejny żałowała, że jej przyjaciółki Caroline nie ma w kraju. Musi z kimś porozmawiać.

Szare styczniowe popołudnie nie wróżyło rychłej zmiany pogody, jak zawsze w Illinois o tej porze roku. Wzdrygnęła się, wsiadając do samochodu. Jechała do szkoły podstawowej w Aurora. Uczyła tam fizyki.

Koledzy żartowali z niej, że pracuje za darmo, jako wolontariuszka. Ich zdaniem światowej sławy fizyk uczący maluchy w podstawówce, to tak jakby Yehudi Menuhin uczył podstaw gry na skrzypcach. Jane jednak była przerażona niskim poziomem nauczania w szkołach i robiła co w jej mocy, by to zmienić.

Biegła do klasy, ściskając pod pachą przedmioty niezbędne do eksperymentów i starała się nie myśleć o Jerrym.

Uśmiechnęła się do radosnych dziecinnych pyszczków. Jednocześnie poczuła ból w sercu. Tak bardzo pragnie dziecka.

Nie wiadomo skąd przyszła fala niechęci do samej siebie. Czy do końca życia będzie się nad sobą użalała, że nie ma dzieci, nie robiąc nic, by to zmienić?

Nic dziwnego, że nie poczęła dziecka wojownika, skoro nie ma za grosz odwagi!

Podczas pierwszego eksperymentu podjęła decyzję. Od początku wiedziała, że szanse, iż zajdzie w ciążę za pierwszym razem, są niewielkie. Nadszedł czas, by spróbować ponownie. W weekend, kiedy nadejdą płodne dni.

Wiedziała, bo z uwagą studiowała dział sportowy gazety, że w ten weekend Gwiazdy zagrają w ćwierćfinałach w Indianapolis. Jodie twierdziła, że po sezonie Cal wraca do domu, do Karoliny Północnej, więc nie może dłużej zwlekać.

Akurat w tej chwili sumienie przypomniało, że to, co planuje, jest niewłaściwe, ale uciszyła je stanowczo. W sobotę zbierze się na odwagę i poleci do Indianapolis. Może tym razem legendarny napastnik strzeli gola u niej.

W Indianapolis lało od rana, więc drużyna wyleciała z Chicago później niż planowano. Gdy Cal wyszedł z hotelowego baru i wsiadł do windy, minęła północ; zazwyczaj zawodnicy spali już od godziny. Po drodze minął Kevina Tuckera, ale obaj zachowali milczenie. Wszystko, co mieli sobie do powiedzenia, padło na konferencji prasowej kilka godzin wcześniej. Obaj nie znosili podlizywania się publiczności, ale takie są zasady gry.

Na każdej konferencji prasowej Cal patrzył dziennikarzom prosto w oczy i wychwalał pod niebiosa talent Kevina, zapewniał, że cieszy go jego obecność w drużynie i że dla obu najważniejsze jest dobro Gwiazd. A potem Kevin opowiadał, jak bardzo szanuje Cala i jaki to dla niego zaszczyt należeć w ogóle do takiej drużyny. Wszystko to bzdury. Wiedzieli o tym dziennikarze, wiedzieli fani, wiedzieli Kevin i Cal, ale i tak musieli udawać.

Wszedł do pokoju i włączył kasetę wideo z ostatniego meczu Coltów. Zrzucił buty, ułożył się wygodnie i starał się nie myśleć o Kevinie, tylko koncentrować na grze przeciwników. Cofnął kasetę, zatrzymał, oglądał w przyspieszonym tempie, aż znalazł to, czego szukał. Zatrzymał, cofnął, obejrzał jeszcze raz.

Nie odrywając oczu od ekranu, rozwinął miętusa z papierka i wsadził do ust. Jeśli go wzrok nie myli, ich napastnik ma fatalny nawyk dwukrotnego zerkania w lewo przed atakiem. Cal z uśmiechem zapamiętał tę ważną informację.

Jane, ubrana w kostium z jedwabiu w kolorze écru, stała przed drzwiami pokoju Cala Bonnera i starała się uspokoić oddech. Jeśli dzisiaj się nie uda, do końca życia będzie się użalała nad sobą, bo po raz trzeci nie zdobędzie się na odwagę.

Przypomniała sobie, że nie zdjęła okularów, więc pospiesznie wepchnęła je do torebki. Poprawiła złoty pasek na ramieniu. Szkoda, że nie ma niebieskich tabletek Jodie, wtedy poszłoby łatwiej, ale dzisiaj jest zdana na siebie. Zmobilizowała się i zapukała do drzwi.

Otworzyły się. Zobaczyła nagą klatkę piersiową porośniętą jasnymi włosami. Zielone oczy.

– Och… przepraszam. Pomyliłam pokoje.

– Zależy, czego szukasz, słoneczko.

Był młody, miał nie więcej niż dwadzieścia pięć, sześć lat, i arogancki.

– Szukam pana Bonnera.

– No to szczęściara z ciebie, bo znalazłaś kogoś o wiele lepszego. Kevin Tucker – przedstawił się.

Teraz go poznała. Widziała go w telewizji, podczas transmisji z meczów. Bez kasku wyglądał o wiele młodziej.

– Powiedziano mi, że pan Bonner mieszka w pokoju pięćset czterdzieści dwa. – Po Jodie można się było spodziewać, że wszystko pokręci.

– A więc źle ci powiedziano. – Naburmuszył się, pewnie dlatego, że go nie poznała od razu.

– Wie pan może, gdzie go znajdę?

– Owszem. Po co ci ten staruszek?

Rzeczywiście, po co?

– To sprawa osobista.

– Domyślam się.

Zdenerwował ją jego obleśny uśmieszek. Młody człowiek musi się dowiedzieć, gdzie jego miejsce.

– Tak się składa, że jestem jego doradcą duchowym.

Tucker odrzucił głowę do tyłu i parsknął śmiechem.

– Od kiedy tak to się nazywa? W każdym razie jestem przekonany, że pomożesz mu się uporać ze wszystkimi problemami starczego wieku.

– Moje rozmowy z klientem są objęte tajemnicą. Może mi pan powiedzieć, gdzie go znajdę?

– Nie tylko. Zaprowadzę cię tam.

Dostrzegła inteligentny błysk w jego oku i uznała, że mimo urody i zdrowia jest za mądry na ojca jej dziecka.

– Nie musi się pan fatygować.

– Och, nie przegapiłbym tego za skarby świata. Tylko wezmę klucz.

Zabrał klucz od swojego pokoju, ale nie zawracał sobie głowy ani koszulą, ani butami. Skręcili i zatrzymali się przed pokojem pięćset jeden.

Wystarczająco trudne będzie spotkanie z Calem bez świadków. Energicznie uścisnęła jego dłoń.

– Bardzo dziękuję, panie Tucker.

– Nie ma za co. – Puścił jej dłoń i z całej siły zapukał do drzwi.

– Poradzę sobie sama. Jeszcze raz bardzo dziękuję.

– Proszę bardzo. – Nie miał zamiaru odejść.

Drzwi się otworzyły i Jane po raz drugi stanęła twarzą w twarz z Calem Bonnerem. Przy Kevinie wydawał się bardziej dojrzały, zahartowany i, o ile to możliwe, jeszcze wspanialszy niż zapamiętała; król Artur wobec Lancelota. Zapomniała także, jak bardzo jest dominujący, i w ostatniej chwili powstrzymała odruch, by się cofnąć.

Tucker odezwał się z obłudną słodyczą:

– Zobacz, kogo znalazłem, Calvin. Twojego doradę duchowego.

– Kogo?

– Niechcący podano mi numer pokoju pana Tuckera – wyjaśniła pospiesznie. – Był tak uprzejmy, że zaofiarował się mnie tu przyprowadzić.

Tucker uśmiechnął się do niej.

– Czy ktoś ci już powiedział, że śmiesznie mówisz? Jakbyś czytała tekst do filmów przyrodniczych.

– Albo była czyimś lokajem – dorzucił Cal. Czuła na sobie jego jasne oczy. – Co ty tu robisz?

Tucker splótł ręce na piersi, oparł się o framugę i obserwował całą scenę. Jane nie miała pojęcia, co jest między dwoma mężczyznami, ale widać było, że nie darzą się sympatią.

– Przyszła, żeby podtrzymać cię na duchu w obliczu starości, Calvin.

Na szczęce Cala pulsowała mała żyłka.

– Tucker, nie musisz czasem oglądać nagrań?

– Nie. Wiem już wszystko o strategii Coltów.

– Doprawdy? – Popatrzył na niego wzrokiem żołnierza zahartowanego w boju. – A zauważyłeś, co robi napastnik przed atakiem?

Tucker znieruchomiał.

– Tak myślałem. Zabieraj się do lekcji, mały. Celne rzuty są niewiele warte, jeśli nie umiesz przewidywać ruchów obrony.

Jane nie miała pojęcia, o czym rozmawiają, ale wyczuła, że jakimś sposobem Cal pokazał Kevinowi, gdzie jego miejsce.

Tucker odsunął się od framugi i puścił oko do Jane.

– Nie siedź zbyt długo. Staruszkowie w wieku Calvina muszą się wysypiać. Jeśli masz ochotę, zajrzyj potem do mnie. Jestem przekonany, że Calvin nie pozbawi cię energii.

Bawił ją, ale i tak trzeba go utemperować.

– Potrzebuje pan wsparcia duchowego, panie Tucker?

– I to jak.

– Więc będę się za pana modliła.

Roześmiał się i odszedł. Uosobienie beztroskiej młodości. Uśmiechnęła się wbrew sobie.

– Wiesz co, Różyczko, idź z nim, skoro tak bardzo cię bawi.

Ponownie skupiła się na Calu.

– Czy w młodości byłeś równie zadziorny?

– Dlaczego wszyscy traktują mnie jak starca z jedną nogą w grobie?

Dwie kobiety wyszły zza rogu. Na jego widok stanęły jak wryte. Złapał ją za ramię i wciągnął do pokoju.

– Chodź.

Przekręcał klucz w drzwiach, więc rozejrzała się po pokoju. Na łóżku piętrzyły się poduszki, telewizor migał niemo.

– Co robisz w Indianapolis?

Przełknęła ślinę.

– Chyba sam wiesz. – Z odwagą, o którą się nie posądzała, zgasiła światło.

Pokój pogrążył się w ciemności rozjaśnionej tylko przez migający ekran telewizora.

– Nie marnujesz czasu, co, Różyczko?

Odwaga opuszczała ją gwałtownie. Drugi raz okaże się jeszcze gorszy niż pierwszy. Pozwoliła torebce opaść na podłogę.

– O co ci chodzi? Oboje wiemy, po co tu jestem.

Z szaleńczym biciem serca wsunęła palce w szlufki jego dżinsów i przyciągnęła go do siebie. Czuła, jak on twardnieje i jednocześnie miała wrażenie, że każda komórka w jej ciele budzi się do życia.

Dla kogoś, kto zawsze zachowywał się powściągliwie wobec płci przeciwnej, odgrywanie *femme fatale* okazało się nader trudne. Zacisnęła dłonie na pośladkach Cala, przywarła do piersi. Muskała palcami jego boki, poruszała się zmysłowo.

Krótko jednak cieszyła się władzą. Przycisnął ją do ściany i brutalnie uniósł podbródek:

– Czy istnieje pan Różyczka?

– Nie.

Zacisnął dłonie.

– Nie żartuj sobie. Chcę znać prawdę.

Śmiało patrzyła mu w oczy. Przynajmniej w tej kwestii nie mija się z prawdą.

– Nie jestem mężatką, przysięgam.

Chyba uwierzył, bo puścił jej podbródek. Zanim zadał następne pytanie, odnalazła jego rozporek i rozpięła guzik.

Mocowała się z zamkiem, on tymczasem szukał zapięcia jej żakietu. Otworzyła usta, by zaprotestować, gdy go rozpiął.

– Nie! – Złapała jedwabne poły tak energicznie, aż rozerwała kieszeń.

Cofnął się.

– Wynoś się.

Okryła się połami żakietu. Był wściekły. Zdawała sobie sprawę, że popełniła błąd, ale tylko w ubraniu była w stanie przez to przejść.

Uśmiechnęła się z wysiłkiem.

– Tak jest bardziej podniecająco. Proszę, nie psuj tego.

– Przez ciebie czuję się jak gwałciciel i wcale mi się to nie podoba. To ty się za mną uganiasz.

– To moja fantazja. Przyjechałam taki kawał drogi, żebyś mnie… no, prawie zgwałcił. W ubraniu.

– Zgwałcił?

Ciaśniej otuliła się żakietem.

– W ubraniu.

Zastanawiał się. Czemu nie może czytać w jego myślach?

– Robiłaś to kiedyś przy ścianie? – zapytał.

Podniecała ją ta myśl, ale tego akurat nie chciała. Tu chodzi o prokreację, nie o pożądanie. Zresztą to może utrudnić zajście w ciążę.

– Wolałabym na łóżku.

– Decyzja należy do gwałciciela, może nie?

Zanim się zorientowała, pchnął ją na ścianę i zadarł spódniczkę. Rozsunął jej uda, uniósł ją.

Powinna była się przestraszyć, ale to nie nastąpiło. Odruchowo otoczyła go ramionami.

– Obejmij mnie nogami – polecił ochryple. Usłuchała.

Poczuła, że się rozbiera. Czekała, aż wejdzie w nią brutalnie, on tymczasem delikatnie dotknął jej palcem.

Ukryła twarz na jego szyi i zagryzła usta, żeby nie krzyczeć. Chciała się skoncentrować na upokarzającym fakcie, że oddaje się nieznajomemu, a nie na rozkoszy, jaką jej dawał. Jest dziwką, tylko tyle dla niego znaczy; której użyje i o której zapomni. Powtarzała to w kółko, byle nie ulec podnieceniu.

Jego palce muskały ją delikatnie. Zadrżała i skupiła się na niewygodnej pozycji, na czymkolwiek, byle nie na pieszczotliwym dotyku. Tyle że to okazało się niemożliwe. Było jej zbyt dobrze, więc wbiła paznokcie w jego plecy i szarpnęła się niecierpliwie.

– Zgwałć mnie, do cholery!

Zaklął tak wściekle, że zadrżała.

– Coś z tobą nie tak?

– Zrób to!

Jęknął gardłowo, uniósł jej biodra.

– Niech cię diabli!

Zagryzła usta, gdy w nią wchodził i zacisnęła dłonie na jego barkach. Teraz musi wytrzymać.

Gorąco jego ciała przenikało cienki jedwab. Ściana boleśnie raniła plecy, rozsunięte uda pulsowały boleśnie. Nie musiała już się martwić rozkoszą. Teraz chciała tylko, by było po wszystkim.

Wszedł tak głęboko, że aż jęknęła. Wystarczyłby najmniejszy sygnał, a kochałby się z nią, ale nie chciała tego. Nie chciała rozkoszy.

Czuła, jak jego koszula wilgotnieje od potu. Zachowywał się, jakby chciał ukarać oboje. Z trudem doczekała jego orgazmu. Po wszystkim usiłowała skupić się na myślach o dziecku, ale pragnęła tylko jednego – uciec stąd.

Minęło kilka sekund, zanim z niej wyszedł. Odsunął się powoli, pozwolił, by stanęła na własnych nogach.

Z trudem utrzymały jej ciężar. Unikała jego wzroku. Nie mogła pogodzić się z myślą, że zrobiła to po raz drugi.

– Różyczko…

– Przepraszam. – Podniosła torebkę i rzuciła się do drzwi. Wybiegła na korytarz w podartym żakiecie, z wilgotnymi udami.

Zawołał ją, zawołał tym głupim imieniem, na które wpadła w knajpie. Nie pozwoli, by za nią poszedł i zobaczył, jak traci panowanie nad sobą, więc nie odwracając się, pomachała mu na pożegnanie. Arogancko, jakby chciała powiedzieć: „Na razie, dupku. Nie dzwoń, sama się zgłoszę".

Drzwi zatrzasnęły się z hukiem.

Zrozumiał.

Rozdział 5

Nastepnego wieczoru Cal siedział w kabinie samolotu, wiozącego drużynę z powrotem do Chicago. Zgaszono już światła, większość zawodników spała albo słuchała muzyki w słuchawkach. Cal rozmyślał.

Kostka bolała go po kontuzji, której doznał w czwartej ćwiartce. Kevin go zastąpił, trzy razy atakował, spieprzył dwie okazje i w ostatniej chwili zdobył zwycięski punkt.

Kontuzje zdarzały mu się coraz częściej: wybity bark w czasie obozu treningowego, rozległy siniak na udzie w zeszłym miesiącu, a teraz to. Lekarz orzekł, że to poważne skręcenie, więc nie będzie trenował w tym tygodniu. Miał trzydzieści sześć lat i starał się nie myśleć, że nawet Montana wycofał się w wieku lat trzydziestu ośmiu. Starał się także zapomnieć, że powrót do formy zajmuje mu coraz więcej czasu. Oprócz kostki bolały go kolana, żebra dawały o sobie znać, a w biodro ktoś chyba wbił rozżarzony pręt. Większą część nocy spędzi w gorącej wannie.

Kontuzja kostki i incydent z Różyczką popsuły mu weekend. Dobrze, że już po wszystkim. Cały czas nie mógł uwierzyć, że nie użył prezerwatywy. Nawet jako nastolatek nie popełnił takiego głupstwa. Najbardziej drażnił go fakt, że pomyślał o tym dopiero po jej wyjściu. Tak, jakby na sam jej widok pożądanie zajęło miejsce rozumu.

Może dostał o jeden raz za dużo w głowę, bo miał wrażenie, że traci rozum. Gdyby chodziło o jakąkolwiek inną kobietę, nie wpuściłby jej do pokoju. Za pierwszym razem był pijany, ale teraz nie miał nic na swoje usprawiedliwienie. Pragnął jej, więc ją wziął, i tyle.

Nie wiedział nawet, co go w niej pociąga. Jedną z zalet zawodu piłkarza jest możliwość wyboru, a on zawsze wybierał najmłodsze i najładniejsze. Chociaż twierdziła, że jest inaczej, ma co najmniej dwadzieścia osiem lat, a takie kobiety nigdy go nie pociągały. Lubił młode, świeże, o jędrnych, pełnych piersiach i nadąsanych ustach.

Różyczka pachniała wanilią. I do tego te zielone oczy. Nawet gdy kłamała, patrzyła mu prosto w oczy. Nie przywykł do tego. Lubił kobiety o uwodzicielskim spojrzeniu, trzepoczące rzęsami, a Różyczka patrzyła szczerze i uczciwie. Co za ironia losu, zważywszy, że nie była wcale ani uczciwa, ani szczera.

Rozmyślał całą drogę do Chicago i cały następny tydzień. Fakt, że nie mógł trenować, bynajmniej nie poprawił mu humoru. W piątek jego słynna samodyscyplina okazała się zgubna: powstrzymał wszystko, tylko nie atak przeciwników z Denver.

Gwiazdy grały w półfinałach mistrzostw. Grał, mimo kontuzji, które jednak wpłynęły na jego postawę. Denver wygrało dwadzieścia dwa do osiemnastu.

Piętnasty sezon Cala Bonnera dobiegł końca.

Marie, sekretarka, którą Jane dzieliła z dwójką innych pracowników college'u Newberry, podała jej plik różowych karteczek:

– Dzwonił doktor Nguyen z Fermi, prosi o kontakt przed czwartą, a doktor Davenport zaplanował spotkanie wydziału na środę.

– Dzięki, Marie.

Sekretarka miała jak zwykle skwaszoną minę, ale Jane najchętniej wyściskałaby ją i wycałowała. Miała ochotę tańczyć, śpiewać, skakać pod sufit, a potem puścić się biegiem przez cały college i krzyczeć na całe gardło, że jest w ciąży.

– Musisz mi przekazać sprawozdania przed piątą.

– Dobrze – odparła. Pokusa podzielenia się radosną nowiną była niemal nie do odparcia, ale… jest dopiero w piątym tygodniu, a Marie to nadęta nudziara, i w ogóle jest za wcześnie, by komukolwiek mówić.

Jedna osoba znała jednak prawdę. Jane poczuła niepokój, wchodząc do swojego gabinetu. Dwa dni temu Jodie Pulanski odwiedziła ją niespodziewanie i od razu zauważyła książki o ciąży i pielęgnacji niemowląt na stoliku. Oczywiście Jane nie mogłaby ukrywać swojego stanu w nieskończoność, nie miała zresztą takiego zamiaru, niepokoiła się jednak, że musi polegać na dyskrecji tak samolubnej osoby… zwłaszcza co do okoliczności poczęcia dziecka.

Jodie co prawda przysięgła, że zabierze tajemnicę do grobu, ale Jane nie ufała jej zbytnio. Ponieważ jednak dziewczyna wydawała się szczerze zadowolona i naprawdę zdecydowana dochować tajemnicy, Jane doszła do wniosku, że nie ma powodu do zmartwień i w błogim nastroju włączyła komputer.

Otworzyła internetową stronę biblioteki w Los Alamos, żeby się przekonać, czy od wczoraj pojawiły się jakieś nowe publikacje. Robiła to automatycznie, jak wielu fizyków na całym świecie. Zwykli ludzie zaczynają dzień od lektury gazety, a naukowcy od wizyty w bibliotece w Los Alamos.

Tego ranka jednak przyłapała się na rozmyślaniu o Calu Bonnerze, zamiast o nowych publikacjach. Jodie powiedziała, że w lutym Cal podróżuje po całym kraju, wypełniając zobowiązania reklamowe, zanim na początku marca uda się do Karoliny Północnej. Przynajmniej nie musi się obawiać, że wpadnie na niego na ulicy.

Ta myśl powinna stanowić pocieszenie, a budziła niepokój. Jane skupiła się na monitorze, ale nie mogła odczytać nawet jednego słowa. W wyobraźni urządzała już pokój dziecinny.

Będzie żółty, z tęczą na suficie. Uśmiechnęła się rozmarzona. Jej dziecko będzie dorastało w otoczeniu piękna.

Jodie była wściekła. Chłopcy obiecali jej noc z Kevinem Tuckerem, jeśli dostarczy prezent na urodziny Cala. Tymczasem mamy koniec lutego, czyli minęły trzy miesiące, a nadal nie wywiązali się z umowy. Humoru nie poprawiał Jodie widok Tuckera flirtującego z jej koleżanką.

Melvin Thompson wynajął całą knajpę i zjawili się wszyscy gracze, którzy jeszcze przebywali w mieście. Jodie oficjalnie była jeszcze w pracy, ale co chwila popijała z cudzych szklanek, więc była już na tyle wstawiona, że zdobyła się na odwagę, by poważnie porozmawiać z Juniorem Duncanem. Było już po północy. Grał w bilard z Germaine'em Clarkiem.

– Musimy pogadać, Junior.

– Później, Jodie. Nie widzisz, że gramy?

Najchętniej wyrwałaby mu kij i połamała na głowie, ale na tyle się jeszcze nie upiła.

– Chłopaki, obiecaliście mi coś, ale nadal nie dostałam koszulki z dwunastką. Może wy zapomnieliście, ja nie.

– Mówiłem już, że nad tym pracujemy. – Spudłował. – Cholera.

– Powtarzacie to od trzech miesięcy. Już wam nie wierzę. Ilekroć chcę z nim pogadać, traktuje mnie jak powietrze.

Junior odsunął się, żeby Germaine mógł uderzyć. Ku radości Jodie był trochę nieswój.

– Widzisz, Jodie, Kevin sprawia nam pewne kłopoty.

– Chcesz powiedzieć, że nie chce iść ze mną do łóżka?

– Nie o to chodzi. Po prostu spotyka się z innymi kobietami i sprawy się pogmatwały. Wiesz co? Mam pomysł. Może umówimy cię z Royem Rawlinsem albo Mattem Truate?

– Zwariowałeś. Gdybym chciała rezerwowych, miałabym ich dawno temu. – Skrzyżowała ręce na piersiach. – Zawarliśmy umowę: znajdę wam dziwkę na urodziny Bombera, a wy załatwicie mi Kevina. Ja dotrzymałam mojej części.

– Nie do końca.

Przeciągły głos z południowym akcentem przyprawił ją o gęsią skórkę. Odwróciła się i napotkała spojrzenie jasnych oczu Bombera.

Skąd się wziął? Kiedy go ostatnio widziała, dwie blondynki usiłowały go poderwać przy barze. Co tu robi?

– Nie znalazłaś dziwki, prawda, Jodie?

Zwilżyła usta językiem.

– Nie wiem, o co ci chodzi.

– Chyba jednak wiesz. – Podskoczyła, czując jego silne ręce na ramieniu. – Chłopaki, wybaczcie nam, Jodie i ja wyjdziemy na dwór, musimy pogadać w cztery oczy.

– Zwariowałeś? Jest cholernie zimno!

– Nie zajmie nam to dużo czasu. – Nie czekał, co powie, po prostu pociągnął ją w stronę tylnych drzwi.

Przez cały dzień ostrzegano w radio, że temperatura spadnie grubo poniżej zera. Ich oddechy zamieniały się w siwe obłoczki. Jodie zadrżała, co Cal przyjął z ponurą satysfakcją. W końcu uzyska odpowiedź na wszystkie nurtujące go pytania.

Tajemnice, wszystko jedno, czy na boisku, czy w życiu prywatnym, zawsze go denerwowały. Z jego doświadczenia wynikało, że za każdą kryje się nieczysta sprawa, a tego nie lubił.

Wiedział, że mógłby przycisnąć chłopaków, ale nie chciał, by się zorientowali, jak wiele myślał o Różyczce. Dopiero kiedy podsłuchał rozmowę Juniora z Jodie, wpadł na pomysł, żeby pogadać właśnie z nią.

Bez względu na to, jak się starał, nie potrafił zapomnieć o tej dziewczynie. W najdziwniejszych momentach łapał się na tym, że się o nią martwi. Kto może wiedzieć, do ilu drzwi pukała z bajeczkami o ARS i doradcach duchowych? Równie dobrze mogła teraz zabawiać Bearsów; cały czas się głowił, na kogo teraz poluje.

– Kim ona jest, Jodie?

Miała na sobie skąpy strój hostessy: obcisłą bluzeczkę i króciutką spódniczkę. Już szczękała zębami.

– Dziwką.

Jakąś cząstka jego mózgu podpowiadała, by zadowolił się tym wyjaśnieniem. Może ładuje się w coś, o czym wolałby nie mieć pojęcia? Jednak jedną z przyczyn, dla których był tak dobrym graczem, było instynktowne wyczuwanie niebezpieczeństwa, a teraz, nie wiadomo dlaczego, włosy na karku stanęły mu dęba.

– Zalewasz, Jodie, a ja nie lubię, kiedy ktoś robi ze mnie balona. – Puścił ją, ale jednocześnie przysunął się bliżej, tak że nie mogła uciec, uwięziona między nim a ścianą.

Unikała jego wzroku.

– Poznałam ją kiedyś, dobra?

– Nazwisko.

– Nie mogę… Nie mogę, obiecałam.

– To błąd.

Rozcierała ramiona, szczękała zębami.

– Cal, strasznie tu zimno.

– Nie czuję.

– Ona… Jane. Wiem tylko tyle.

– Nie wierzę.

– Cholera! – Rzuciła się na bok, chcąc go wyminąć, ale zablokował jej drogę. Wiedział, że się go boi, i dobrze. Szybciej powie.

– Jane i jak dalej?

– Zapominałam. – Zadarła głowę do góry.

Denerwował go jej upór.

– Przebywanie w pobliżu chłopaków dużo dla ciebie znaczy, prawda?

Zerknęła na niego nieufnie.

– Może.

– Nie może, tylko na pewno. To jedyna ważna rzecz w twoim żałosnym życiu. I wiem, że byłabyś wściekła, gdyby żaden z graczy nie zajrzał już do tej knajpy. Gdyby żaden nie chciał z tobą rozmawiać, nikt, nawet rezerwowi.

Wiedział, że ma ją w garści, ale jeszcze się nie poddała.

– To miła kobieta, przechodzi kryzys. Nie chcę jej skrzywdzić.

– Nazwisko!

Zawahała się, aż wreszcie uległa:

– Jane Darlington.

– Słucham dalej.

– Wiem tylko tyle – powtórzyła uparcie.

Obniżył głos do ledwie słyszalnego szeptu:

– Ostrzegam cię po raz ostatni. Powiedz wszystko co wiesz, bo inaczej nie odezwie się do ciebie żaden zawodnik.

– Jesteś wredny.

Milczał i czekał.

Energicznie tarła ramiona.

– Wykłada fizykę w Newberry.

Spodziewał się wielu rzeczy, ale to nawet nie przyszło mu do głowy.

– Profesorka?

– Tak. I pracuje w laboratorium, nie pamiętam w którym. Jest bardzo mądra, ale… zna niewielu facetów i… nie miała nic złego na myśli.

Im więcej się dowiadywał, tym bardziej włosy stawały mu dęba.

– Dlaczego ja? I nie mów, że zalicza wszystkich z drużyny po kolei, bo wiem, że to nieprawda.

Trzęsła się z zimna.

– Obiecałam, zrozum. Tu chodzi o całe jej życie.

– Powoli tracę cierpliwość.

Obserwował, jak walczy w niej chęć ochrony przyjaciółki i troska o własną skórę. Wiedział, co zwycięży, jeszcze zanim otworzyła usta.

– Chciała mieć dziecko! I nie życzyła sobie, żebyś się dowiedział.

Przeszył go dreszcz, który nie miał nic wspólnego z zimnem na dworze.

Obserwowała go niepewnie.

– Nie obawiaj się, nie stanie ci na progu z dzieckiem na ręku. Ma dobrą pracę, jest mądra. Zapomnij o tym i już.

Z trudem zaczerpnął powietrza.

– Chcesz powiedzieć, że jest w ciąży? Że wykorzystała mnie, żeby zajść w ciążę?

– No tak, ale to właściwie nie jest twoje dziecko. To tak, jakbyś był dawcą spermy. W każdym razie ona tak uważa.

– Dawca spermy? – Czuł, że zaraz pęknie mu głowa. Nie znosił stabilizacji, nie mieszkał nawet w jednym miejscu przez dłuższy czas. A teraz okazało się, że spłodził dziecko. Z trudem zachował panowanie nad sobą. – Dlaczego ja? Dlaczego wybrała akurat mnie?

– To ci się nie spodoba. – Jodie wyraźnie się bała.

– O, na pewno.

– Widzisz, ona jest geniuszem. I przez to, że jest taka mądra, inne dzieciaki traktowały ją jak dziwadło. Nie chce, żeby jej dzieciak też przez to przechodził, więc postanowiła, że dawcą spermy nie może być ktoś taki jak ona.

– Taki jak ona? Czyli?

– No… geniusz.

Najchętniej potrząsałby nią tak mocno, aż zgubi wszystkie zęby.

– O co ci, do cholery, chodzi? Dlaczego ja?

Jodie patrzyła na niego uważnie.

– Bo myśli, że jesteś głupi.

– Trzy protony i siedem neutronów izotopu… – Jane odwróciła się tyłem do ośmiu studentów: sześciu chłopców i dwóch dziewcząt, i zaczęła rysować na tablicy.

Do tego stopnia pochłonęło ją rysowanie, że nie zwróciła uwagi na małe zamieszanie za plecami.

Zaskrzypiało krzesło. Rozległy się szepty.

– Jądro atomu… – Szelest papieru. Głośniejsze szepty. Zdumiona, odwróciła się, chcąc poznać źródło hałasów.

I zobaczyła Cala Bonnera. Opierał się nonszalancko o ścianę.

Cała krew odpłynęła jej z głowy i po raz pierwszy w życiu myślała, że zemdleje. Jakim cudem ją odnalazł? Co tu robi? Przez ułamek sekundy łudziła się, że może jej nie poznał. Miała na sobie konserwatywny w kroju kostium, włosy, jak zwykle w pracy, zaplotła we francuski warkocz. Była też w okularach, a nigdy ich u niej nie widział. Ale nie nabrała go nawet na chwilę.

W sali zapadła cisza. Studenci chyba go rozpoznali, ale nie zwracał na nich uwagi. Patrzył na nią.

Nigdy nie była obiektem takiej nienawiści. Zmrużył oczy i obrzucił ją lodowatym spojrzeniem.

Z trudem wzięła się w garść. Do końca zajęć zostało jeszcze dziesięć minut. Musi się go pozbyć, żeby dokończyć wykład.

– Panie Bonner, czy mógłby pan na mnie poczekać w moim gabinecie? Na samym końcu korytarza.

– Nigdzie się nie ruszę. – Po raz pierwszy popatrzył na ośmiu seminarzystów. – Koniec zajęć. Do widzenia.

Zerwali się na równe nogi, zamykali notesy, wkładali płaszcze. Nie chciała doprowadzić do publicznej awantury, więc oznajmiła spokojnie:

– I tak już prawie skończyłam. Do zobaczenia w środę.

Wyszli w ciągu kilku sekund, obrzucając ich przy tym ciekawymi spojrzeniami. Cal oderwał się od ściany i zamknął drzwi na klucz.

– Otwórz – poprosiła natychmiast, przerażona, że znajduje się z nim sama w ciasnej salce bez okien. – Porozmawiamy w moim gabinecie.

Przyjął wcześniejszą pozycję. Skrzyżował nogi, splótł ręce na piersi. Miał silne ramiona.

– Najchętniej rozerwałbym cię na strzępy.

Gwałtownie nabrała tchu, gdy ogarnęła ją panika. Nagle jego postawa nabrała nowego znaczenia – wyglądał jak człowiek, który z najwyższym trudem panuje nad sobą.

– Nie masz nic do powiedzenia? Co się stało, pani profesor? Poprzednio buzia ci się nie zamykała.

Łudziła się, że uraziła dumę wojownika, ukrywając, kim jest naprawdę, i to go wyprowadziło z równowagi. Niech to nie będzie nic innego, błagam, modliła się bezgłośnie.

Podszedł powoli. Odruchowo cofnęła się o krok.

– Jak się teraz czujesz? – zapytał. – A może twój genialny mózg jest taki wielki, że zajął miejsce serca? Myślałaś, że mnie to nie obchodzi, czy może liczyłaś, że się nie dowiem?

– Dowiesz? – zdobyła się zaledwie na szept. Dotknęła plecami tablicy.

– Obchodzi mnie, pani profesor. I to bardzo.

Zrobiło jej się gorąco.

– Nie wiem, o czym mówisz.

– Bzdura. Kłamiesz.

Podchodził coraz bliżej. Miała wrażenie, że ktoś zmusza ją do łykania kłębków waty.

– Wolałabym, żebyś sobie stąd poszedł.

– Wyobrażam sobie. – Podszedł tak blisko, że dotykał jej ramienia. Poczuła zapach mydła, wełny i gniewu. – Mówię o moim dziecku, pani profesor. O tym, że postanowiłaś zajść ze mną w ciążę. O tym, że z tego, co mi wiadomo, osiągnęłaś cel.

Straciła resztki sił. Ciężko oparła się o tablicę. Nie to, błagam, Boże, tylko nie to. Najchętniej zapadłaby się pod ziemię.

Nic nie mówił; czekał.

Głęboko zaczerpnęła tchu. Zdawała sobie sprawę, że nie ma sensu zaprzeczać. Z trudem wykrztusiła:

– To nie ma z tobą nic wspólnego. Proszę, zapomnij o tym.

Był przy niej w ułamku sekundy. Jęknęła gardłowo, gdy złapał ją za ramię i szarpnął mocno. Był blady, na skroni pulsowała nabrzmiała żyłka.

– Zapomnieć? Mam zapomnieć?

– Nie przypuszczałam, że to cię obchodzi! Myślałam, że to dla ciebie bez znaczenia!

Jego usta prawie się nie poruszały.

– Owszem.

– Proszę… Tak bardzo pragnę dziecka. – Jęknęła, gdy zacisnął dłoń na jej ramieniu. – Nie chciałam cię w to mieszać. Nie miałeś się dowiedzieć. Nigdy… nigdy wcześniej nie zrobiłam czegoś takiego. To… narastało we mnie… takie pragnienie. Nie miałam innego wyjścia.

– Nie miałaś prawa.

– Wiem, że postąpiłam niewłaściwie, ale myślałam tylko od dziecku.

Puścił ją powoli. Wyczuwała, że z trudem panuje nad sobą.

– Są inne sposoby. Beze mnie.

– Banki spermy to żadna alternatywa.

Patrzył na nią z pogardą, a groźba w przeciągłym głosie z południowym akcentem sprawiła, że najchętniej schowałaby się do mysiej dziury.

– Alternatywa? Nie lubię, kiedy używasz trudnych słów. Widzisz, nie jestem naukowcem, jak ty. Jestem wiejskim głupkiem, więc lepiej mów po ludzku.

– Bank spermy nie wchodził w grę.

– A to czemu?

– Mój iloraz inteligencji przekracza sto osiemdziesiąt.

– Gratuluję.

– To nie moja zasługa, więc nie ma czego. Taka się urodziłam, ale przekonałam się, że to raczej przekleństwo niż błogosławieństwo. Chciałam urodzić normalne dziecko. I dlatego musiałam starannie wybrać ojca. – Wykręcała nerwowo ręce, głowiąc się, jak to powiedzieć, nie denerwując go jeszcze bardziej. – Potrzebny był mi mężczyzna o… eee… przeciętnym ilorazie inteligencji. A dawcami spermy są najczęściej studenci medycyny.

– A nie wieśniaki z Karoliny, co to zarabiają na życie ganiając za piłką.

– Wiem, że niewłaściwie cię oceniłam. – Machinalnie kręciła guzik od żakietu. – Ale teraz mogę tylko przeprosić.

– Mogłabyś załatwić aborcję.

– Nie! Kocham to dziecko! Nie!

Spodziewała się, że będzie ją namawiał, ale milczał. Odwróciła się i przeszła w kąt, chcąc odsunąć się od niego najdalej jak to możliwe. Musi chronić siebie i dziecko.

Słyszała, że za nią idzie i miała wrażenie, że celuje do niej z niewidzialnej strzelby. Mówił cicho, tak że ledwie go słyszała.

– Oto, co nas czeka, pani profesor. Za kilka dni pojedziemy do Wisconsin, tam prasa się o nas nie dowie, i weźmiemy ślub.

Wstrzymała oddech, porażona jego jadowitym tonem.

– Nie licz na romantyczny miesiąc miodowy, bo to będzie małżeństwo z piekła rodem. Po ceremonii rozstaniemy się, a kiedy już dziecko przyjdzie na świat, weźmiemy rozwód.

– Co ty opowiadasz? Nie wyjdę za ciebie. Nie rozumiesz. Nie obchodzą mnie twoje pieniądze. Niczego od ciebie nie chcę.

– Nie obchodzi mnie, czego chcesz.

– Dlaczego? Dlaczego to robisz?

– Bo nie chcę, żeby moje dziecko było bękartem.

– Nie będzie bękartem. Dzisiaj…

– Zamknij się! Mam wiele praw, łącznie z prawem opieki, o które będę walczył, jeśli akurat przyjdzie mi na to ochota!

Poczuła się, jakby ją uderzył w splot słoneczny.

– Prawem opieki? Nie możesz! To moje dziecko!

– Nie tylko.

– Nie pozwolę!

– Straciłaś wszelkie prawo sprzeciwu, gdy uknułaś ten podstępny plan.

– Nie wyjdę za ciebie.

– Owszem, wyjdziesz. A wiesz dlaczego? Bo prędzej cię zniszczę, niż dopuszczę do tego, by moje dziecko dorastało jako bękart.

– Czasy się zmieniły. Na świecie żyją miliony samotnych matek. Nikt na to nie zwraca uwagi.

– Ja zwracam. Posłuchaj uważnie: sprzeciwisz mi się, a zażądam wyłącznego prawa opieki. Będziemy się procesowali, aż pójdziesz z torbami.

– Nie rób tego. To moje dziecko! Tylko moje!

– Powiedz to sędziemu.

Nie wiedziała, co powiedzieć. Nagle znalazła się w strasznym, ciemnym miejscu, gdzie słowa nie przechodziły przez gardło.

– Pani profesor, babranie się w błocie to mój zawód, nie przejmuję się tym wcale. Wiesz co? Właściwie nawet to lubię. Masz wybór: albo załatwimy to między nami, czysto i grzecznie, albo publicznie, z praniem brudów i marnowaniem pieniędzy. Wybieraj. I tak wygram.

Słuchała go uważnie.

– To niesprawiedliwe. Nie chcesz tego dziecka.

– Rzeczywiście, dzieciak to ostatnia rzecz, jakiej mi trzeba, i będę cię za to przeklinał do śmierci, ale to nie jego wina, że za matkę ma kłamliwą sukę. Jak już powiedziałem, nie chcę, żeby moje dziecko było bękartem.

– Nie mogę. Nie chcę.

– Trudno. Mój prawnik jutro się z tobą skontaktuje, musisz podpisać umowę przedślubną. Po rozwodzie oboje zostaniemy z tym, co mamy w tym momencie. Nie tknę ani grosza z twoich pieniędzy, a ty z moich. Poczuwam się do finansowej odpowiedzialności tylko za dzieciaka.

– Nie chcę twoich pieniędzy! Posłuchaj wreszcie! Sama dam sobie radę! Niczego od ciebie nie chcę.

Puścił jej słowa mimo uszu.

– Niedługo muszę wracać do Karoliny Północnej, więc musimy załatwić to jak najszybciej. Za tydzień będziemy małżeństwem. Później będziemy się porozumiewali przez mojego prawnika.

Zepsuł jej piękne plany. Boże, co ona narobiła? Przecież nie powierzy dziecka temu barbarzyńcy, nawet na krótko!

Musi z nim walczyć. Nie ma prawa do jej dziecka! Nie obchodzi jej, ile ma milionów, nieważne, jak kosztowny okaże się proces, to jest jej dziecko. Nie pozwoli mu wpadać bez zaproszenia i odbierać jej skarbu. Nie ma prawa…

Gniew ustąpił wyrzutom sumienia. Ma prawo, a jakże. Sama chciała, żeby właśnie Cal był ojcem jej dziecka. Tym samym, czy jej się to podoba, czy nie, on ma prawo decydować o jego przyszłości.

Zmusiła się, by spojrzeć prawdzie w oczy. Nawet gdyby było ją stać na kosztowną batalię sądową, nie może tego zrobić. Wpakowała się w tę sytuację, ignorując własne zasady, wmawiając sobie, że cel uświęca środki, i proszę, dokąd ją to zaprowadziło. Koniec. Od tej chwili będzie się kierowała jednym: dobrem dziecka.

Porwała notatki z katedry i ruszyła do drzwi.

– Zastanowię się nad tym.

– Doskonale. Masz czas do czwartej w piątek po południu.

– Doktor Darlington zdążyła w ostatniej chwili. – Brian Delgado, prawnik Cala, dotknął umowy przedślubnej leżącej na biurku. – Przyszła tuż przed czwartą. Była bardzo zdenerwowana.

– I dobrze. – Nawet tydzień później Cal nie potrafił opanować wściekłości na myśl o tym, co mu zrobiła. Nadal ją widział tam, w klasie, w pomarańczowym kostiumie ze złotymi guzikami. W pierwszej chwili jej nie poznał. Upięła włosy z tyłu głowy, a na nosie miała wielkie okulary. Wyglądała jak belferka, nie jak kobieta.

Podszedł do okna, niewidzącym wzrokiem zapatrzył się na parking. Za dwa dni będzie żonaty. Cholera. Wszystko w nim burzyło się na tę myśl, wszystko poza kodeksem moralnym, według którego go wychowano, a który głosił, że mężczyzna nie porzuca swojego dziecka, nawet jeśli go nie chciał.

Na samą myśl o tym poczuł, że się dusi. Stabilizacja jest dobra po skończonej karierze, na stare lata, nie teraz, gdy jest w kwiecie wieku. Spełni obowiązki wobec dzieciaka, ale doktor Jane Darlington zapłaci za to, co mu zrobiła. Nikt nie będzie go wykorzystywał. Już on tego dopilnuje.

– Chcę, żeby poniosła zasłużoną karę, Brian – warknął. – Dowiedz się o niej wszystkiego.

– To znaczy?

– Znajdź jej czuły punkt.

Delgado był młody, ale miał oczy rekina i Cal wiedział, że to odpowiedni człowiek do tego zadania. Delgado reprezentował go od pięciu lat. Był inteligentny, agresywny i dyskretny. Czasami posuwał się za daleko, chcąc za wszelką cenę zadowolić najważniejszego klienta, ale Cal uważał, że zdarzają się gorsze wady niż nadgorliwość. Jak dotychczas wykazał się skutecznością i szybkością działania i Cal nie wątpił, że to się nie zmieni.

– To nie może ujść jej na sucho, Brian. Żenię się z nią, bo muszę, ale to nie koniec. Dowie się jeszcze, że zadarła z niewłaściwym facetem.

Delgado w zadumie odłożył umowę przedślubną.

– Wydaje się, że prowadzi spokojny tryb życia. Chyba nie znajdę zbyt wielu kościotrupów w szafie.

– Więc dowiedz się, co jest dla niej najważniejsze i zacznij od tej strony. Niech zajmą się nią twoi najlepsi ludzie. Sprawdź, czym przejmuje się najbardziej, wtedy będę wiedział, co jej odebrać.

Cal niemal widział trybiki w głowie adwokata. Mniej agresywny prawnik mógłby się wycofać, ale nie Brian. Lubił polowanie.

Wychodząc z jego biura, Cal obiecał sobie, że będzie chronił najbliższych przed Jane Darlington.

Jego rodzina nadal opłakiwała Cherry i Jamiego. Nie będzie rozdrapywał ich ran. Jeśli zaś chodzi o dziecko… Odkąd pamiętał, nazywano go twardym sukinsynem, ale jest sprawiedliwy. Nie pozwoli, by dzieciaka karano za błędy matki.

Nie chciał dłużej o tym myśleć. Później się tym zajmie. Na razie obchodzi go tylko zemsta. Może to trochę potrwa, ale prędzej czy później zrani ją tak, że popamięta go po wsze czasy.

Na dzień przed ślubem Jane była tak zdenerwowana, że nie była w stanie przełknąć ani kęsa, nie mogła zmrużyć oka.

Uroczystość okazała się krótka i przygnębiająca. Odbyła się w Wisconsin, w urzędzie stanu cywilnego. Trwała niecałe dziesięć minut. Nie było kwiatów, przyjaciół, całusów.

Po uroczystości Brian Delgado, prawnik Cala, oznajmił, że Cal wraca do Karoliny Północnej za niecały tydzień i będzie się z nią porozumiewał przez swojego prawnika, czyli przez Briana. Cal ograniczył się do wypowiedzenia formuły przysięgi małżeńskiej.

Odjechali osobnymi samochodami, tak samo jak przybyli. Zanim dojechała do domu, kamień spadł jej z serca. Już po wszystkim. Zobaczy go dopiero za kilka miesięcy.

Niestety, nie doceniła „Chicago Tribune". Dwa dni po ślubie dziennikarz działu sportowego, poinformowany przez anonimowego urzędnika z Wisconsin, opisał cichy ślub napastnika wszech czasów i doktor Jane Darlington, powszechnie szanowanej pani profesor z college'u Newberry.

Środki masowego przekazu oszalały na ich punkcie.

Rozdział 6

Nigdy ci tego nie daruję – syknęła Jane, zapinając pas w samolocie.

– Bądź łaskawa sobie przypomnieć, kto do kogo przyszedł z różową kokardą na szyi. – Cal wsadził bilety do kieszeni koszuli i usiadł koło niej. Wyczuwała jego wrogość każdym nerwem. Nie przypominała sobie, by kiedykolwiek doświadczyła takiej nienawiści.

Był poniedziałek, pięć dni po ich ślubie, ale wszystko się zmieniło. Stewardesa obsługująca pasażerów pierwszej klasy podeszła do nich, więc chwilowo przestali się kłócić, co robili bezustannie, odkąd „Tribune" przed trzema dniami opublikowała o nich artykuł. Podała im kieliszki z szampanem.

– Wszystkiego najlepszego! Cała załoga się cieszy, że lecą państwo z nami! Kibicujemy Gwiazdom, więc bardzo nas ucieszyła wiadomość, że pan się ożenił.

Jane uśmiechnęła się z trudem i wzięła kieliszek szampana.

– Dziękujemy.

Cal milczał.

Sam widok jego uparcie zaciśniętych ust wyprowadzał ją z równowagi. Jeśli ten człowiek kiedykolwiek splamił się logicznym myśleniem, starannie ten fakt ukrywał. Przy nim czuła się jak skarbnica wszelkiej wiedzy.

– Weź to. – Podała mu swój kieliszek szampana, ledwie stewardesa się oddaliła.

– Niby czemu?

Stewardesa obrzuciła Jane badawczym wzrokiem: była ciekawa, co za kobieta usidliła najbardziej pożądanego kawalera w Chicago. Jane powoli przyzwyczajała się do zaskoczenia na twarzach tych, którzy widzieli ją po raz pierwszy. Najwyraźniej spodziewali się, że żona Cala Bonnera będzie wyglądała jak modelka z katalogu z bielizną. Żakiet z wielbłądziej wełny, beżowe spodnie i brązowa jedwabna bluzka Jane zupełnie nie pasowały do tego wizerunku. Nosiła ubrania doskonałej jakości, ale konserwatywne. Odpowiadał jej styl klasyczny i nie miała zamiaru tego zmieniać.

Zaplotła włosy w luźny francuski warkocz; lubiła tę fryzurę. Co prawda jej przyjaciółka Caroline powtarzała, że jest zbyt staroświecka, ale przyznawała też, że podkreśla delikatne rysy Jane. Nosiła skromną biżuterię: malutkie złote kolczyki i prostą złotą obrączkę, którą prawnik Cala kupił tuż przed ślubem. Wyglądała bezsensownie na jej palcu, więc starała się jej nie zauważać.

Poprawiła okulary, rozmyślając o powszechnie znanej skłonności Cala do młodych dziewcząt. Pewnie byłby o wiele bardziej zadowolony, gdyby zjawiła się na lotnisku w spódniczce mini i obcisłej bluzeczce. Zastanawiała się, co by się stało, gdyby odkrył, ile naprawdę ma lat.

– Bo jestem w ciąży i nie mogę pić – odpowiedziała. – A może chcesz, żeby wszyscy dowiedzieli się także i o tym?

Łypnął na nią groźnie, wychylił szampana jednym haustem i oddał jej pusty kieliszek.

– Ani się obejrzę, a zrobisz ze mnie alkoholika.

– Pewnie niewiele potrzeba, zważywszy, że ilekroć cię widziałam, miałeś drinka w dłoni.

– Gówno wiesz.

– Nie ma co, wspaniałe słownictwo. Wyrafinowane.

– Przynajmniej nie gadam, jakbym połknął słownik. Długo ci się będą odbijały te mądre słowa?

– Nie wiem, ale niewykluczone, że jeśli będę mówiła bardzo, bardzo powoli, uda ci się co nieco zrozumieć.

Zdawała sobie sprawę, że takie potyczki to dziecinada, ale uznała, że lepsze to niż wrogie milczenie. W takiej sytuacji wpadała w panikę i nerwowo szukała drogi ucieczki. Cal zdawał się za wszelką cenę unikać kontaktu fizycznego, jakby się obawiał, że wystarczy byle dotknięcie i straci panowanie nad sobą. Nie lubiła się bać. Zwłaszcza wtedy, gdy popełniła błąd. Postanowiła odpowiadać agresją na atak. Nie okaże strachu, niech się dzieje co chce.

Zszargane nerwy okazały się tylko początkiem serii katastrof, które nastąpiły po ich ślubie. W piątek, dwa dni po ceremonii, zjawiła się w Newberry, gdzie czekała na nią armia dziennikarzy. Zasypywali ją pytaniami, podsuwali mikrofony pod nos. Przepychała się gorączkowo przez tłum i dopadła do swojego gabinetu, gdzie Marie na powitanie posłała jej spojrzenie pełne podziwu i wręczyła plik karteczek z wiadomościami. Wśród nich była także informacja od Cala z prośbą o telefon.

Zastała go w domu, ale uciął jej pytania groźnym warknięciem i przeczytał oświadczenie prasowe, dzieło jego prawnika. Według niego Cal i Jane poznali się przed kilkoma miesiącami przez wspólnego znajomego, a decyzję o małżeństwie podjęli pod wpływem impulsu. Dalej wymieniono szczegółowo jej osiągnięcia naukowe i podkreślono, jak Cal szczyci się naukowym dorobkiem żony. Jane zbyła to ironicznym uśmiechem. Oświadczenie kończyła informacja, że młoda para uda się na długi miesiąc miodowy do rodzinnego miasteczka Cala, Salvation w Karolinie Północnej.

– To niemożliwe! Mam zajęcia, nigdzie nie jadę! – wybuchła Jane.

Jego pogarda dosięgła ją nawet poprzez kabel telefoniczny.

– Dzisiaj weźmiesz ten, no, jak to się nazywa… urlop bezpłatny.

– O, nie.

– W college'u mówią co innego.

– O co ci chodzi?

– Zapytaj szefa. – Z łomotem odłożył słuchawkę.

Natychmiast udała się do gabinetu dyrektora, doktora Williama Davenporta, dziekana wydziału fizyki college'u Newberry. Tam dowiedziała się, że Cal przekazał znaczną darowiznę na rzecz college'u jako wyraz wdzięczności, że zgadzają się dać jego żonie bezpłatny urlop w trakcie roku szkolnego. Poczuła się bezradna i upokorzona. Wystarczył jeden czek i przejął kontrolę nad jej życiem.

Stewardesa zbierała kieliszki. Ledwie odeszła, Jane wyładowała złość na Calu.

– Nie miałeś prawa wsadzać nosa w moją karierę.

– Daruj sobie, pani profesor. Kupiłem ci kilka miesięcy wakacji. Powinnaś być mi wdzięczna. Gdyby nie ja, nie miałabyś tyle czasu na badania.

Zdecydowanie za dużo o niej wie. Bardzo jej się to nie podobało. Rzeczywiście, dzięki takiej ilości wolnego czasu będzie mogła skuteczniej zająć się badaniami dla Laboratorium Preeze, ale nie przyzna się do tego za żadne skarby. Jej komputer już jechał do Karoliny Północnej. Nawet nie zauważy, że pracuje gdzie indziej, nie w domu. W innych okolicznościach nie posiadałaby się z radości, mając tyle wolnego czasu. Niestety, w innych okolicznościach nie musiałaby go spędzać w towarzystwie Cala Bonnera.

– W laboratorium pracowałoby mi się o wiele lepiej niż w domu.

– Nie, gdyby czatowała na ciebie zgraja reporterów, ciekawych, dlaczego najsłynniejsi nowożeńcy miasta mieszkają w dwóch różnych stanach. – Spojrzał na nią pogardliwie. – Co roku o tej porze jadę do Salvation i siedzę tam aż do obozu szkoleniowego w lipcu. Może twój wielki mózg wyprodukuje jakiś sensowny powód, dla którego miałbym tam nie przywozić świeżo poślubionej żony.

– Nie rozumiem, czemu chcesz przedstawić taką oszustkę jak ja swojej rodzinie. Powiedz im prawdę.

– Widzisz, oni w przeciwieństwie do ciebie nie umieją kłamać, i prawda w krótkim czasie rozeszłaby się po miasteczku, a potem po całym kraju. Naprawdę chcesz, żeby dzieciak wiedział, jak się poznaliśmy?

Westchnęła.

– Nie. I nie mów o nim „dzieciak". – Po raz kolejny zastanawiała się, czy urodzi chłopca, czy dziewczynkę. Nie zdecydowała jeszcze, czy będzie chciała poznać wyniki USG.

– Zresztą moja rodzina wiele przeszła podczas ostatnich miesięcy i nie mam zamiaru narażać ich na dalsze przykrości.

Przypominała sobie, co mówiła Jodie: bratowa Cala i jej synek zginęli w wypadku samochodowym.

– Bardzo mi przykro. Ale ilekroć zobaczą nas razem, domyślą się, że coś jest nie tak.

– Tu akurat nie ma problemu, bo będziesz spędzała z nimi jak najmniej czasu. Przedstawię cię, powiem kim jesteś, i tyle. Nie licz na rodzinną zażyłość. I jeszcze jedno. Gdyby cię pytali, ile masz lat, nie mów, że dwadzieścia osiem. W najgorszym wypadku przyznaj się do dwudziestu pięciu.

Boże, co się będzie działo, gdy się dowie, że ma tych lat trzydzieści cztery?

– Nie mam zamiaru kłamać.

– Nie pojmuję dlaczego. Dotychczas nie miałaś takich oporów.

Starała się nie myśleć o wyrzutach sumienia.

– Nikt nie uwierzy, że mam dwadzieścia pięć lat. Nie zrobię tego.

– Pani profesor, dobrze ci radzę, nie wkurzaj mnie jeszcze bardziej. I jeszcze jedno: nie masz przypadkiem szkieł kontaktowych, żebyś nie nosiła cały czas tych belferskich okularów?

– To szkła dwuogniskowe. – Nie wiadomo dlaczego, podzielenie się z nim tą informacją wprawiło ją w doskonały humor.

– Dwuogniskowe!

– Z niewidzialną linią podziału na środku. Górna część to zwykłe szkła, a dolna – to soczewki powiększające. Wiesz, nosi je wiele osób w średnim wieku.

Nie wiadomo, jaką niemiłą odpowiedź szykował Cal, bo w tej chwili potężny mężczyzna szturchnął go podręcznym bagażem. Jane obserwowała go zafascynowana. Na dworze jest zero stopni, a facet paraduje w nylonowej koszulce bez rękawów, pewnie po to, żeby pochwalić się muskułami.

Cal zauważył jej zainteresowanie.

– Tam, skąd pochodzę, nazywamy takie koszulki ubraniem damskich bokserów.

Zapomniał, że nie rozmawia z jedną ze swoich głupiutkich przyjaciółek. Uśmiechnęła się słodko.

– No popatrz, a myślałam, że tam, skąd pochodzisz, wszyscy je nosicie.

Ściągnął brwi w pionową kreskę.

– Pani profesor, nie masz zielonego pojęcia, co się robi tam, skąd pochodzę, ale wkrótce się przekonasz.

– Hej, Cal, przepraszam, że wam przeszkadzam, ale mój dzieciak oszaleje z radości, jeśli dostanie twój autograf. – Biznesmen w średnim wieku podsunął notes i pióro. Cal podpisał się, ale po chwili zjawił się następny chętny, i kolejny… Kolejka fanów skończyła się dopiero, gdy stewardesy poleciły zapiąć pasy przed startem. Jane zaskoczyło, jak uprzejmie Cal odnosił się do wielbicieli.

Skorzystała z okazji i zagłębiła się w lekturze artykułu na temat produktów rozkładu sześciokwarkowego atomu wodoru. Niestety, wobec gruntownych zmian w swoim życiu nie była w stanie skupić się na fizyce kwantowej. Właściwie powinna była odmówić i nie jechać z nim do Salvation, ale prasa nie dałaby jej spokoju, a to mogłoby odbić się negatywnie na przyszłości dziecka. Nie mogła ryzykować.

Przede wszystkim nie wolno dopuścić, by ktokolwiek poznał trywialną prawdę o ich pierwszym spotkaniu. Nie przejmowała się tak bardzo własnym upokorzeniem, ale wolała nawet nie myśleć, jakie szkody mogłoby to wyrządzić w psychice dziecka. Obiecała sobie, że będzie się kierowała wyłącznie dobrem dziecka, i dlatego zgodziła się na ten wyjazd.

Poprawiła okulary i ponownie skupiła się na lekturze. Czuła, że Cal obserwuje ją kątem oka i doszła do wniosku, że czasami lepiej nie mieć zdolności telepatycznych – wolała nie wiedzieć, co mu chodzi po głowie.

Dwuogniskowe! Boże, jak on nie znosi tych okularów. W myślach wyliczał skrupulatnie wszystko, co mu się w niej nie podoba. Doszedł do wniosku, że nawet pomijając kwestię jej charakteru, lista jest doprawdy imponująca.

Wszystko w niej było zbyt poważne. Poważne miała nawet włosy. Dlaczego nie rozpuści tej cholernej miotły? Miały świetny kolor, to musiał przyznać. Znał kilka dziewczyn o takich włosach, tylko że ich odcienie wyczarował fryzjer, a włosy Jane Darlington to dzieło natury.

Z wyjątkiem małego niesfornego loczka, który wymykał się z fryzury i układał w literę S przy uchu, była to kobieta śmiertelnie poważna. Poważne ciuchy, poważne włosy. Za to fantastyczna skóra. Nikt go jednak nie przekona do tych wielkich, belferskich dwuogniskowych okularów. Wyglądała w nich na swoje dwadzieścia osiem lat.

Nadal nie mieściło mu się w głowie, że się z nią ożenił. Co innego jednak miałby zrobić, nie tracąc szacunku do samego siebie? Pozwolić, by jego dzieciak dorastał bez ojca? Po tym, jak go wychowano, to w ogóle nie wchodziło w grę.

Usiłował poczuć dumę, że postąpił właściwie, ale czuł tylko gniew. Nie chciał się żenić, do cholery! Z nikim! A zwłaszcza z zarozumiałą suką o fałszywym sercu.

Powtarzał sobie w kółko, że to nic złego, nie gorsze niż przyjaciółka, która się wprowadza na jakiś czas, ale na sam widok obrączki ogarniało go złe przeczucie. Jakby patrzył na zegar odmierzający ostatnie sekundy jego kariery.

– Nie pojmuję, jak można kupić samochód, nawet go nie obejrzawszy. – Jane rozglądała się po wnętrzu dżipa grand cherokee, który czekał na nich na parkingu przed lotniskiem w Asheville. Kluczyki ukryto w schowku koło kierownicy.

– Zatrudniam ludzi do takich rzeczy.

Taka nonszalancja wynikająca z bogactwa działała jej na nerwy.

– Jakież to pretensjonalne.

– Uważaj, co mówisz, pani profesor.

– To znaczy mądre – skłamała. – Przekonaj się sam. Użyj tego słowa w rozmowie z kimś, kogo szczerze podziwiasz.

Powiedz, że twoim zdaniem ten ktoś jest bardzo pretensjonalny, a sprawisz mu wielką przyjemność.

– Dzięki za propozycję. Może następnym razem, kiedy będę w telewizji.

Łypnęła na niego podejrzliwie, ale nie dostrzegła nawet cienia nieufności. Ostatnie dni zmieniły ją we wredną sukę.

Odwróciła się do okna. Choć pogoda była ponura, jak to w marcu, musiała przyznać, że okolica jest przepiękna. Górzysty krajobraz zachodniego skrawka Karoliny był całkowitym przeciwieństwem płaskiej monotonii Illinois, gdzie się wychowała.

Przejechali most na French Broad River, Szerokiej Francuskiej Rzece. W innych okolicznościach ta nazwa wywołałaby uśmiech na jej twarzy, lecz nie teraz. Mknęli międzystanową autostradą numer czterdzieści, w kierunku Salvation. Ta nazwa z czymś jej się niejasno kojarzyła, nie mogła sobie jednak przypomnieć, kiedy ostatnio słyszała o rodzinnym miasteczku Cala.

– Czy istnieje jakiś powód, dla którego mogłabym słyszeć o Salvation?

– Jakiś czas temu było głośno o miasteczku, ale miejscowi woleliby o tym zapomnieć.

Czekała na dalsze informacje, ale nie zdziwiło jej jego milczenie. Wobec Bombera istna z niej gaduła.

– Mógłbyś mnie oświecić?

Tak długo zbierał się do odpowiedzi, że straciła już nadzieję. W końcu oznajmił:

– W Salvation osiedlił się G. Dwayne Snopes. Kaznodzieja telewizyjny.

– Czy przypadkiem nie zginął w katastrofie lotniczej kilka lat temu?

– Tak. Akurat uciekał ze Stanów, wywożąc przy tym kilka milionów nie swoich dolarów. Nawet u szczytu jego kariery miejscowi nie mieli o nim najlepszego zdania, i dlatego nie chcą, żeby nazwa Salvation kojarzyła się z nim teraz, kiedy nie żyje.

– Znałeś go?

– Poznaliśmy się, tak.

– Jaki był?

– Nieuczciwy! Każdy głupi by to zobaczył!

Najwyraźniej niuanse zwykłej uprzejmej rozmowy przerastały jego możliwości intelektualne. Odwróciła się i spróbowała skupić na krajobrazie. Niestety, wobec perspektywy nowego życia u boku niebezpiecznego nieznajomego, który jej nienawidzi, przychodziło jej to z trudem.

Zjechali z autostrady na krętą szosę. Dżip zazgrzytał niebezpiecznie podczas mozolnej jazdy pod górę. Zardzewiałe przyczepy kempingowe na zarośniętych podwórkach stanowiły rażące przeciwieństwo ogrodzonych ekskluzywnych osiedli dla dobrze sytuowanych emerytów. Kręciło jej się w głowie od ciągłych zakrętów, gdy nagle Cal wjechał w wąską uliczkę pnącą się pod górę.

– To Heartache Mountain, Góra Bolącego Serca. Zanim pojedziemy do domu, muszę zajrzeć do babci. Wszyscy inni wyjechali, ale babcia dostanie szału, jeśli natychmiast cię nie pozna. Nie staraj się być miła. Pamiętaj, nie przyjechałaś tu na długo.

– Mam być niesympatyczna?

– Ujmę to tak: nie staraj się zdobyć sympatii moich krewnych. I nie waż się informować kogokolwiek o ciąży.

– Nie miałam takiego zamiaru.

Skręcił w wąską dróżkę, prowadzącą do małego domku, który rozpaczliwie domagał się malowania. Okiennice wisiały krzywo, schodki zapadały się smętnie. Uderzyło ją widoczne ubóstwo. Skoro jest taki bogaty, czemu nie zapłaci za remont?

Wyłączył silnik, wysiadł, obszedł samochód dookoła i otworzył jej drzwiczki. Zaskoczyło ją to. Jednocześnie przypomniała sobie, że tak samo postąpił na lotnisku.

– Nazywa się Annie Glide – poinformował. – Niedługo kończy osiemdziesiąt lat. Ma kłopoty z sercem i ogromną wolę życia. Uważaj na stopnie. Cholera, ta buda lada dzień zawali jej się na głowę.

– Chyba stać cię na remont.

Popatrzył na nią, jakby postradała rozum, podszedł do drzwi i walnął w nie pięścią.

– Otwieraj, starucho, i wytłumacz, czemu nie naprawiłaś schodów!

Jane gapiła się nic nierozumiejącym wzrokiem. Czy tak się traktuje ukochaną stareńką babcię?

Drzwi otworzyły się, piszcząc przeraźliwie i Jane stanęła oko w oko ze zgarbioną staruszką o rzadkich, ale utlenionych na blond włosach i krwiście czerwonych ustach, w kąciku których dyndał papieros.

– Uważaj, jak się do mnie zwracasz, Calvinie Jamesie Bonner. Jeszcze mogie ci spuścić lanie, nie zapominaj.

– Najpierw musiałabyś mnie dogonić. – Wyjął jej papierosa z ust, rzucił na ziemię, rozdeptał, i dopiero wtedy objął ją serdecznie.

Zaniosła się chrypliwym śmiechem i poklepała go po plecach.

– Wredny jak sam diabeł! – Nad jego ramieniem łypnęła na Jane, spokojnie stojącą przy schodach. – A to kto?

– Annie, poznaj Jane. – W jego głosie pojawiły się twarde nuty. – Moją żonę. Pamiętasz, dzwoniłem, żeby ci o niej powiedzieć. Pobraliśmy się w środę.

– Wygląda mi na mieszczuchę. Obdzierałaś kiedy królika ze skóry?

– Nie… nie przypominam sobie.

Prychnęła pogardliwie i ponownie zajęła się Calem.

– Czemu tak długo nie odwiedzałeś starej babci?

– Bałem się, że mnie ugryziesz, musiałem się najpierw zaszczepić na wściekliznę.

Na te słowa staruszka dostała ataku śmiechu, co skończyło się atakiem kaszlu. Cal objął ją mocno i zaprowadził do domku, wymyślając jej przy tym niemiłosiernie, że nadal pali.

Jane wsadziła ręce do kieszeni i z przerażeniem pomyślała, jak trudne miesiące ją czekają. Niełatwo będzie o sukces. Teraz na przykład oblała egzamin z obdzierania królików ze skóry.

Nie spieszyło jej się do środka, więc podeszła do skraju werandy. Las otaczał mały domek ze wszystkich stron, tylko z jednej otwierała się mała polanka, a na tyłach rozciągał ogródek. Patrząc na dalekie szczyty spowite pasmami mgły zrozumiała, czemu tę cześć Appalachów nazywa się Smoky Mountains, Górami Dymnymi.

W całkowitej ciszy słyszała, jak wiewiórka szeleści nagimi gałązkami dębu. Dotychczas nie zdawała sobie sprawy, jak głośne jest miasto czy nawet spokojniejsze przedmieścia. Słuchała trzasków gałązek, krakania wron, wdychała wilgotne, chłodne marcowe powietrze. Z westchnieniem podeszła do drzwi. Nie znała jeszcze Annie Glide, ale domyślała się, że dla staruszki wycofanie się byłoby oznaką słabości.

Znalazła się w malutkim saloniku, wypełnionym zadziwiającą mieszaniną rzeczy starych i tandetnych z nowymi i gustownymi. Na miękkim szaroniebieskim dywanie stały przeróżne meble, obite najdziwaczniejszymi tkaninami, od srebrnego brokatu po wytarty aksamit. Pozłacany stoliczek zreperowano prowizorycznie taśmą klejącą. W oknie wisiały koronkowe firanki, podtrzymywane czerwonym jedwabnym sznurem.

Na ścianie prostopadłej do starego kamiennego kominka ustawiono nowoczesny i chyba drogi zestaw stereo. Na gzymsie kominka, czyli na ledwie oheblowanej desce, dostrzegła między innymi wazonik w kształcie gitary, piłkę do rugby, wypchanego bażanta i zdjęcie mężczyzny, który wydawał się jej znajomy, choć nie pamiętała, gdzie go widziała.

Po lewej stronie zobaczyła zagraconą kuchenkę z odłażącym linoleum na podłodze i jedyną w swoim rodzaju kolekcją garnków. Mały korytarzyk prowadził zapewne do sypialni na tyłach domku.

Annie Glide z trudem usiadła w bujanym fotelu, a Cal przechadzał się nerwowo i krzyczał:

– …Roy powiedział, że groziłaś mu dubeltówką i oznajmił, że nie przyjdzie tu więcej, jeśli nie zapłacę mu kaucji w wysokości pięciuset dolarów! Bezzwrotnej!

– Roy Potts nie odróżnia młotka od swojego tyłka.

– Roy jest najlepszym stolarzem w tej okolicy.

– Przywiozłeś mi nową płytę Harry'ego Connicka Juniora? Oto co mi jest potrzebne, a nie jakiś tam stolarz.

Westchnął głośno.

– Przywiozłem, przywiozłem. Mam w samochodzie.

– No to przynieś! – Wskazała drzwi. – A kiedy wrócisz, przestaw głośniki. Są za blisko telewizora.

Ledwie wyszedł, utkwiła w Jane spojrzenie niebieskich oczu. Jane ogarnęło dziwne pragnienie, żeby uklęknąć i wyznać jej wszystkie grzechy, podejrzewała jednak, że humorzasta staruszka po prostu palnęłaby ją w głowę.

– Ile masz lat, dziewczyno?

– Trzydzieści cztery.

Długo nad tym myślała.

– A on myśli, że ile?

– Dwadzieścia osiem. Ale ja mu tego nie powiedziałam.

– Ale i nie zaprzeczyłaś, prawda?

– Tak. – Choć nikt jej tego nie proponował, przysiadła na skraju kanapy obitej aksamitem. – Mam mówić wszystkim, ze skończyłam dwadzieścia pięć.

Annie bujała się w milczeniu przed dłuższą chwilę.

– Zrobisz to?

Jane przecząco pokręciła głową.

– Cal powiedział, że jesteś profesorką z college'u. Czyli chyba jesteś bardzo mądra.

– Mądra w niektórych dziedzinach, głupia w innych.

– Cal nie lubi głupot.

– Wiem.

– Ale potrzeba mu trochę zabawy.

– Nie umiem się bawić. Kiedyś, jak byłam mała, umiałam, ale teraz już nie.

Annie popatrzyła na drzwi. Cal wszedł do środka.

– Kiedy się dowiedziałam, jak szybko żeście się pobrali, pomyślałam, że złapała cię tak samo, jak twoja mama tatę.

– To zupełnie co innego – odparł chłodno.

Annie ponownie skupiła się na Jane.

– Moja córka Amber całymi dniami nic innego nie robiła, tylko uganiała się za chłopakami. Zastawiła sidła na najbogatszego w całym miasteczku. – Zaniosła się śmiechem. – I go złapała, tak, tak! A Cal był przynętą.

Jane zbierało się na mdłości. A zatem Cal to już drugi Bonner zmuszony do małżeństwa przez ciężarną kobietę.

– Moja Amber Lynn najchętniej zapomniałaby, że dorastała biedna jak mysz kościelna, dobrze mówię, Calvin?

– Nie rozumiem, czemu wiecznie jej dokuczasz. – Podszedł do wieży i po chwili pokój wypełnił głos Harry'ego Connicka Juniora.

Dopiero teraz Jane uświadomiła sobie, że na kominku stoi fotografia piosenkarza. Co za dziwna kobieta.

Annie oparła się wygodniej.

– Ależ ten chłopak Connicków ma ładny głos. Zawsze chciałam, żeby Calvin śpiewał, ale nic z tego nie wyszło.

– Niestety. Umiem tylko rzucać piłkę. – Usiadł obok Jane, ale nie dotknął jej.

Annie zmrużyła oczy i siedzieli we trójkę w ciszy, wsłuchani w melodyjną piosenkę. Nie wiadomo, czy za sprawą pochmurnej pogody, czy leśnej ciszy, w każdym razie Jane poczuła nagle, jak spływają z niej zmartwienia. Nie wiadomo skąd zjawiła się pewność, że tu, w zapadającej się chałupce wśród gór, odnajdzie brakującą cząstkę samej siebie. Właśnie tu, w pokoju pachnącym sosną i dymem.

– Janie Bonner, masz mi coś obiecać.

Uczucie błogości zniknęło, gdy po raz pierwszy ktoś zwrócił się do niej, używając nazwiska męża. Nie zdążyła nawet zwrócić Annie uwagi, że pozostała przy panieńskim nazwisku.

– Janie Bonner, masz mi w tej chwili przysiąc, że będziesz dbała o Calvina jak trzeba i że zawsze jego dobro będzie dla ciebie ważniejsze niż twoje.

Nie chciała składać takich obietnic, próbowała się wykręcić.

– Życie nie jest proste. Trudno obiecywać coś takiego.

– Pewnie, że nie jest! – burknęła staruszka. – Ale chyba nie myślałaś, że małżeństwo z nim będzie łatwe, hę?

– Nie, ale…

– Rób, co mówię. Przysięgaj, i to już, dziewczyno.

Jane przekonała się, że nie jest w stanie sprzeciwić się błękitnym oczom. Czuła, jak jej upór znika bez śladu.

– Przysięgam, że zrobię co w mojej mocy.

– Może być. – Annie zamknęła oczy. Skrzypiący fotel bujany i chrapliwy oddech stanowiły dysonans wobec słodkiego głosu z płyty. – Calvinie, przysięgnij, że będziesz dbał o Janie Bonner jak trzeba i że zawsze jej dobro będzie dla ciebie ważniejsze niż twoje.

– O Jezu, Annie, myślisz, że po tylu latach szukania właściwej kobiety nie dbałbym o nią, kiedy w końcu ją znalazłem?

Annie otworzyła oczy i skinęła głową. Nie zauważyła ani morderczego spojrzenia, jakie posłał Jane, ani faktu, że w końcu niczego nie obiecał.

– Gdybym kazała twoim rodzicom zrobić to samo, może byłoby im łatwiej, ale wtedy byłam jeszcze głupia.

– Nie o to chodzi, stara hipokrytko. Byłaś taka zadowolona; twoja córka złapała chłopaka Bonnerów. Wszystko inne miałaś w nosie.

Naburmuszyła się i Jane dostrzegła zmarszczki wokół szkarłatnych ust.

– Bonnerom zawsze się wydawało, że są za dobrzy dla Glide'ów, aleśmy im pokazali. Krew Glide'ów płynie w moich wnukach, dobra, silna krew. W każdym razie w tobie i w Gabrielu. Z Ethana zawsze był mięczak, bardziej Bonner niż Glide.

– Fakt, że Ethan jest księdzem, nie czyni z niego mięczaka. – Wstał. – Musimy już iść, ale nie myśl sobie, że zapomniałem o schodkach. Powiedz, gdzie schowałaś papierosy?

– Tam, gdzie ich nigdy nie znajdziesz.

– Nie znajdę? Tak ci się wydaje. – Podszedł do sekretarzyka przy drzwiach do kuchni i po chwili triumfalnie wyciągnął karton cameli. – Zabieram je.

– Pewnie sam chcesz je wypalić! – Z trudem dźwignęła się z fotela. – Janie Bonner, odwiedzisz mnie z Calvinem. Musisz się wiele nauczyć, bo nie wiesz, jak to jest być żoną chłopaka ze wsi.

– Pracuje nad ważnym projektem naukowym – wtrącił się Cal – nie będzie miała czasu na wizyty.

– Naprawdę? – Jane wydało się, że dostrzegła ból w błękitnych oczach.

– Przyjdę, kiedy tylko zechcesz.

– Dobrze.

Cal zacisnął zęby. Rozzłościła go.

– A teraz już idźcie. – Annie popchnęła ich do drzwi. – Posłucham mojego Harry'ego w spokoju.

Cal przytrzymał Jane drzwi. Dochodzili już do samochodu, gdy usłyszeli wołanie:

– Janie Bonner!

Odwróciła się. Staruszka wyglądała przez okno.

– Nigdy, nawet zimową porą, nie idź ubrana do łóżka, słyszysz, dziewczyno? Masz iść do męża nagusieńka jak cię Pan Bóg stworzył. Wtedy nie będzie się włóczył za babami.

Jane nie wiedziała, co odpowiedzieć, więc tylko pomachała i wsiadła do samochodu.

– Już to widzę – mruknął Cal, gdy wrócili na szosę. – Idę o zakład, że nawet prysznic bierzesz w ubraniu.

– Wkurza cię, że się nie rozebrałam, tak?

– Pani profesor, lista tego, co mnie wkurza, jest tak długa, że nawet nie wiem, od czego zacząć. Dlaczego powiedziałaś, że ją odwiedzisz? Przywiozłem cię tutaj, bo musiałem, i tyle. Nie spotkasz się z nią nigdy więcej.

– Obiecałam. Jak niby mam się wycofać?

– Jesteś genialna. Na pewno coś wymyślisz.

Rozdział 7

Gᴅʏ ᴢᴊᴇᴄʜᴀʟɪ ᴢ ɢóʀʏ, Jane dostrzegła po prawej stronie stare kino samochodowe. Ekran stał nadal, zniszczony i brudny.

Żwirowa droga prowadziła do budki biletera, kiedyś żółtej, dzisiaj brudnobrązowej. Nad zarośniętym wejściem napis wygięty w łuk ogłaszał światu wyblakłymi literami, że mieści się tu „Duma Karoliny".

Jane nie mogła dłużej wytrzymać posępnego milczenia.

– Od lat nie widziałam kina samochodowego. Przyjeżdżałeś tu?

Ku jej zdumieniu, odpowiedział.

– Tutaj spotykali się wszyscy podczas wakacji. Parkowaliśmy na samym końcu, piliśmy piwo i obmacywaliśmy dziewczyny.

– Pewnie było fajnie.

Jane nie zorientowała się nawet, jak tęsknie zabrzmiały jej słowa, dopóki nie spojrzał na nią podejrzliwie.

– Nigdy tego nie robiłaś?

– Kiedy miałam szesnaście lat, chodziłam do college'u. W sobotnie wieczory przesiadywałam w bibliotece.

– Nie miałaś chłopaka?

– A kto chciałby się z mną umówić? Dla kolegów z klasy byłam za młoda, a rówieśnicy uważali mnie za dziwadło.

Za późno zdała sobie sprawę, że dała mu kolejną broń o ręki. O dziwo, nie skorzystał z okazji. Ponownie zajął się prowadzeniem, jakby żałował, że w ogóle wdał się z nią w rozmowę. Uderzyło ją, że ostry profil upodabnia go do zarysu gór.

Dojeżdżali do Salvation, gdy odezwał się ponownie:

– Ilekroć tu przyjeżdżałem, zatrzymywałem się u rodziców, ale teraz kupiłem dom.

– Tak? – Czekała na więcej szczegółów, ale milczał.

Salvation było małym miasteczkiem, ukrytym w dolinie. W centrum znajdowały się sklepy, urocza staroświecka restauracja i różowo-niebieska kawiarnia. Minęli sklep spożywczy, przejechali most. Cal skręcił w krętą drogę wysypaną świeżym żwirem. Po chwili zatrzymał samochód.

Jane gapiła się na bramę z kutego żelaza. Oba jej skrzydła zdobiły złocone ręce, złożone jak do modlitwy. Przełknęła ślinę, z trudem powstrzymując głośny jęk.

– Błagam, powiedz, że tego nie kupiłeś.

– Witaj w domu. – Wysiadł, wyjął klucz z kieszeni, pomajstrował przy skrzyneczce w lewej kolumience. Po chwili brama i pobożne dłonie otworzyły się szeroko.

Wrócił do samochodu.

– Brama otwiera się elektronicznie.

– Co to jest? – zapytała cicho.

– Mój nowy dom. A zarazem jedyne miejsce w Salvation, które zapewni nam dość spokoju, żebyśmy utrzymali w tajemnicy nasz paskudny sekrecik.

Skręcił i Jane zobaczyła dom po raz pierwszy.

– Wygląda jak Tara z *Przeminęło z wiatrem* na sterydach.

Żwirowany podjazd prowadził na niewielkie wzgórze, na którym królował biały budynek w stylu kolonialnym. Sześć potężnych kolumn wyznaczało front. Między nimi wiły się balustradki z kutego żelaza. Drzwi wejściowe zdobił witraż w kształcie wachlarza. Na werandę prowadziły trzy marmurowe stopnie.

– G. Dwayne lubił przepych – zauważył Cal.

– To jego dom? – Oczywiście. Wiedziała to, odkąd zobaczyła ręce na bramie. – Nie mieści mi się w głowie, że kupiłeś dom nieuczciwego kaznodziei telewizyjnego.

– Nie żyje, a nam potrzeba spokoju. – Zatrzymał samochód, odrzucił głowę do tyłu i spojrzał w górę. – Agent zapewniał, że przypadnie mi do gustu.

– Chcesz powiedzieć, że widzisz go po raz pierwszy?

– Nie za bardzo się przyjaźniliśmy z G. Dwayne'em, nie byłem na jego liście gości.

– Kupiłeś dom, chociaż go wcześniej nie widziałeś? – Przypomniała sobie samochód. Właściwie nie powinno jej to dziwić.

Wysiadł, nie udzielając jej odpowiedzi. Zajął się wyładowaniem bagażu. Chciała zrobić to samo, ale gdy pochyliła się nad walizką, odepchnął ją ze słowami:

– Przeszkadzasz mi. Wejdź do środka, drzwi są otwarte.

Po tym jakże zachęcającym zaproszeniu pokonała marmurowe schodki i nacisnęła klamkę. Wystarczył jeden rzut oka, by się przekonać, że wnętrze jest o wiele gorsze niż fasada. W holu królowała olbrzymia fontanna: marmurowa Greczynka wylewała wodę z dzbana na ramieniu. Fontanna działała, co zapewne zawdzięczali agentowi nieruchomości, który opchnął Calowi tę potworność. Kolorowe lampki pod powierzchnią wody przywodziły na myśl kasyna Las Vegas. Z sufitu zwisał żyrandol, przypominający tort weselny do góry nogami.

Skręciła w prawo i znalazła się w przepastnym salonie, pełnym podrabianych mebli rokoko i kunsztownie upiętych draperii. Jej uwagę zwrócił kominek z włoskiego marmuru, na którym nie zabrakło nieodłącznych amorków. Szczytem złego smaku był chyba niski stoliczek. Szklany blat spoczywał na plecach czarnego niewolnika, nagiego, jeśli nie liczyć czerwono-złotej przepaski na biodrach.

Przeszła do jadalni, gdzie kryształowe kandelabry oświetlały stół na dwadzieścia osób. Najbardziej przytłaczającym z pokoi na parterze okazał się gabinet. Zastała tam gotyckie łuki, aksamitne zasłony w kolorze zgniłozielonym i masywne, ciężkie meble, między innymi biurko i fotel, które wyglądały, jakby służyły Henrykowi VIII.

Wróciła do holu. Cal wnosił swoje kije golfowe. Oparł je o fontannę, a Jane zerknęła w górę, na piętro. Dostrzegła balustradę jeszcze bardziej ozdobną niż cuda na zewnątrz.

– Aż się boję tam iść.

Wyprostował się i posłał jej chłodne spojrzenie.

– Nie podoba ci się? Co za pech. Wieśniaki takie jak ja, całe życie marzą o takim luksusie.

Z trudem opanowała dreszcz i ruszyła na górę. Nie zdziwiła się, widząc nową porcję złoceń, draperii, frędzli i kryształów. Otworzyła pierwsze z brzegu drzwi i znalazła się w głównej sypialni, koszmarnej kombinacji złota, czerni i szkarłatu. Olbrzymie łoże na podwyższeniu, z baldachimem z czerwonego brokatu, zajmowało centralną część pokoju. Coś zwróciło jej uwagę; podeszła bliżej i przekonała się, że pod baldachimem umieszczono olbrzymie lustro. Cofnęła się szybko. Okazało się, że Cal wszedł do pokoju tuż za nią.

Podszedł do łóżka i też zobaczył lustro.

– No, coś takiego. Zawsze chciałem mieć takie lustro. Ten dom jest jeszcze lepszy, niż myślałem.

– Jest okropny. Pomnik ludzkiej chciwości.

– Wcale mi to nie przeszkadza. Nie ja oszukałem wiernych.

Jego tępota doprowadzała ją do szału.

– Pomyśl o wszystkich tych ludziach, którzy przysyłali Snopesowi pieniądze cudem wygospodarowane z rodzinnego budżetu. Ciekawe, ile dzieci zapłaciło niedożywieniem za to lustro?

– No, dobrych kilka dziesiątków.

Zerknęła na niego, myśląc, że może żartuje, ale nie widziała jego miny, bo zajął się szafką ze sprzętem audio-wideo.

– Nie mieści mi się w głowie, że jesteś taki grubo-skórny. – Sama nie pojmowała, czemu właściwie stara się pokazać ograniczonemu umysłowo egoiście, że świat nie kończy się na nim.

– Lepiej nie mów tego wobec wierzycieli G. Dway-ne'a. Wielu z nich odzyska swoje pieniądze dzięki temu, że kupiłem ten dom. – Wysunął dolną szufladę. – Wielebny najwyraźniej lubił pornosy. Ma tu sporą kolekcję filmów dla dorosłych.

– Bomba.

– Widziałaś *Szalone przyjęcie słodkich nastolatek*?

– Dosyć tego! – Podbiegła do szafki, sięgnęła do szuflady i wyjęła kasety. Sterta była tak duża, że musiała przytrzymywać ją brodą. Udała się na poszukiwanie kosza na śmieci. – Od dzisiaj w tym domu oglądamy tylko filmy dozwolone bez ograniczeń.

– Rzeczywiście! – zawołał za nią. – Przecież uprawiasz seks tylko po to, żeby zajść w ciążę.

Poczuła się, jakby uderzył ją w żołądek. Zatrzymała się na szczycie schodów i odwróciła do niego.

Patrzył na nią gniewnie. Oparł dłonie na biodrach, wysunął podbródek do przodu. Nie zdziwiłaby się, gdyby kazał jej wyjść przed dom, żeby załatwili porachunki za pomocą pięści. Po raz kolejny uświadomiła sobie, jak kiepsko jest przygotowana do konfrontacji z nim. Musi wymyślić coś lepszego niż atak.

– Czy tak mamy żyć przez najbliższe trzy miesiące? – zapytała spokojnie. – Walcząc bez przerwy?

– Mnie to nie przeszkadza.

– Ale to bez sensu. Zawrzyjmy pokój.

– Pokój?

– Tak. Przestańmy się atakować i spróbujmy jakoś to przetrwać.

– Nie ma mowy, pani profesor. – Przyglądał się jej przez dłuższą chwilę, wreszcie podszedł powoli, ale groźnie. – To ty zaczęłaś i teraz musisz ponieść konsekwencje. – Minął ją i wszedł na schody.

Stała bez ruchu, aż usłyszała warkot silnika w oddali. Zasmucona, powlokła się do kuchni. Wyrzuciła kasety do śmieci.

Ulubiony element dekoracyjny rodziny Snopesów, czyli kryształowy żyrandol, wisiał nawet w kuchni, dokładnie nad blatem roboczym z czarnego granitu, który przypominał grobowiec. Wrażenie potęgowała podłoga z wypolerowanego czarnego marmuru. Sąsiedni kącik śniadaniowy mógł się poszczycić uroczym widokiem za oknem. Niestety, pod oknem stała ława obita krwiście czerwonym aksamitem, a na tapetach pyszniły się metalicznie szkarłatne róże, tak rozwinięte, że zdawały się o krok od przekwitnięcia. Krótko mówiąc, kuchnia wyglądała, jakby zaprojektował ją hrabia Dracula, ale przynajmniej widok był przyjemny, więc postanowiła na razie zostać tutaj.

Najbliższe kilka godzin spędziła, układając na półkach przywiezione zapasy, dzwoniąc do Chicago, żeby dokończyć niezałatwione przed wyjazdem sprawy, i rozmyślając. W miarę jak nadchodził wieczór, cisza w domu stawała się coraz bardziej przytłaczająca. Nagle uświadomiła sobie, że od lekkiego śniadania nie miała nic w ustach, i choć nie była głodna, postanowiła przygotować sobie kolację.

Spiżarnia była fatalnie zaopatrzona. Ze sklepu przywieziono płatki śniadaniowe, czekoladowe ciastka z kremem, białe pieczywo i wędlinę. Albo południowi wieśniacy tak sobie wyobrażają wykwintne jedzenie, albo Cal realizuje dziecięce marzenia o smakołykach, w każdym razie do niej to nie przemawiało. Lubiła posiłki zdrowe i świeże.

Po chwili namysłu zdecydowała się na kanapkę z serem na gąbczastym białym pieczywie.

Kiedy skończyła, dopadło ją zmęczenie wydarzeniami całego dnia. Marzyła już tylko o tym, by się położyć. Niestety, w holu nie było jej walizek. Domyśliła się, że Cal zaniósł je na górę, gdy zwiedzała dom. Przez chwilę zastanawiała się, czy umieścił je w okropnej głównej sypialni, ale zaraz odrzuciła tę myśl. Unikał wszelkiego kontaktu fizycznego – nie musi się więc obawiać, że zechce egzekwować małżeńskie prawa.

Ta myśl nie pocieszyła jej tak jak powinna. Było w Calu coś tak męskiego, tak silnego, że cały czas odczuwała zagrożenie. Jedyna nadzieja w tym, że intelekt pokona zwierzęcą siłę.

Kolorowe światła fontanny rzucały na ściany groteskowe barwne plamy. W tym dziwacznym oświetleniu powędrowała na górę w poszukiwaniu swojej sypialni. Wzdrygnęła się, idąc do pokoju na końcu korytarza. Wybrała go tylko dlatego, że był najdalej od pokoju pana domu.

Zaskoczył ją uroczy pokoik dziecinny, który znalazła za drzwiami. Ściany wyklejono tapetą w biało-niebieskie pasy, które ładnie komponowały się z białą komódką, fotelem na biegunach i kołyską. Na ścianie wisiała makatka z wyhaftowaną modlitwą. Nagle uświadomiła sobie, że to jedyny przedmiot religijny w całym domu. Widać było, że ten pokój urządzono z miłością. Nie sądziła, by zrobił to G. Dwayne Snopes.

Opadła na drewniany fotel na biegunach. Stał przy oknie, na tle niebieskiej zasłony. Zastanowiła się nad swoim dzieckiem. Jakim cudem ma rosnąć zdrowo, skoro jego rodzice bezustannie ze sobą walczą? Przypomniała sobie obietnicę złożoną Annie Glide, że zawsze będzie przedkładała dobro Cala nad swoje, i nie mogła się nadziwić, że zgodziła się na coś takiego. Najgorsze, że on niczego nie obiecał.

Dlaczego nie okazała większej siły woli i nie znalazła sposobu, żeby tego uniknąć? Z drugiej strony, i tak złamie przysięgę małżeńską, więc co za różnica, że nie dotrzyma jeszcze jednej obietnicy?

Usiała wygodniej i postanowiła, że znajdzie sposób, by zawrzeć pokój z Calem. Musi to zrobić; nie ze względu na obietnicę złożoną Annie, lecz ze względu na dziecko.

Kilka minut po północy Cal zamknął się w gabinecie i zadzwonił do Briana Delgado. Czekając, aż adwokat podniesie słuchawkę, z niesmakiem rozglądał się po pokoju. Szczególną niechęć budziły w nim łowieckie trofea. Postanowił usunąć je stąd jak najszybciej.

Brian odebrał telefon. Cal nie był w nastroju do pogaduszek, toteż od razu przeszedł do rzeczy:

– Czego się dowiedziałeś?

– Na razie niczego. Doktor Darlington chyba nie ukrywa żadnych szkieletów w szafie, co do tego miałeś rację. Może dlatego, że jej życie prywatne właściwie nie istnieje.

– A co robi w wolnym czasie?

– Pracuje. To jej całe życie.

– Jakieś plamy na karierze?

– Ma pewne problemy z szefem Laboratorium Preeze, ale to raczej zazdrość zawodowa z jego strony. Fizyka molekularna to męska sprawa, tego zdania są zwłaszcza starsi naukowcy.

Cal zmarszczył czoło.

– Spodziewałem się czegoś więcej.

– Słuchaj, zdaję sobie sprawę, że chcesz to mieć na wczoraj, ale to trochę potrwa, zwłaszcza że mamy zachować dyskrecję.

Przeczesał włosy palcami.

– W porządku. Masz tyle czasu, ile chcesz, tylko to załatw. Daję ci wolną rękę. To jest teraz najważniejsze.

– Rozumiem.

Rozmawiali jeszcze przez kilka minut na temat kontraktów reklamowych Cala. Już, już miał odłożyć słuchawkę, kiedy coś przyszło mu do głowy.

– Jutro niech twoi ludzie kupią mi komiksy, i to różne… *Królika Bugsa* i *Supermana*, i inne. Kilka tuzinów.

– Komiksów?

– Mhm.

Brian nie pytał o nic więcej, choć Cal domyślał się, że skręcała go ciekawość. Zakończył rozmowę i udał się na górę w poszukiwaniu kobiety, która podstępnie postawiła całe jego życie na głowie.

Nie miał najmniejszych wyrzutów sumienia, że pragnie zemsty. Futbol nauczył go, jak przetrwać, a podstawowa zasada brzmi: jeśli ktoś traktuje cię nie fair, odpłać mu z nawiązką, teraz albo w przyszłości. Nie ma zamiaru przez całe życie zerkać przez ramię, czy ta baba nie planuje kolejnego ciosu w plecy. Musi się przekonać, z kim zadarła, musi na własnej skórze poznać, jakie są tego konsekwencje.

Znalazł ją w pokoju dziecinnym, skuloną na bujanym fotelu, z okularami na kolanach. We śnie wydawała się wrażliwa i krucha, ale wiedział, że to tylko złudzenie. Od samego początku była wyrachowana i zimna. Dostała to, czego chciała, a przy okazji nieodwracalnie zmieniła bieg jego życia, czego nigdy jej nie wybaczy. Nie tylko jego życia, przypomniał sobie, także niewinnego dziecka.

Zawsze lubił dzieci. Od ponad dziesięciu lat pomagał dzieciakom z rozbitych rodzin. Robił co w jego mocy, by utrzymać to w tajemnicy przed prasą, bo nie chciał, by zrobili z niego Świętego Cala. Wyobrażał sobie, że kiedy się w końcu ożeni, zrobi to na zawsze. Dorastał w pełnej rodzinie i z przykrością patrzył, jak jego koledzy z drużyny i ich byłe żony walczą o dzieci. Przysiągł sobie, że jego dziecka nie spotka taki los, ale doktor Jane Darlington dokonała wyboru za niego.

Wszedł do pokoju. Patrzył, jak promień księżyca nadaje jej włosom srebrny odcień. Pojedynczy lok opadł na policzek. Zdjęła żakiet i jedwabna bluzka podkreślała drobne piersi, unoszące się i opadające w rytm oddechu.

We śnie wyglądała młodziej niż groźna pani profesor fizyki tamtego dnia w college'u. Wtedy wydawło się, że coś w niej umarło, jakby wyschły soki żywotne, ale teraz, uśpiona, skąpana w świetle księżyca, była inna, świeża, pełna życia. Poczuł przypływ pożądania.

Zdenerwowało go to. Poprzednio nie wiedział, z kim ma do czynienia. Teraz to się zmieniło, ale jego ciało nie przyjmowało tego do wiadomości.

Uznał, że czas na kolejną scenę w przykrym rodzinnym melodramacie. Przechylił fotel do tyłu. Jane obudziła się błyskawicznie.

– Czas do łóżka, Różyczko.

Zielone oczy patrzyły czujnie.

– Chyba… zasnęłam.

– Coś takiego.

– Szukałam sypialni. – Włożyła okulary, ukryła dłonie we włosach opadających na twarz. Srebrne kosmyki przepływały jej przez palce.

– Zamieszkasz w sypialni wdowy Snopes. Chodź.

Widać było, że nie ma ochoty iść z nim, ale jeszcze mniej uśmiechała jej się kolejna kłótnia. Popełnia błąd, tak jawnie okazując uczucia. To tylko ułatwia mu sprawę.

Prowadził ją wzdłuż korytarza. Niepokój Jane wzrastał, w miarę jak zbliżali się do głównej sypialni. Obserwował to z ponurą satysfakcją. Ciekawe, co zrobi, jeśli jej dotknie?

Dotychczas unikał wszelkiego kontaktu fizycznego; nie ufał sobie. Nigdy w życiu nie uderzył kobiety, nie wyobrażał sobie nawet, że mógłby coś takiego zrobić, ale ochota, by zrobić jej krzywdę, była silniejsza. Widząc jej zdenerwowanie, postanowił poddać ją testowi.

Zatrzymali się przed drzwiami sąsiedniego pokoju. Wyciągnął rękę w stronę klamki i celowo musnął jej ramię.

Podskoczyła i gwałtownie obróciła się na pięcie. Patrzył na nią drwiąco. Zrozumiała, że dokładnie wiedział, jak zareaguje. Tej nocy było w nim coś złowieszczego. Nie miała pojęcia, o czym myśli, wiedziała tylko, że są sami w wielkim, brzydkim domu… i poczuła się całkowicie bezbronna.

Otworzył drzwi.

– Mamy sąsiadujące ze sobą sypialnie, jak w dawnych czasach. Pewnie G. Dwayne i jego żona nie żyli ze sobą najlepiej.

– Nie chcę sąsiedniej sypialni. Wolę pokój na drugim końcu korytarza.

– Będziesz spała tam, gdzie ci każę.

Poczuła zimny dreszcz, ale dzielnie zadarła głowę.

– Nie groź mi.

– Nie grożę. Ostrzegam.

W przeciągłym głosie pojawiły się niebezpieczne nuty. Jej żołądek wywinął salto.

– Przed czym?

Omiótł ją wzrokiem. Zatrzymał spojrzenie na szyi, piersiach, powędrował niżej, na biodra, wrócił do oczu.

– Kosztujesz mnie spokój ducha, że już nie wspomnę o sporej ilości gotówki. Z mojego punktu widzenia to czyni cię moją dłużniczką. Może po prostu chcę cię mieć pod ręką, na wypadek, gdybym zechciał ściągnąć należność.

Seksualny podtekst był oczywisty. Powinna się oburzyć, a tymczasem poczuła dziwny dreszcz, jakby poraził ją prąd.

Zaniepokoiła ją własna reakcja. Chciała się od niego odsunąć, ale trafiła plecami na framugę drzwi.

Oparł dłoń tuż obok jej głowy. Poczuła jego nogę przy swojej i wszystkie jej zmysły obudziły się do życia. Patrzyła w jasne oczy z ciemną obwódką. Wdychała zapach płynu do płukania bielizny i jeszcze czegoś, co nie powinno pachnieć, a jednak… po prostu zapach niebezpieczeństwa.

Mówił ochrypłym szeptem:

– Różyczko, za pierwszym razem rozbiorę cię do naga w jasny dzień, bo nie chcę przegapić żadnego szczegółu.

Zwilgotniały jej dłonie. Jednocześnie narastała w niej nieznana dzikość. Odczuwała samobójcze pragnienie, by ściągnąć jedwabną bluzkę, wyzwolić się ze spodni, rozebrać dla niego tutaj, w tym domu zatwardziałego grzesznika. Miała ochotę odpowiedzieć na wyzwanie wojownika, odpowiedzieć wyzwaniem równie starym i silnym jak ludzkość.

Poruszył się. Był to niemal niezauważalny ruch, ale wystarczył, by ponownie zaprowadzić porządek w chaosie jej myśli. Przypomniała sobie, że jest profesorem fizyki w średnim wieku, a jej jedyny kochanek chodził do łóżka w skarpetkach. Cóż z niej za przeciwniczka dla zahartowanego w bojach wojownika, dla którego seks był bronią w walce z nią?

Nie pozwoli, by wykorzystał jej słabość. Podniosła ku niemu wzrok.

– Zrobisz, co będziesz musiał, Cal. Podobnie jak ja.

Czy jej się tylko zdawało, czy rzeczywiście dostrzegła błysk zdumienia w jego oczach? Nie była pewna nawet wtedy, gdy zamykała za sobą drzwi.

Następnego ranka obudziły ją promienie słońca. Uniosła się lekko i podziwiała pokój wdowy Snopes. Był utrzymany w pastelowych błękitach z irysowymi akcentami. Skromne, bezpretensjonalne meble z drzewa wiśniowego i plecione chodniczki sprawiały, że był równie przytulny jak pokoik dziecinny.

Niepewnie zerknęła na drzwi do łazienki, która łączyła jej pokój z sypialnią Cala. Jak przez mgłę przypominała sobie, że wcześniej słyszała szum prysznica. Miała nadzieję, że jej męża nie ma w domu. Poprzedniego wieczoru umieściła swoje kosmetyki w małej łazience na drugim końcu korytarza.

Kiedy się umyła i rozpakowała, zeszła na dół. Dżipa nie było. W kuchni czekała na nią kartka. Zawierała numer telefonu sklepu spożywczego, który dostarczy jej wszystkiego, czego zapragnie. Zjadła tost, zadzwoniła i zamówiła produkty zdrowsze niż ciastka z kremem.

Ledwie rozpakowała produkty żywnościowe, zjawił się następny dostawca – przywiózł jej komputer. Kazała zanieść go do swojej sypialni, gdzie przez następnych kilka godzin urządzała sobie stanowisko pracy – przy oknie, żeby patrzeć na góry, ilekroć oderwie wzrok od monitora. Do wieczora pracowała, przerywając tylko na krótkie przechadzki.

Tereny otaczające dom stanowiły przyjemną odmianę. Były nieco zaniedbane, za wcześnie też, by cokolwiek zakwitło, ale urzekła ją właśnie aura opuszczenia i samotności. Dostrzegła wąską ścieżkę pnącą się pod górę. Ruszyła w stronę szczytu, ale po dziesięciu minutach zrezygnowała, zadyszana. Obiecała sobie, że codziennie będzie szła troszkę dalej, aż stanie na szczycie.

Tego dnia ani razu nie widziała Cala. Następnego ranka nie było go już, kiedy wstała. Pojawił się późnym popołudniem. Wszedł do holu akurat, gdy schodziła ze schodów.

Popatrzył na nią ze znajomą już pogardą, jakby wypełzła spod głazu.

– Agent zatrudniał kilka kobiet do sprzątania. Powiedział, że dobrze się spisywały, więc kazałem im dalej pracować. Od jutra będą przychodziły kilka razy w tygodniu.

– W porządku.

– Niezbyt dobrze mówią po angielsku, ale znają się na robocie. Schodź im z drogi.

Skinęła głową. Już, już miała go zapytać, gdzie się podziewał do drugiej w nocy, o której to godzinie usłyszała szum wody w łazience, ale obrócił się na pięcie. Drzwi zamknęły się za nim, a ona głowiła się, czy poszedł do łóżka z inną.

Ta myśl popsuła jej humor. Choć ich małżeństwo to tylko pozory i nie oczekuje od niego wierności, chciałaby, żeby przez te trzy miesiące zrezygnował z innych kobiet. Nagle ogarnęło ją złe przeczucie, jakby wyczuwała nadchodzącą katastrofę. Pobiegła na górę i zajęła się pracą.

Jej dni były bardzo do siebie podobne, ale nigdy nie opuszczał jej niepokój. Nie chcąc o nim myśleć, dużo pracowała, nie zapominała także o spacerach. Cala widywała bardzo rzadko. Fakt ten, zamiast ją uspokajać, tylko denerwował, zwłaszcza że praktycznie uwięził ją w posiadłości. Nie miała samochodu, nie proponował, że ją gdzieś podwiezie. Nie widywała nikogo poza dostawcą i dwiema koreańskimi sprzątaczkami. Jak feudalny władca, Cal odciął się od miasteczka. Ciekawiło ją, co zrobi po powrocie krewnych.

W przeciwieństwie do żony średniowiecznego możnowładcy, mogła w każdej chwili uciec z samotni. Wystarczyłby jeden telefon po taksówkę. Tak naprawdę jednak nie chciało jej się wychodzić. Nie znała tu nikogo poza Annie Glide. Chętnie zwiedziłaby okolice, ale praca okazywała się bardziej kusząca.

Nigdy dotąd nie mogła całkowicie poświęcić się pracy naukowej. Teraz nie musiała wykładać, chodzić na zebrania wydziałowe, pisać raportów, nic nie odciągało jej od badań.

Dzięki komputerowi i modemowi była w kontakcie ze światem zewnętrznym. Praca pozwalała nie myśleć.

Powoli traciła poczucie czasu, zagłębiona w skomplikowanych rozważaniach, w matematycznych równaniach, w teoriach fizycznych. Po całym domu poniewierały się karteluszki z jej notatkami. Pisała na wszystkim, co jej akurat wpadło w ręce: na rachunkach ze sklepu, reklamach pizzy, na gazecie. Pewnego dnia weszła do łazienki i zobaczyła na lustrze szkic, który bezwiednie wykonała ulubioną różową szminką. Wtedy uznała, że najwyższy czas wyrwać się stąd na trochę.

Włożyła białą wiatrówkę, opróżniła kieszenie z notatek, które poczyniła na wcześniejszych przechadzkach, i wyszła przez tylne drzwi. Zmierzając na ścieżkę, którą codziennie wędrowała wyżej i wyżej, wróciła myślami do rozważań naukowych. Czy możliwe byłoby...

Śpiew ptaków wyrwał ją z zadumy. Uświadomiła sobie, gdzie jest. Jak może rozmyślać o fizyce kwantowej wśród tak cudownej przyrody? Jeśli nie będzie bardziej ostrożna, zdziwaczeje do tego stopnia, że żadne dziecko nie zechce jej za matkę.

Wspinając się coraz wyżej, zmusiła się do podziwiania otaczających ją widoków. Wdychała zapach sosen, poddawała się pierwszym promieniom słońca. Drzewa spowiła delikatna zielona mgiełka. Wiosna zbliżała się wielkimi krokami. Już niedługo górskie zbocza pokryją się barwnymi kwiatami.

Piękno przyrody, zamiast podtrzymać ją na duchu, tylko spotęgowało złe przeczucia. Pogrążając się w pracy, uciekała przed nimi, ale teraz było to niemożliwe.

Dyszała ciężko, więc zatrzymała się na chwilę odpoczynku. Męczyło ją ciągłe poczucie winy. Cal nigdy jej nie wybaczy. Może się tylko modlić, by nie przeniósł tych uczuć na dziecko.

Przypominała sobie seksualne groźby z pierwszego wieczora. Nie miała pojęcia, czy naprawdę byłby w stanie ją do czegoś zmusić. Zadrżała i spojrzała w dół, na potężną bryłę domu. Jakiś samochód zbliżał się podjazdem. Dżip Cala. Czyżby wpadł po nowy komiks ze swojej kolekcji?

Poniewierały się po całym domu: *X-Man*, *Mściciele*, *Dolina Grozy*, ba, nawet *Królik Bugs*. Ilekroć natykała się na nowy zeszyt, zanosiła dziękczynną modlitwę, że przynajmniej w tym względzie dokonała właściwego wyboru. Jego tępota zrównoważy jej wysoki iloraz inteligencji i dziecko będzie normalne. Odwdzięczała się, dbając, by nikt, pod żadnym pozorem nie dotykał jego komiksów, nawet sprzątaczki.

Ta wdzięczność nie obejmowała jednak uwięzienia. Nieważne, że odosobnienie sprzyjało jej pracy; Cal miał przez to zbyt wielką nad nią władzę. Co by było, gdyby nie wróciła? – zaciekawiła się nagle. Wiedział, że chodzi na spacery, ale co zrobi, jeśli nie wróci? Co, jeśli znajdzie budkę telefoniczną, wezwie taksówkę i pojedzie na lotnisko?

Myśl, że mogłaby go zdenerwować, odrobinę poprawiła jej nastrój. Oparła się na łokciach i rozkoszowała pieszczotą słońca, dopóki nie zrobiło jej się zimno od klęczenia na kamieniu. Wstała i jeszcze raz obrzuciła wzrokiem dolinę.

U jej stóp stał posępny dom, nad nią wznosiły się góry. Podjęła wspinaczkę.

Rozdział 8

CAL WSZEDŁ DO SALONU, wymachując torebką Jane. Wyjrzał przez drzwi na taras, ale nigdzie nie było jej widać, a to oznaczało tylko jedno – znowu poszła w góry.

Wiedział, że codziennie spaceruje, mówiła jednak, że nigdy nie idzie daleko. Cóż, dzisiaj najwidoczniej poszła, i to tak daleko, że się zgubiła. Jak na osobę o ilorazie inteligencji sto osiemdziesiąt, jest głupia jak but.

– Cholera! – Cisnął torebkę na kanapę. Zapięcie puściło i zawartość wysypała się gwałtownie.

– Coś nie tak, Cal?

– Co? Eee, nie. – Zapomniał o obecności Ethana, najmłodszego brata. Ethan zjawił się niespodziewanie dwadzieścia minut temu. Cal wykręcił się ważnym telefonem; cały czas szukał żony.

Zwlekanie z przedstawieniem Jane rodzicom okazało się trudniejsze niż przypuszczał. Ethan wrócił z nart przed trzema dniami, jego rodzice przed dwoma, i wszyscy suszyli mu głowę.

– Szukam portfela – skłamał. – Myślałem, że może Jane schowała go do swojej torebki.

Ethan wstał z fotela przy kominku tak wielkim, że z powodzeniem można by w nim upiec wołu, i podszedł do drzwi na patio. Gniew Cala zelżał odrobinę, gdy patrzył na brata. Podczas gdy on i Gabe brylowali na boisku, Ethan realizował się w szkolnym teatrze. Choć nieźle sobie radził w sporcie, nigdy nie pociągały go gry drużynowe – pewnie dlatego, że nie pojmował, jak ważne jest zwycięstwo.

Szczuplejszy od Cala i Gabe'a, o jasnych włosach, zabójczo przystojny, jako jedyny z trzech braci Bonnerów odziedziczył rysy matki. Jego uroda stanowiła ulubiony powód dobrodusznych kpin starszych braci. Miał piwne oczy ocienione długimi rzęsami i prosty nos, którego nikt nigdy nie złamał. Zazwyczaj nosił koszule, sztruksy i mokasyny, dziś jednak miał na sobie spraną koszulkę i dżinsy. Na nim wyglądały jak elegancki strój.

Cal zmarszczył brwi.

– Prasowałeś podkoszulek?

– Tylko troszeczkę.

– Jezu, Eth, przestań robić takie rzeczy.

Ethan uśmiechnął się promiennym uśmiechem Jezusa, co, jak wiedział, doprowadzało brata do szału.

– Niektórzy dbają o wygląd. – Z niesmakiem spojrzał na zabłocone buty Cala. – Inni nie zwracają na to uwagi.

– Daruj sobie, dupku. – W obecności Ethana język Cala pogarszał się skandalicznie. Było w tym dzieciaku coś, co kazało mu przeklinać jak szewc. Nie, żeby robiło to na nim jakiekolwiek wrażenie. Był najmłodszy; starsi bracia od początku dawali mu twardą szkołę. Jeszcze jako dzieci Cal i Gabe wyczuwali, że Ethan jest bardziej wrażliwy od nich, więc nauczyli go o siebie dbać. Nikt w rodzinie Bonnerów nie przyznałby się do tego za żadne skarby, ale w głębi ducha właśnie Ethana kochali najbardziej.

Cal darzył go także szacunkiem. Ethan miał za sobą szalony okres studiów, kiedy za dużo pił i sypiał ze zbyt wieloma kobietami. Odkąd jednak odkrył swoje powołanie, żył zgodnie z tym, czego nauczał.

– Odwiedzanie chorych to część mojej pracy – oznajmił Ethan. – Dlaczego nie przedstawisz mnie żonie?

– Nie spodoba jej się to. Wiesz, jakie są kobiety. Chciałaby się wystroić na spotkanie z rodziną, żeby zrobić na was jak najlepsze wrażenie.

– A kiedy twoim zdaniem to nastąpi? Rodzice nie mogą się doczekać. Annie tylko pogarsza sytuację, bo przechwala się bezustannie, że już ją poznała.

– Nie moja wina, że rozbijacie się po całym kraju.

– Wróciłem przed trzema dniami.

– Jezu, tłumaczyłem przecież wczoraj na kolacji; Jane złapała grypę tuż przed waszym powrotem. Paskudny wirus.

Za kilka dni, najdalej za tydzień, będzie w lepszej formie, wtedy przyjdziemy. Ale nie liczcie na częste spotkania. Praca jest dla niej bardzo ważna, całymi dniami siedzi przy komputerze.

Ethan miał zaledwie trzydzieści lat, ale oczy mądre jak stuletnia sowa.

– Jeśli chcesz pogadać, możesz na mnie liczyć.

– Nie mamy o czym, chyba że o tym, jak cała rodzina wtyka nos w moje sprawy.

– Nie Gabe.

– Nie, nie Gabe. – Cal wbił dłonie w tylne kieszenie dżinsów. – Chociaż wolałbym, żeby to robił.

Umilkli. Trzeci z braci był gdzieś w Meksyku, uciekał przed samym sobą.

– Chciałbym, żeby wrócił do domu – stwierdził Ethan.

– Wyjechał z Salvation wiele lat temu. Tu już nie jest jego dom.

– A gdzie? Zwłaszcza teraz, gdy nie ma już Cherry i Jamiego?

Cal odwrócił głowę, słysząc smutek w głosie brata. Chcąc zmienić nastrój, zbierał zawartość torebki Jane. Gdzie ona się podziewa? Przez minione dwa tygodnie trzymał się z daleka, żeby mieć czas ochłonąć.

Chciał także, by osamotnienie dało się jej we znaki i by zrozumiała, że to on trzyma klucz do więzienia. Niestety, chyba nie robiło to na niej spodziewanego wrażenia.

Ethan podszedł, by mu pomóc.

– Skoro jest taka chora, może powinna znaleźć się w szpitalu?

– Nie. – Cal sięgnął po kalkulator i notes, byle tylko nie patrzeć na brata. – Ostatnio bardzo ciężko pracowała, ale kiedy odpocznie, poczuje się lepiej.

– No, nie wygląda jak twoje panienki.

– Skąd wiesz, jak… – Podniósł głowę i zobaczył, że Ethan studiuje zdjęcie przy jej prawie jazdy. Musiało wypaść z portfela. – Nie umawiałem się z panienkami.

– No, ale i nie z naukowcami – roześmiał się. – Nadal nie mieści mi się w głowie, że ożeniłeś się z profesor fizyki. O ile pamiętam, w szkole średniej uratował cię jedynie fakt, że tego przedmiotu uczył trener Gill.

– Kłamiesz. Miałem piątkę.

– Zasługiwałeś na tróję.

– Na cztery mniej.

Ethan uśmiechnął się i pomachał prawem jazdy.

– Nie mogę się doczekać, kiedy powiem ojcu, że wygrałem zakład.

– Jaki zakład?

– O wiek kobiety, którą poślubisz. Twierdził, że trzeba będzie wpasować ślub między dwie zbiórki skautowskie, a ja upierałem się, że się opamiętasz. Wierzyłem w ciebie, bracie, i wyszło na moje.

Cal był zły. Nie chciał, by się dowiedzieli, że Jane ma dwadzieścia osiem lat, ale nie mógł temu zaprzeczyć, skoro Ethan wywijał jej prawem jazdy.

– Nie wygląda na więcej niż dwadzieścia pięć.

– Nie pojmuję, czemu jesteś taki drażliwy na tym punkcie. Nie ma nic złego w tym, że się ożeniłeś z kobietą w twoim wieku.

– Nie jest w moim wieku.

– Młodsza o dwa lata. To niewiele.

– Dwa lata? O czym ty mówisz, do cholery? – Wyrwał mu prawo jazdy. – Nie jest młodsza o dwa lata, tylko o…

– O, kurczę – Ethan wycofał się przytomnie. – Czas na mnie.

Cal był zbyt zdumiony tym, co zobaczył w prawie jazdy, by zauważyć rozbawienie brata. Jego uwadze uszedł także odgłos zamykanych drzwi. Nie widział niczego poza cyframi na dokumencie.

Podrapał laminowaną powierzchnię. Może coś się przykleiło, może to zagniecenie? Albo pomyłka. Cholerne urzędy wszystko spieprzą.

Ale wiedział, że nikt niczego nie spieprzył. Cyfry mówią straszliwą prawdę. Jego żona ma trzydzieści cztery lata. Nigdy w życiu nie oberwał równie boleśnie.

– Calvin pewnie zaraz po ciebie przyjedzie – oznajmiła Annie Glide.

Jane odstawiła biały kubek z ledwo widoczną amerykańską flagą i popatrzyła na Annie przez całą długość zagraconego saloniku. Mimo niecodziennego wystroju, był to prawdziwy dom, miejsce, do którego można tęsknić i wracać.

– Nie wydaje mi się. Nie wie, gdzie jestem.

– Domyśli się. Chłopcy jeszcze w pieluchach uganiali się po naszych górach.

Nie wyobrażała sobie Cala w pieluchach. Jej zdaniem przyszedł na świat z naburmuszoną miną i owłosioną klatką piersiową.

– Cały czas nie mogę uwierzyć, jak blisko od nas do ciebie. Pierwszego dnia wydawało mi się, że to kilka kilometrów.

– Bo tak jest. Droga wije się przez całe miasteczko. A dzisiaj rano poszłaś na skróty.

Jane była zdumiona, gdy weszła na szczyt, spojrzała w dół i zobaczyła chałupkę Annie. Początkowo nie rozpoznała domku, ale gdy dostrzegła kolorową flagę, wiedziała, dokąd doszła. Annie powitała ją, jakby się jej spodziewała, choć od ich poprzedniego spotkania minęły prawie dwa tygodnie.

– Janie Bonner, umiesz piec chleb kukurydziany?

– Próbowałam kilka razy.

– Nie uda ci się, jeśli nie dodasz maślanki.

– Zapamiętam.

– Zanim mi się pogorszyło, sama robiłam masło jabłkowe. Nie ma to jak zimne masło jabłkowe na ciepłym chlebie kukurydzianym. Musisz wziąć dobre, miękkie jabłka i obierać je starannie, bo nikt na całym bożym świecie nie chciałby trafić na obierkę, jedząc masło jabłkowe.

– Jeśli kiedykolwiek będę je robiła, zwrócę na to uwagę.

Annie co chwila raczyła ją domowymi przepisami i ludową mądrością; herbata z imbirem na przeziębienie, dziewięć łyków wody na czkawkę, buraki należy sadzić dwudziestego szóstego, siódmego, albo ósmego marca, ale nie później.

Choć prawdopodobieństwo, by Jane kiedyś miała użyć jej rad, było znikome, skrzętnie zapamiętywała wszystko. Słowa Annie stanowiły pomost między pokoleniami. Korzenie sięgały podnóży gór; dla kogoś, kto nigdy nie czuł przynależności, każdy drobiazg łączył z rodziną i tradycją, czyli tym, czego pragnęła najbardziej.

– A jak będziesz zagniatała pierogi, dodaj jajko i tymianek. – Staruszka zaniosła się kaszlem. Jane spojrzała na nią zatroskana. Gdy kaszel umilkł, Annie machnęła ręką o wiśniowych paznokciach. – Słuchaj dalej. Aż mnie dziw bierze, żeś jeszcze nie powiedziała: zamknij jadaczkę, Annie, jużeś mnie zmęczyła.

– Lubię cię słuchać.

– Dobra z ciebie dziewczyna, Janie Bonner. Aż się dziwię, że Calvin się z tobą ożenił.

Jane parsknęła śmiechem. Annie Glide jest nieobliczalna. Nie to, co jej jedyna babka, samolubna, oschła matka ojca.

– Brakuje mi ogródka. Beznadziejny Joey Neeson zaorał go jakiś czas temu, a nie lubię, kiedy obcy pałętają się po mojej ziemi. Calvin w kółko przysyła tu obcych, żeby coś reperowali, ale nie zgadzam się na to. Nie lubię, kiedy rodzina wtyka nos w moje sprawy, a co dopiero obcy. – Pokręciła głową. – Miałam nadzieję, że starczy mi sił, by samej zająć się ogrodem, ale nic z tego. Ethan obiecał pomóc, ale ma tyle pracy w kościele, że nie miałam serca gonić go do roboty, więc powiedziałam, że nie chcę, żeby jakiś mięczak sadził mi kwiatki. – Łypnęła na Jane błękitnymi oczami. – Oj, szkoda mojego ogródka, ale nie chcę tu obcych.

Jane od razu przejrzała jej plan, nie rozzłościło jej to jednak. O dziwo, odebrała to jako pochlebstwo.

– Jeśli mi pokażesz, co trzeba zrobić, chętnie ci pomogę. Annie przycisnęła rękę do piersi.

– Naprawdę?

Jane uśmiechnęła się, widząc to teatralne zdumienie.

– Z przyjemnością. Nigdy nie miałam ogródka.

– To i dobrze. Niech Calvin cię tu przywiezie jutro z samego rana i zabierzemy się za ziemniaki. Jest już trochę późno, zazwyczaj robiłam to w lutym, podczas nowiu, ale może jeszcze zdążymy. A potem posadzimy cebulę i buraki.

– Doskonale. – Podejrzewała, że staruszka nie odżywia się należycie. Wstała. – Co powiesz na to, żebym upichciła coś na lunch? Zgłodniałam trochę.

– Przednia myśl. Amber Lynn wróciła już i przyniosła mi zupy fasolowej. Możesz ją odgrzać. Oczywiście nie gotuje tak, jak ją uczyłam, ale taka już jest ta moja Amber Lynn.

A więc rodzice Cala wrócili. Idąc do kuchni zastanawiała się, jak im tłumaczy fakt, że ciągle jej nie przedstawił.

Podała zupę w jednym talerzyku porcelanowym, a drugim plastikowym. Nakroiła także chleba kukurydzianego z blachy na stole. Nie przypominała sobie, by kiedykolwiek tak bardzo cieszyła się posiłkiem. Po dwóch tygodniach samotności cudownie było jeść w towarzystwie, tym bardziej że towarzyszka nie łypała na nią ponuro i nie warczała wrogo.

Pozmywała naczynia, zaniosła Annie kubek herbaty i przypadkiem dostrzegła na ścianie trzy dyplomy. Nie rzucały się w oczy wśród obrazków, porcelanowych tancerek i ściennych zegarów.

– To moich wnuków – poinformowała Annie. – Dali mi je. Wiedzieli, że zawsze żałowałam, że rzuciłam szkołę po szóstej klasie, więc wszyscy trzej dali mi swoje dyplomy, kiedy tylko skończyli studia. Calvina wisi najwyżej.

Jane wzięła okulary ze stołu i zerknęła na wskazany dokument. Wystawiono go na Uniwersytecie Michigan. Ogłaszał, że Calvin E.Bonner uzyskał tytuł magistra… z wyróżnieniem.

Summa cum laude.

Uniosła dłoń do gardła. Odwróciła się gwałtownie.

– Cal ukończył studia *summa cum laude*?

– Tak mówią, kiedy ktoś jest naprawdę zdolny. Myślałam, że to wiesz, sama jesteś profesorką. Mój Calvin jest mądry, że hej.

– On… – Przełknęła ślinę, starała się zignorować narastający szum w uszach. – Co studiował?

– Nie mówił ci? Zazwyczaj sportowcy wybierają łatwe przedmioty, ale nie mój Calvin, o nie. Biologię. Zawsze lubił włóczyć się po lasach, zbierać różności…

– Biologię? – Jane wydawało się, że zaliczyła cios w żołądek.

Annie zmrużyła oczy.

– Dziwne, że tego nie wiesz, Janie Bonner.

– Jakoś nigdy o tym nie rozmawialiśmy. – Pokój wirował; pomyślała, że zaraz zemdleje. Odwróciła się, rozlała herbatę, wróciła do kuchni.

– Janie? Coś się stało?

Nie była w stanie mówić. Uszko się odtłukło, gdy cisnęła kubek do zlewu. Przycisnęła dłoń do ust, żeby powstrzymać krzyk przerażenia. Jak mogła być taka głupia? Mimo wszelkich środków ostrożności stało się to, czego się obawiała najbardziej. Jej dziecko wcale nie będzie normalne.

Zacisnęła dłonie na krawędzi zlewu, gdy słodkie marzenia legły w gruzach i musiała sprostać brutalnej prawdzie. Wiedziała, że Cal studiował w Michigan, ale nie przypuszczała, by traktował to poważnie. Czy sportowcy nie uczęszczają na minimalną liczbę wykładów? Czy nie porzucają studiów przed dyplomem? Fakt, iż z wyróżnieniem ukończył biologię na jednym z najbardziej prestiżowych uniwersytetów, niósł tak przerażające przesłanki, że aż bała się o tym myśleć.

Inteligencja ponadprzeciętna. Tylko o tym mogła myśleć. Jedyne, co w nim ceniła, czyli jego głupota, okazała się złudzeniem, które podtrzymywał celowo. Nie przejrzała go i tym samym skazała swoje dziecko na to samo, co było jej udziałem.

Wpadła w panikę. Jej dziecko będzie dziwadłem, jak ona.

Nie pozwoli na to. Prędzej umrze, niż skaże je na taki los. Wyprowadzi się! Zabierze dziecko do Afryki, do najbardziej prymitywnego zakątka kontynentu. Sama zajmie się jego edukacją, żeby maleństwo nigdy nie doświadczyło okrucieństwa rówieśników.

Poczuła łzy pod powiekami. Co ona najlepszego zrobiła? Dlaczego Bóg do tego dopuścił?

Głos Ann wyrwał ją z zadumy.

– To Calvin. Mówiłam, że zaraz przyjedzie.

Dobiegło ją trzaśnięcie drzwi samochodu i tupot stóp na werandzie.

– Jane! Gdzie ona jest, do cholery!

Wpadła do saloniku.

– Ty draniu!

Rzucił się naprzód. Jego twarz wykrzywiał gniew.

– Pani profesor, musi mi pani sporo wytłumaczyć!

– Boże, jak ja cię nienawidzę!

– Nie bardziej niż ja ciebie! – W oczach Cala płonął gniew i coś, co Jane dostrzegła dopiero teraz... jak to możliwe, że zajęło jej to tylu czasu?... Żywa inteligencja.

Chciała rzucić się na niego i wydrapać mu tę inteligencję z oczu. Rozłupać mu czaszkę i wydłubać mózg. Miał być głupi! Czyta komiksy! Dlaczego tak ją zawiódł?

Straciła resztki panowania nad sobą. Wiedziała, że musi uciec, zanim rozsypie się na kawałki. Z krzykiem wściekłości obróciła się na pięcie i pognała z powrotem do kuchni, do tylnych drzwi.

Usłyszała za sobą ryk wściekłości.

– Wracaj! Nie każ mi za tobą biec, bo tego pożałujesz!

Nie słyszała, czy za nią pobiegł, i jęknęła zdziwiona, gdy złapał ją za ramię.

– Kazałem ci wracać! – krzyknął.

– Wszystko zepsułeś! – odparła, także podniesionym głosem.

– Ja? – Pobladł ze złości. – Ty kłamczucho! Jesteś stara! Stara!

– Nigdy ci tego nie wybaczę! – Zacisnęła pięści i z całej siły uderzyła go w pierś, tak mocno, że zabolały ją dłonie.

Wpadł w furię. Złapał ją za ramiona, ale nie panowała nad sobą, nie pozwalała mu się poskromić. Skrzywdził jej dziecko i oto ona, która nigdy nikogo nie uderzyła, zapragnęła jego krwi.

Wpadła w szał. Spadły jej okulary, a nawet tego nie zauważyła. Kopała, drapała, starając się go dosięgnąć.

– Przestań, i to w tej chwili! Przestań! – Jego krzyk zatrząsł wierzchołkami drzew. Po raz kolejny chciał ją powstrzymać. W odpowiedzi ugryzła go w rękę.

– Au! – Szeroko otworzył oczy. – To boli!

Agresja sprawiła jej satysfakcję. Uniosła kolano, by uderzyć go w podbrzusze, ale nie zdążyła. Straciła grunt pod nogami.

– O, co to, to nie…

Upadli na ziemię. Osłonił ją przed upadkiem własnym ciałem, zaraz jednak przytłoczył ją sobą, przycisnął do ziemi całym ciężarem.

Walka pozbawiła ją wszystkich sił, on jednak w ten sposób zarabiał na życie i nawet nie stracił tchu. Stracił natomiast cierpliwość i dał jej tego próbkę.

– Uspokój się, słyszysz? Zachowujesz się jak wariatka! Właściwie jesteś szalona! Okłamałaś mnie, a teraz chcesz mnie zabić. Już nie wspomnę, że takim zachowaniem możesz zaszkodzić dziecku. Przysięgam na Boga, że zamknę cię w domu wariatów i naszpikuję prochami!

Miała łzy w oczach; nie chciała, by to zobaczył, ale nie mogła się powstrzymać.

– Wszystko zepsułeś.

– Ja? – złościł się coraz bardziej. – To nie ja zachowuję się jak wariat. I nie ja wmawiałem wszystkim dokoła, że mam pieprzone dwadzieścia osiem lat!

– Nigdy tego nie powiedziałam! I nie przeklinaj w mojej obecności!

– Masz trzydzieści cztery! Trzydzieści cztery! Czy kiedykolwiek planowałaś mi o tym powiedzieć?

– A niby kiedy miałam to zrobić? Kiedy napadłeś mnie w czasie wykładu, czy może raczej kiedy darłeś się na mnie przez telefon? A może kiedy wepchnąłeś mnie do samolotu? Nie, raczej kiedy zamknąłeś mnie w domu! Czy tak?

– Nie wykręcaj kota ogonem. Wiedziałaś, że to dla mnie ważne, i z premedytacją wprowadziłaś mnie w błąd.

– Z premedytacją? Co za wymyślne słowo jak na głupka. Po co ta kokieteria? Dlaczego udajesz durnego wieśniaka z Południa i zachowujesz się jak kretyn? Czy na tym, twoim zdaniem, polega dobra zabawa?

– O czym ty mówisz?

Odparła z całą pogardą, na jaką było ją stać:

– Uniwersytet Michigan! *Summa cum laude!*

– Ach, to. – Jego napięcie częściowo ustąpiło. Zsunął się z niej trochę.

– Boże, jak ja cię nienawidzę – szepnęła. – Lepszy byłby bank spermy.

– Szkoda, że dopiero teraz doszłaś do tego wniosku.

Mimo tych słów nie wydawał się już taki wściekły. Ona tymczasem nadal czuła złość. Wiedziała, o co musi zapytać, i choć panicznie bała się tego, co usłyszy, odezwała się dzielnie:

– Jaki masz iloraz inteligencji?

– Nie mam pojęcia. W przeciwieństwie do ciebie nie chodzę z tą informacją wytatuowaną na czole. – Przesunął się na bok, tak że mogła wstać.

– Wyniki z testów na studia?

– Nie pamiętam.

Przyglądała mu się podejrzliwie.

– Kłamiesz. Wszyscy pamiętają.

Otrzepał dżinsy z mokrych liści.

– Odpowiadaj, do licha!

– Nie muszę. – Był zły, ale chyba niegroźny.

To jej bynajmniej nie uspokoiło. Poczuła narastającą falę histerii.

– Odpowiedz w tej chwili, albo, jak mi Bóg miły, znajdę sposób, żeby cię zamordować! Dosypię ci mielonego szkła do jedzenia! Zadźgam nożem podczas snu! Wrzucę suszarkę do wanny! Rozwalę ci łeb kijem bejsbolowym!

Przestał otrzepywać spodnie i patrzył na nią z ciekawością raczej niż ze strachem. Wiedziała, że robi z siebie idiotkę, ale ta świadomość tylko dolewała oliwy do ognia.

– Odpowiadaj!

– Ależ z ciebie krwiożercza niewiasta. – Wydawał się lekko rozbawiony. Pokręcił głową. – Co do suszarki… Potrzebny ci będzie przedłużacz, żeby sięgnęła do wanny. Chyba że nie zamierzałaś jej włączyć do prądu.

Zgrzytała zębami, czując, że wychodzi na zupełną kretynkę.

– Gdybym nie włączyła do prądu, nie mogłabym cię zabić, prawda?

– Rzeczywiście.

Głęboko zaczerpnęła tchu, starając się odzyskać zdrowy rozsądek.

– Powiedz, jakie wyniki osiągnąłeś na testach. Jesteś mi to dłużny.

Wzruszył ramionami, schylił się po jej okulary.

– Coś koło tysiąca czterystu, może troszkę mniej.

– Tysiąc czterysta! – Odepchnęła go z całej siły i pobiegła do lasu. Okazał się hipokrytą i oszustem. Było jej niedobrze. Nawet Craig nie był równie inteligentny.

– To nic w porównaniu tobą! – zawołał za nią.

– Nie waż się do mnie odzywać.

Podszedł bliżej, ale jej nie dotknął.

– Daj spokój, Różyczko, to, co ty mi zrobiłaś, jest o wiele gorsze niż moje wyniki.

Odwróciła się gwałtownie.

– Nie mnie skrzywdziłeś! Zrobiłeś to mojemu dziecku, nie rozumiesz? Przez ciebie wyrośnie na dziwadło!

– Nigdy nie powiedziałem, że jestem głupi. To było twoje przypuszczenie.

– Mówiłeś „przyszłem"! Pierwszego wieczoru powiedziałeś „przyszłem" dwa albo trzy razy!

Kącik jego ust uniósł się leciutko.

– Koloryt lokalny. Nie będę się usprawiedliwiał.

– W całym domu walają się komiksy!

– Chciałem sprostać twoim oczekiwaniom.

Załamała się. Stanęła tyłem, oparła dłonie o najbliższe drzewo i przywarła czołem do szorstkiej kory. Powróciły wszystkie upokorzenia dzieciństwa: kpiny i żarty, poczucie izolacji. Nigdy nie pasowała do innych, i teraz ten sam los zgotowała swojemu dziecku.

– Wywiozę ją do Afryki – szepnęła. – Z dala od cywilizacji. Będę ją sama uczyła, żeby nie musiała znosić kpin innych dzieci.

Na jej plecach spoczęła nieoczekiwanie delikatna dłoń.

– Nie zrobisz jej tego, Różyczko. Nie pozwolę na to.

– Zmienisz zdanie, kiedy zobaczysz, jaka z niej dziwaczka.

– Nie będzie dziwaczką. Czy twój ojciec tak cię postrzegał?

Wszystko w niej zamarło. Odsunęła się od niego i nerwowo szukała chusteczki w kieszeniach wiatrówki. Grała na zwłokę, wycierając nos, starała się odzyskać panowanie nad sobą. Jak mogła tak się rozkleić? Nic dziwnego, że uważa ją za wariatkę.

Wytarła nos jeszcze raz. Podał jej okulary. Nałożyła je, nie zwracając uwagi na mech przyczepiony do zausznika.

– Przepraszam, że tak się zachowałam. Nie wiem, co mi się stało. Nigdy na nikogo nie podniosłam ręki.

– Ale dobrze ci to zrobiło, prawda? – Uśmiechnął się i, ku jej zdumieniu, na jego policzku pojawił się dołeczek. Gapiła się na niego przez dłuższą chwilę, zanim w końcu zebrała myśli.

– Przemoc niczego nie załatwia. Mogłam zrobić ci krzywdę.

– Nie chcę cię znowu zdenerwować, Różyczko, ale nie jesteś mistrzynią świata w zapasach. – Wziął ją za ramię i poprowadził w stronę domu.

– To moja wina. Od samego początku. Gdyby nie zaślepiły mnie stereotypy południowca i sportowca, szybciej doceniłabym twój intelekt.

– Tak, tak. A teraz opowiedz mi o ojcu.

Upadłaby, gdyby jej nie podtrzymał.

– Niewiele jest do opowiadania. Był księgowym w zakładzie papierniczym.

– Inteligentny?

– Przeciętnie.

– Chyba wszystko rozumiem.

– Nie wiem, o co ci chodzi.

– Nie wiedział, co z tobą począć, prawda?

Przyspieszyła kroku.

– Robił, co w jego mocy. Nie chcę o tym rozmawiać.

– Czy nigdy nie przyszło ci do głowy, że twoje problemy w dzieciństwie wynikały raczej z nastawienia twojego starego, a nie z rozmiarów twojego mózgu?

– Nic nie wiesz.

– W Michigan byli innego zdania.

Nie odpowiedziała, bo doszli do domu. Annie czekała na nich przy drzwiach. Łypnęła groźnie na wnuka.

– Co ci się stało? Jak będziesz tak denerwował ciężarną, zaszkodzisz dziecku.

– O co ci chodzi? – nachmurzył się. – Kto ci powiedział, że jest w ciąży?

– W innym wypadku nie ożeniłbyś się z nią. Nie masz tyle oleju w głowie.

Jane była wzruszona.

– Dziękuję, Annie.

– A ty? – Staruszka wygarnęła i jej. – Co ci odbiło, żeby się tak zachowywać? Jeśli będziesz tak szalała, ilekroć Calvin cię zdenerwuje, dzieciak udusi się pępowiną na długo, zanim przyjdzie na świat!

Jane rozważała, czy zwrócić jej uwagę na nikłe prawdopodobieństwo takiego obrotu wypadków, ale ugryzła się w język.

– Na przyszłość będę ostrożniejsza.

– Następnym razem, kiedy cię rozzłości, pogoń go ze strzelbą.

– Nie wtykaj nosa w nie swoje sprawy, starucho – burknął Cal. – Wystarczy jej własnych głupot, niczego nie podpowiadaj.

Annie przechyliła lekko głowę i posmutniała nagle.

– Posłuchaj mnie uważnie, Janie Bonner. Nie wiem, jak doszło do tego, że Calvin się z tobą ożenił, ale z tego co widziałam, nie gruchacie jak zakochane gołąbki. Wziął cię za żonę i bardzo mnie to cieszy, ale uprzedzam, że jeśli osiągnęłaś to podstępem, nie pozwól, by Jim i Amber Lynn się dowiedzieli. Nie są równie tolerancyjni jak ja i gdyby się zorientowali, że skrzywdziłaś ich chłopaka, porąbaliby cię żywcem, rozumiesz?

Jane przełknęła ślinę i skinęła głową.

– To dobrze. – Annie zwróciła się do Cala. Smutek zniknął, w starych oczach błysnął spryt. – Dziwne, że osoba tak ciężko chora jak nasza Janie dała radę przejść taki kawał.

Cal zaklął pod nosem. Jane gapiła się na Annie nic nie rozumiejącym wzrokiem.

– O czym ty mówisz? Nie jestem chora!

Cal złapał ją za ramię.

– Chodź, Jane, idziemy do domu.

– Poczekaj! Muszę wiedzieć, co miała na myśli...

Cal pociągnął ją za róg, ale dosłyszała jeszcze rechot Annie.

– Janie Bonner, nie zapominaj, co mówiłam o pępowinie! Calvin chyba znowu cię wkurzy...

Rozdział 9

POWIEDZIAŁEŚ KREWNYM, ŻE MAM GRYPĘ? – powtórzyła Jane, gdy zjeżdżali z góry. Łatwiej było rozmawiać o drobnym kłamstwie niż o tym dużym.

– Przeszkadza ci to?

– Myślałam, że poznam twoich rodziców. Że po to mnie tu przywiozłeś.

– Poznasz. Kiedy uznam to za stosowne.

Jego nonszalancja podziałała na nią jak płachta na byka. Trudno, to jej wina, nie powinna była słuchać go bez protestu przez ostatnie dwa tygodnie. Najwyższy czas pokazać mu, że się go nie boi.

– Więc niech to będzie jak najszybciej, bo nie pozwolę się dłużej trzymać w ukryciu.

– O co ci chodzi? Robię co w mojej mocy, żeby nikt ci nie przeszkadzał w pracy, a ty narzekasz.

– Nie mów tylko, że wyświadczasz mi przysługę.

– Nie wiem, jak inaczej miałbym to nazwać!

– Co powiesz na uwięzienie? Zamknięcie? Areszt domowy? Aha, żebyś nie ważył się zarzucić mi knucia za twoimi plecami: jutro rano wychodzę z pudła, żeby pomóc Annie w ogródku.

– Słucham?

Myśl o Annie i ogródku, upomniała się, nie o tym, że dziecko będzie dziwadłem. Ściągnęła okulary z nosa i czyściła je energicznie, jakby była to najważniejsza czynność na świecie.

– Annie chce, żeby ktoś zajął się ogrodem. Z ziemniaków nic nie będzie, jeśli się ich zaraz nie posadzi. Potem przyjdzie kolej na cebulę i buraki.

– Nie będziesz niczego sadziła. Jeśli Annie chce, zatrudnię Joey Neesona, żeby jej pomógł.

– Jest beznadziejny.

– Nawet go nie znasz.

– Powtarzam, co słyszałam. Wiesz, dlaczego jej dom wygląda tak, a nie inaczej? Bo nie chce, żeby kręcili się tam obcy.

– Trudno. W każdym razie ty nie będziesz jej pomagała.

Otworzyła usta, by znowu zaprotestować, ale zanim wypowiedziała choćby słówko, złapał ją za kark i pchnął w dół, tak że przywarła policzkiem do jego uda.

– Co ty robisz? – Chciała się wyprostować, ale nie puszczał.

– Moja mama. Wychodzi ze sklepu.

– Nie tylko ja zwariowałam! Kompletnie ci odbiło!

– Przedstawię cię rodzinie, kiedy uznam to za stosowne! – huknął. Trzymał ją mocno. Cholera! Dlaczego rodzice nie wyjechali na dłużej, powiedzmy jeszcze na dwa miesiące? Zdawał sobie sprawę, że musi im przedstawić panią profesor, ale liczył, że uda mu się bardziej odwlec to w czasie. A teraz podstarzała żona wszystko zepsuła.

Zerknął w dół. Policzek Jane rozpłaszczył się na jego udzie. Pod palcami miał miękkie włosy. Zazwyczaj schludna, teraz była wyjątkowo rozczochrana – francuski warkocz rozluźnił się, gumka cudem trzymała się na jednym kosmyku. Jedwabiste loki pieściły jego palce, muskały wytarte dżinsy. Ma ładne włosy, nawet z tymi gałązkami i suchymi liśćmi. Z trudem powstrzymał ochotę, by rozpleść warkocz do końca.

Wiedział, że zaraz będzie musiał ją puścić, bo była wściekła jak osa i wierciła się coraz bardziej, ale podobała mu się wizja jej głowy na jego łonie. Zauważył, że praktycznie nie używała makijażu, a jednak bez okularów wyglądała słodko. Jak, powiedzmy, dwudziestopięciolatka. Może mógłby przedstawić ją jako...

Akurat mu na to pozwoli. Cholera, ależ z niej uparty babsztyl. Przypomniał sobie, jak kiedyś żałował, że Kelly nie ma więcej ikry. Była śliczna, nigdy jednak nie udawało mu się z nią porządnie pokłócić, czyli nie mógł się odprężyć. Jedno musi przyznać pani profesor – umie się kłócić.

Zmarszczył czoło. Czyżby miękł wobec niej? O, nie. Ma dobrą pamięć, nie zapomni, jak go oszukała. Po prostu przeszedł mu morderczy gniew, który odczuwał na początku. Chyba stało się to wtedy, gdy oparła głowę o drzewo i oznajmiła, że zabiera dzieciaka do Afryki.

Powoli dochodził do wniosku, że poza tym, co mu zrobiła, porządny z niej człowiek. Zbyt poważny i cholernie nudny, ale w porządku. Co więcej, ciężko pracuje; widział to po równaniach rozsypanych po całym domu jak mysie odchody. No i wywalczyła swoje miejsce w świecie zdominowanym przez mężczyzn. Fakt, że chciała pomóc Annie, przemawiał na jej korzyść, choć zarazem komplikował mu życie. Może rzeczywiście trochę zmiękł. Była tak przejęta, gdy się okazało, że nie jest głupkiem, za którego go miała, że aż zrobiło mu się jej żal. Ojciec wyciął jej niezły numer.

Zerknął na nią po raz kolejny i dostrzegł, że jeden srebrzysty kosmyk ułożył się w ósemkę na jego rozporku. Mało brakowało, a jęknąłby głośno. Cholera! Był podniecony, odkąd pchnął ją na dół. Nie, nawet dłużej; zaczęło się, kiedy rzucił ją na ziemię za domkiem Annie. Zamiast ustępować, napięcie narastało. Wystarczy, by odrobinę ruszyła głową i zobaczy, że jego rozporek bynajmniej nie jest płaski, co do tego nie ma żadnych wątpliwości. Walka z panią profesor podnieciła go i chyba czas coś z tym zrobić. Do tej pory małżeństwo niosło same przykrości; pora poszukać w nim przyjemności.

– Au! Cholera! – Puścił ją i rozmasował bolące udo. – Ugryzłaś mnie już drugi raz! Wiesz, że ludzka ślina jest sto razy niebezpieczniejsza od zwierzęcej?

– Pewnie się tego dowiedziałeś, kiedy zakuwałeś, żeby skończyć studia *summa cum laude*! – Wyprostowała się, włożyła okulary. – Mam nadzieję, że wda się zakażenie i będą ci musieli amputować nogę. Bez znieczulenia! Piłą!

– Muszę sprawdzić, czy w domu jest strych, na którym można by cię zamknąć. W dawnych czasach tak traktowano szalone żony!

– Idę o zakład, że gdybym miała osiemnaście lat, a nie trzydzieści cztery, nawet by ci to do głowy nie przyszło. O nie, karmiłbyś mnie gumą do żucia i pokazywał wszem wobec. Teraz, kiedy wiem, że nie jesteś idiotą, tym dziwniejszy wydaje mi się twój pociąg do dzieci.

– Nie pociągają mnie dzieci. – Skręcił w drogę do domu.

– W każdym razie nie jesteś w stanie zadowolić dorosłej kobiety.

– Jane, daję słowo... Cholera! – Nacisnął na hamulec. Przygotował się, by ponownie pchnąć ją na dół, ale było już za późno. Jego ojciec ją zobaczył.

Cal zaklął i otworzył okno. Zatrzymał się za czerwonym blazerem i zawołał:

– Co się stało, tato?

– A jak myślisz? Otwieraj tę cholerną bramę i mnie wpuść!

Bomba, pomyślał z niesmakiem. Po prostu bomba, idealne ukoronowanie fatalnego dnia. Wcisnął guzik, skinął ojcu i przemknął przez bramę tak szybko, że staruszek nie zdążył dokładnie obejrzeć Jane.

Cieplejsze uczucia wobec niej zniknęły bez śladu. Nie chciał, żeby poznała jego rodziców, koniec, kropka. Oby ojcu nie przyszło do głowy mówić coś o jego dodatkowych zajęciach. Im mniej Jane dowie się o jego życiu, tym lepiej.

– Rób to co ja – polecił. – I w żadnym wypadku nie przyznawaj się, że jesteś w ciąży.

– Dowie się prędzej czy później.

– Później. Dużo, dużo później. I zdejmij te cholerne dwuogniskowe! – Dojechali do domu. Cal wepchnął ją do środka i wyszedł na powitanie ojca.

Jane usłyszała trzaśnięcie drzwiami i domyśliła się, że jest wściekły. Dobrze mu tak! Pan *summa cum laude* zasłużył sobie na to! Zagryzła usta i pobiegła do kuchni. Instynktownie dotknęła brzucha. Przepraszam, skarbie. Nie wiedziałam. Przepraszam.

Wyplątywała suche gałązki i liście z włosów. Powinna trochę się ogarnąć, zanim wejdzie tu ojciec Cala, ale siły starczyło jej tylko na to, by włożyć okulary na nos i martwić się, jak wychować małego geniusza.

Usłyszała głos Cala:

– …a ponieważ dzisiaj Jane poczuła się lepiej, pojechaliśmy do Annie.

– Skoro poczuła się lepiej, trzeba było przywieźć ją do nas.

Rzuciła wiatrówkę na stołek i poszła w stronę zbliżających się głosów.

– Tato, przecież tłumaczyłem wam wczoraj…

– Nie szkodzi. – Ojciec Cala zatrzymał się w pół kroku na jej widok.

Zanim go zobaczyła, wyobrażała sobie jowialnego starszego pana z brzuszkiem i siwą czupryną. Teraz miała wrażenie, że patrzy na starszą wersję Cala.

Był równie dominujący: potężny, przystojny i twardy. Pasowało do niego ubranie, które nosił: czerwona flanelowa koszula, pogniecione spodnie i skórzane buty. Gęste ciemne włosy, dłuższe niż u syna, gdzieniegdzie srebrzyły się siwizną. Nie wyglądał na więcej niż pięćdziesiąt kilka lat, czyli za mało, by mieć trzydziestosześcioletniego syna.

Przyglądał się jej uważnie i bez pośpiechu; patrzył na nią takim samym bezczelnym wzrokiem jak syn. Odwzajemniła jego spojrzenie i wiedziała już, że musi udowodnić swoją wartość. Jednak gość powitał ją ciepłym uśmiechem i wyciągnął rękę.

– Jim Bonner. Cieszę się, że w końcu się poznaliśmy.

– Jane Darlington.

Jego uśmiech zniknął, brwi ściągnęły się w poziomą kreskę. Puścił jej dłoń.

– W tych okolicach kobiety po ślubie przyjmują nazwisko męża.

– Nie jestem z tych okolic i nazywam się Darlington. I mam trzydzieści cztery lata.

Za plecami usłyszała dziwne kaszlnięcie. Jim Bonner parsknął śmiechem.

– Coś takiego.

– Owszem. Mam trzydzieści cztery lata i starzeję się z każdą chwilą.

– Dosyć tego, Jane. – Ostrzegawcza nutka w głosie Cala powinna powstrzymać ją przed zdradzaniem dalszych sekretów, ale równie dobrze mógł sobie nie strzępić języka.

– Nie wyglądasz na chorą.

– Nie jestem. – Poczuła dotyk na plecach i zdała sobie sprawę, że to Cal ściągnął jej z włosów gumkę.

– Poczuła się lepiej dzisiaj rano – wpadł jej w słowo Cal. – Pewnie to jednak nie była grypa.

Jane odwróciła się lekko i posłała mu spojrzenie pełne litości. Nie będzie uczestniczyła w jego kłamstwach. Udał, że tego nie widzi.

Jim wziął komiks ze stołu i przeglądał go podejrzliwie.

– Pasjonująca lektura.

– Jane czytuje je dla rozrywki. Masz ochotę na piwo, tato?

– Nie, jadę do szpitala.

Troska sprawiła, że Jane zapomniała o złośliwej uwadze, którą miała wygłosić na temat komiksu.

– Coś się stało?

– Może kanapkę? Jane, zrób nam coś do jedzenia.

– Z przyjemnością zrobię kanapkę twojemu tacie, ale ty możesz się sam obsłużyć.

Jim uniósł brew, jakby chciał powiedzieć: „Synu, po tylu latach wziąłeś sobie taką żonę?"

Nie da się zapędzić w kozi róg.

– Jedziesz na badania? Mam nadzieję, że to nic poważnego? – ciągnęła.

Cal nie dopuścił ojca do słowa.

– Kochanie, ubrudziłaś się na spacerze. Idź na górę i doprowadź się do porządku.

– To żadna tajemnica – odezwał się Jim. – Jestem lekarzem i muszę zajrzeć do moich pacjentów.

Jego słowa powoli docierały do mózgu Jane; nie była w stanie ruszyć się z miejsca. Rzuciła się na Cala.

– Twój ojciec jest lekarzem? Jakie jeszcze tajemnice przede mną ukrywasz?

Jej serce pęka, a on najwyraźniej doskonale się bawi.

– Skarbie, wiem, że spodziewałaś się kłusownika albo przemytnika, ale masz pecha. Chociaż, jak o tym pomyślę... tato, czy twój dziadek nie pędził przypadkiem whisky gdzieś w górach?

– Podobno. – Jim uważnie przyglądał się Jane. – Dlaczego cię to interesuje?

Cal nie pozwolił jej dojść do głosu, i dobrze, bo przez ściśnięte gardło nie wykrztusiłaby ani słowa.

– Jane ma fioła na punkcie Południa. Pochodzi z dużego miasta i przepada za wiejskimi klimatami. Była zawiedziona, kiedy się okazało, że nosimy buty.

Jim się uśmiechnął.

– Ja tam nie miałbym nic przeciwko bieganiu na bosaka.

W holu rozległ się kobiecy głos z miękkim południowym akcentem.

– Cal? Gdzie jesteś?

Westchnął.

– W kuchni, mamo.

– Przejeżdżałam obok i zobaczyłam, że brama jest otwarta. – Podobnie jak ojciec Cala, kobieta, która stanęła w drzwiach, wydawała się zbyt młoda, by mieć trzydziestosześcioletniego syna. Wydawała się także zbyt dystyngowana jak na córkę Annie Glide. Ładna, szczupła, miała krótką fryzurkę, podkreślającą błękit oczu. Dyskretna płukanka tuszowała nieliczne siwe pasma. Nosiła doskonale skrojone czarne spodnie i wełniany żakiet ze srebrną broszką w klapie. Przy niej Jane poczuła się jak ulicznica, z rozczochranymi włosami i w brudnym ubraniu.

– Więc ty jesteś Jane. – Podeszła do niej z wyciągniętą ręką. – Jestem Lynn Bonner. – Powitała ją ciepło, ale Jane wyczuwała rezerwę. – Mam nadzieję, że już jesteś w lepszej formie? Cal mówił, że kiepsko się czułaś.

– Dziękuję, mam się dobrze.

– Ma trzydzieści cztery lata – poinformował Jim.

Lynn zdziwiła się i uśmiechnęła.

– Cieszę się.

Jane przyłapała się na tym, że darzy Lynn Bonner coraz większą sympatią. Jim przysiadł na wysokim barowym stołku i wyprostował długie nogi.

– Cal twierdzi, że ona ma fioła na punkcie wieśniaków z Południa. Pewnie jesteś akurat w jej typie, Amber.

Uwadze Jane nie uszło zdumione spojrzenie, jakie Cal posłał ojcu. Słyszała fałszywą nutę w słowach Jima Bonnera, nutę, której poprzednio tam nie było, ale jego żona udała, że niczego nie zauważyła.

– Zapewne wiesz od Cala, że właśnie wróciliśmy z konferencji naukowej połączonej z urlopem. Szkoda, że wczoraj byłaś chora i nie mogłaś zjeść z nami kolacji, ale nadrobimy to w sobotę. Wiesz, Jim, gdyby nie padało, moglibyśmy upiec coś na grillu.

Jim skrzyżował nogi w kostkach.

– No, Amber, dalej. Skoro nasza Jane tak przepada za południowcami, może uraczysz ją jednym z rodzinnych specjałów Glide'ów? Na przykład fasolą ze smalcem, albo głowizną, którą twoja mama tak chętnie gotowała. Jadłaś kiedyś głowiznę, Jane?

– Nie przypominam sobie.

– Nie sądzę, żeby Jane miała na to ochotę – stwierdziła Lynn chłodno. – Nikt już tego nie jada.

– Więc może powinnaś wprowadzić nową modę, Amber. Opowiedz o tym twoim eleganckim przyjaciółkom podczas następnej kolacji w Asheville.

Cal gapił się na rodziców, jakby widział ich po raz pierwszy w życiu.

– Dlaczego nazywasz mamę Amber?

– Bo tak ma na imię – odparł Jim.

– Owszem, Annie tak do niej mówi, ale ty?

– A niby dlaczego mam przez całe życie postępować tak samo?

Cal zerknął na matkę. Nie odezwała się. Czuł się nieswojo. By się czymś zająć, otworzył lodówkę.

– Naprawdę nie macie ochoty na kanapkę? Mamo?

– Nie, dziękuję.

– Głowizna to rodzinna potrawa Glide'ów – Jim uparcie powracał do tego wątku. – Chyba o tym nie zapomniałaś, co, Amber? – Przeszył żonę tak zimnym spojrzeniem, że Jane zrobiło się jej żal. Aż za dobrze wiedziała, jak się czuje kobieta pod takim wzrokiem. Nie czekał na odpowiedź, od razu uświadomił Jane: – Głowizna to, jak nazwa wskazuje, świński łeb, tyle że bez oczu.

Lynn uśmiechnęła się z wysiłkiem.

– To paskudztwo. Nie wiem, czemu mama to gotowała. Właśnie z nią rozmawiałam, stąd wiem, że już ci lepiej. Polubiła cię, Jane.

– Ja ją też. – Jane, podobnie jak teściowa, chciała zmienić temat. Nie dość, że denerwowały ją potyczki między rodzicami Cala, na dodatek jej żołądek ostatnio zachowywał się nieprzewidywalnie i wolała nie rozmawiać więcej o świńskich łbach, z oczami czy bez.

– Cal powiedział, że zajmujesz się fizyką – odezwała się Lynn. – Jestem pod wrażeniem.

Jim wstał ze stołka.

– Moja żona nie ukończyła nawet szkoły średniej, więc czasami onieśmielają ją ludzie z wyższym wykształceniem.

Lynn wcale nie wyglądała na onieśmieloną, a Jane powoli traciła całą sympatię do Jima Bonnera. Jego żona może sobie ignorować jego nietaktowne uwagi, ale nie ona.

– Nie ma ku temu powodów – oznajmiła spokojnie. – Wśród ludzi z najbardziej imponującymi tytułami są głupcy.

Ale właściwie dlaczego to mówię, doktorze Bonner? Na pewno przekonał się pan o tym sam.

Ku jej zdumieniu uśmiechnął się. A potem wsunął dłoń za kołnierz żony i pieszczotliwie pogładził jej szyję. Robił to odruchowo, jakby powtarzał ten gest od prawie czterdziestu lat. Intymność tej pieszczoty uświadomiła Jane, że pakuje się na głęboką wodę. Szkoda, że nie ugryzła się w język. Cokolwiek się psuło w ich małżeństwie, psuło się od lat. To nie jej sprawa. Ma wystarczająco dużo własnych problemów na głowie.

Jim odsunął się od żony.

– Muszę iść, bo spóźnię się na obchód. – Poklepał Jane po ramieniu i uśmiechnął się do syna. – Cieszę się, że cię poznałem, Jane. Do zobaczenia jutro, Cal. – Widać było, że darzy syna szczerym uczuciem. Zanim wyszedł, ani słowem nie odezwał się do żony.

Cal wyjął z lodówki paczkę wędliny i kawałek sera. Ledwie trzasnęły drzwi wejściowe, spojrzał na matkę.

Patrzyła na niego spokojnie. Jane miała wrażenie, że niewidzialny znak „Zakaz wstępu", który wyczuwała w obecności męża, znikł bez śladu.

Cal martwił się wyraźnie.

– Dlaczego tata mówi do ciebie Amber? Nie podoba mi się to.

– Więc musisz z nim o tym porozmawiać. – Lynn uśmiechnęła się do Jane. – O ile znam Cala, zabierze cię tylko do klubu Mountaineer. Jeśli chcesz rozejrzeć się po okolicznych sklepach, z przyjemnością cię oprowadzę. Potem możemy zjeść razem lunch.

– Bardzo chętnie.

Cal podszedł bliżej.

– Jane, nie musisz być uprzejma. Mama zrozumie. – Objął Lynn ramieniem. – Jane nie ma chwili czasu, ale nie chce sprawić ci przykrości. Zgadza się, choć w głębi serca wolałaby odmówić.

– Rozumiem. – Sądząc po minie Lynn, nie rozumiała ani odrobinę. – Oczywiście, skoro praca jest dla ciebie ważniejsza niż… Zapomnij, że cokolwiek mówiłam.

Jane nie posiadała się z oburzenia.

– Kiedy ja naprawdę…

– Proszę, nie mów nic więcej. – Odwróciła się do niej tyłem, uściskała Cala. – Muszę iść na spotkanie w kościele. Okazuje się, że matka pastora ma pełne ręce roboty; oby Ethan jak najszybciej się ożenił. – Zerknęła na Jane ponad ramieniem syna; w jej oczach czaił się chłód. – Mam nadzieję, że w sobotę poświęcisz nam chwilę twego drogocennego czasu.

Jane poczuła ukłucie.

– Oczywiście.

Cal odprowadził matkę do drzwi, gdzie rozmawiał z nią przez dłuższą chwilę. Wrócił do kuchni.

– Jak mogłeś? – zdenerwowała się Jane. – Zrobiłeś ze mnie snobkę!

– A co to za różnica? – Wyjął kluczyki z kieszeni dżinsów.

– Różnica? Było jej przykro.

– I co z tego?

– Nie mieści mi się w głowie, że byłeś taki gruboskórny.

– Ach, rozumiem. – Rzucił kluczyki na stół. – Chciałabyś być ukochaną synową, tak?

– Chcę być uprzejma, nic więcej.

– Dlaczego? Żeby cię polubili, a potem cierpieli, kiedy się rozejdziemy?

Ogarnął ją niepokój.

– O co ci chodzi?

– Stracili już jedną synową – wyjaśnił cicho. – Nie pozwolę, żeby opłakiwali i drugą. Chcę, żeby na wieść o naszym rozwodzie otworzyli szampana, by uczcić fakt, iż najstarszy syn odzyskał rozum.

– Nie rozumiem. – Nieprawda, rozumiała doskonale.

– Więc wyłożę kawę na ławę. Chciałbym, żebyś zrobiła co w twojej mocy, żeby moi rodzice nie mogli na ciebie patrzeć.

Splotła drżące ręce na piersi. Do tej chwili nie zdawała sobie sprawy, że żywiła cichą, ale silną nadzieję, iż stanie się częścią rodziny Cala. Dla kogoś, kto zawsze chciał gdzieś przynależeć, był to bolesny cios.

– Mam odegrać czarny charakter?

– Nie patrz tak na mnie. Nieproszona wtargnęłaś w moje życie i postawiłaś je na głowie. Nie chcę być ojcem, a już na pewno nie pragnę być mężem. Niestety, nie dałaś mi wyboru i musisz to jakoś wynagrodzić. Jeśli masz choć odrobinę współczucia, nie skrzywdzisz moich rodziców.

Odwróciła się, żeby nie widział jej łez. Poprosił o naj-trudniejszą z możliwych rzeczy. Znowu będzie wyrzutkiem; czy tak już ma być do końca życia? Czy zawsze będzie stała na obrzeżu życia innych? Tylko że Cal chce czegoś więcej. Chce, żeby ją znienawidzono.

– Tu, w Salvation, jest wielka część mojego życia – ode-zwał się. – Moi przyjaciele. Moja rodzina. Ty stąd wyjedziesz po kilku miesiącach.

– Zostawiając po sobie wyłącznie złe wspomnienia.

– Jesteś mi to winna – przypomniał cicho.

W tym, o co ją prosił, kryła się przewrotna sprawiedli-wość. Postąpiła wobec niego niemoralnie, gryzły ją wyrzuty sumienia i teraz nadarzała się okazja pokuty. Cal ma rację. Nie zasługuje na jego rodzinę. I jest mu coś winna.

Bawił się kluczykami. Nagle dotarło do niej, że stracił typową pewność siebie. Dopiero po chwili odgadła, dlaczego: obawia się, że ona się nie zgodzi, i szuka dalszych argumentów.

– Pewnie zauważyłaś, że między moimi rodzicami panuje napięcie. Za życia Cherry i Jamiego zachowywali się inaczej.

– Wiedziałam, że pobrali się wcześnie, ale są młodsi, niż się spodziewałam.

– Byłem prezentem dla ojca na zakończenie szkoły. Mama zaszła w ciążę jako piętnastolatka. Urodziła mnie mając szesnaście.

– Och.

– Wyrzucili ją ze szkoły, ale Annie opowiadała, że stała pod bramą w najlepszej sukience i słuchała mowy pożegnalnej ojca.

Jane pomyślała o niesprawiedliwości sprzed lat. Amber Lynn Glide, biedna dziewczyna z gór, wyleciała ze szkoły za ciążę, a bogaty chłopak, który zrobił jej dziecko, wygłaszał mowę pożegnalną i zbierał pochwały.

– Wiem, o czym myślisz – odezwał się Cal. – Nie uszło mu to na sucho. Nikt się nie spodziewał, że się z nią ożeni. Miał na głowie rodzinę podczas studiów.

– Pewnie rodzice pomagali mu finansowo.

– Na początku wcale. Nie znosili mamy, powiedzieli, że jeśli się z nią ożeni, nie dostanie ani grosza. Przez pierwszy rok dotrzymywali słowa, ale potem urodził się Gabe i ulegli.

– Twoi rodzice wydają się bardzo nieszczęśliwi.

Natychmiast się nastroszył. Zrozumiała, że co innego, kiedy on o tym mówi, a co innego, gdy spostrzega to ona.

– Są smutni i tyle. Nigdy nie byli zbyt wylewni, ale między nimi wszystko się doskonale układa, jeśli o to ci chodzi.

– O nic mi nie chodzi.

Porwał kluczyki i ruszył na tył domu, do garażu. Zatrzymała go w ostatniej chwili.

– Cal, zrobię, co zechcesz, wobec twoich rodziców... będę tak niemiła, jak to możliwe... ale nie wobec Annie. Ona i tak domyśla się prawdy. – Jane czuła dziwną więź ze staruszką. Musi mieć choć jedną przyjazną duszę, inaczej zwariuje.

Popatrzył na nią.

Wyprostowała ramiona, podniosła głowę.

– Takie są moje warunki. Zgadzasz się?

Powoli skinął głową.

– Zgadzam.

Rozdział 10

JANE JĘKNĘŁA, POCHYLAJĄC SIĘ, by wyłączyć komputer. Rozebrała się i włożyła piżamę. Od trzech dni co rano pomagała Annie w ogródku i bolały ją wszystkie mięśnie.

Z uśmiechem złożyła dżinsy i koszulkę i schowała je do szafy. Zazwyczaj denerwowali ją apodyktyczni ludzie, ale Annie Glide stanowiła niezwykły wyjątek.

Annie rozkazywała także Calowi. W środę rano uparł się, że osobiście zawiezie Jane do babci. Na miejscu Jane wskazała nieszczęsny stopień i zaproponowała, żeby sam zrobił to, do czego zatrudnia innych. Zabrał się do pracy naburmuszony, ale już po chwili usłyszała pogodne gwizdanie. Spisał się doskonale przy schodkach i zabrał się do dalszych prac. Dzisiaj rano kupił kilka puszek farby i zabrał się za zdrapywanie starej.

Włożyła nocną koszulkę z wizerunkiem Prosiaczka na kieszonce. Jutro idą na kolację do rodziców Cala. Nie wspominał ani słowem o ich umowie, wiedziała jednak, że o niej nie zapomniał.

Była zmęczona, ale zarazem zbyt pobudzona, by zasnąć, zwłaszcza że dochodziła dopiero jedenasta. Układała dokumenty na biurku i rozmyślała, gdzie podziewa się Cal. Pewnie ugania się za kobietami. Przypomniała sobie, że Lynn mówiła coś o klubie Mountaineer i zapytała o to Annie. Staruszka oznajmiła, że to prywatny klub. Czy tam znajduje sobie kochanki?

Choć to małżeństwo na pokaz, bolała ją ta myśl. Nie chciała, żeby sypiał z innymi, tylko z nią!

Zastygła z plikiem wydruków w rękach. Co jej chodzi po głowie? Seks tylko skomplikowałby i tak już niełatwą sytuację. Tłumaczyła to sobie, ale jednocześnie wspominała, jak wyglądał rano, bez koszuli, przy domku Annie. Gra mięśni pod skórą podziałała na nią do tego stopnia, że kazała mu się natychmiast ubrać, wygłosiwszy przedtem wykład o dziurze ozonowej i raku skóry.

Pożądanie, i tyle. Takie sobie pożądanie. Nie ulegnie mu.

Musi się czymś zająć. Zaniosła przepełniony kosz na śmieci do garażu. Przysiadła w kuchni, zapatrzyła się w okno i rozmyślała o dawnych uczonych: Ptolomeuszu, Koperniku, Galileuszu. Chcieli rozwikłać tajemnice wszechświata, mając do dyspozycji prymitywne instrumenty. Newtonowi nawet się nie śniło, że można mieć takie cuda jak ona.

Podskoczyła, gdy otworzyły się drzwi i wszedł Cal. Przeszło jej przez myśl, że nie zna mężczyzny równie pewnego własnego ciała. Oprócz dżinsów miał na sobie bordową koszulkę i czarną kurtkę. Przeszył ją dreszcz.

– Spodziewałem się, że jesteś w łóżku – stwierdził. Czy jej się wydaje, czy naprawdę usłyszała ochrypłe nuty w jego głosie?

– Rozmyślam.

– O ziemniakach, które zasadziłaś?

Uśmiechnęła się.

– Szczerze mówiąc, o Newtonie. Isaaku – dodała.

– Chyba coś słyszałem – rzucił ironicznie. Podciągał rękawy kurtki, wsunął dłonie do kieszeni spodni. – Myślałem, że wy, współcześni fizycy, zapomnieliście o starym Isaaku i czcicie wyłącznie Wielkiego Alberta.

Rozbawiło ją to określenie Einsteina.

– Uwierz mi, Wielki Albert darzył szacunkiem poprzedników. Nie pozwolił tylko, by prawa Newtona ograniczały mu horyzonty.

– Moim zdaniem to obraza majestatu. Stary Izaak odwalił całą robotę, a potem Albert postawił wszystko na głowie.

Uśmiechnęła się szerzej.

– Taka to już buntownicza natura naukowców. Dobrze, że nie palą nas za to na stosach.

Cisnął kurtkę na krzesło.

– Jak tam poszukiwania górnego kwarka?

– Znaleźliśmy go w tysiąc dziewięćset dziewięćdziesiątym piątym. A skąd wiesz, czym się zajmuję?

Wzruszył ramionami.

– Lubię wiedzieć, co w trawie piszczy.

– Badam cechy górnego kwarka.

– Więc powiedz, ile kwarków zmieści się na łebku od szpilki?

– Więcej niż ci się zdaje. – Nadal ją dziwiło, że wie, co ona robi.

– Pytam o twoją pracę, pani profesor. Uwierz mi na słowo, jestem w stanie pojąć ogólne zarysy, jeśli nie szczegóły.

Po raz kolejny zapomniała, jaki jest inteligentny. Nietrudno o to, mając przed oczami takie ciało. Zebrała się w sobie, zanim jej myśli podążyły w niewłaściwym kierunku.

– Co wiesz o kwarkach?

– Niewiele. Są mniejsze od atomów, wszelka materia się z nich składa. Jest ich bodajże sześć rodzajów.

Większość ludzi nie wie nawet tego. Skinęła głową.

– Tak, nazwano je na podstawie piosenki z *Przebudzenia Finnegana* Jamesa Joyce'a.

– Widzisz, oto jeden z problemów z wami, naukowcami. Gdybyście szukali natchnienia w książkach Toma Clancy'ego, w czymś, co ludzie czytają, spotykalibyście się z dużo większym zrozumieniem.

Parsknęła śmiechem.

– Obiecuję, że jeśli coś odkryję, nazwę to *Czerwony Październik*.

– I dobrze. – Przysiadł na stołku i patrzył na nią z wyczekiwaniem. Zrozumiała, że czeka, aż opowie mu więcej o swojej pracy.

Podeszła do stołu i oparła się o granitowy blat.

– To, co wiemy o kwarkach, jest zaskakujące. Na przykład górny jest czterdzieści razy cięższy od dolnego, nie wiadomo dlaczego. Im więcej wiemy o kwarkach, tym bliżsi jesteśmy nowego, rewolucyjnego spojrzenia na dotychczasową teorię atomu. Na dłuższą metę szukamy teorii, która będzie podstawą nowej fizyki.

– Teorii Wszystkiego?

– To śmieszna nazwa. W rzeczywistości brzmi to: Wielka Teoria Jedności, ale tak, to teoria wszystkiego. Wydaje nam się, że górne kwarki uchylą rąbka tajemnicy.

– A ty chcesz być Einsteinem nowej fizyki?

Wytarła mikroskopijną plamkę z blatu stołu.

– Na całym świecie genialni fizycy pracują nad tym samym.

– Nie obawiasz się ich, prawda?

Uśmiechnęła się.

– Ani odrobinę.

Tym razem on parsknął śmiechem.

– Powodzenia, pani profesor. Trzymam kciuki.

– Dziękuję. – Spodziewała się, że zmieni temat; zazwyczaj ludziom kleiły się powieki, gdy rozprawiała o swojej pracy. On tymczasem wyjął z szafki torebkę chipsów, usiadł przy oknie i zasypał ją pytaniami na ten temat.

Nie minęło dużo czasu, a siedziała naprzeciw niego, chrupała chipsy i z zapałem perorowała o kwarkach. Jej wyjaśnienia prowokowały go do dalszych pytań.

Początkowo odpowiadała radośnie, szczęśliwa, że spotkała laika szczerze zainteresowanego fizyką. Przyjemnie tak siedzieć w kuchni w środku nocy nad torebką chipsów i rozmawiać o pracy. To prawie tak, jakby naprawdę byli małżeństwem. Poczucie błogości zniknęło jednak, gdy uświadomiła sobie, jak skomplikowane zagadnienia mu tłumaczy, a on, ku jej rozpaczy, wszystko rozumie.

Ścisnęło jej się serce. A co, jeśli dziecko będzie jeszcze mądrzejsze, niż się obawiła? Na tę myśl zakręciło jej się w głowie. Wdała się w mętne tłumaczenie zawiłej teorii.

– Chyba nie rozumiem, pani profesor.

Ileż by dała, by móc wrzasnąć, że nie rozumie, bo jest za głupi! Wykrztusiła tylko:

– Tak, to niezbyt jasne. – Wstała. – Jestem zmęczona. Chyba się położę.

– Dobrze.

Uznała, że nadeszła odpowiednia chwila, by poruszyć sprawę jej uwięzienia. Cal jest w dobrym humorze, może lepiej to zniesie.

– A tak przy okazji, Cal, potrzebny mi samochód. Nic specjalnego, zwykły środek transportu. Do kogo mam się zwrócić?

– Do nikogo. Jeśli chcesz gdzieś pojechać, zawiozę cię.

Jego dobry nastrój diabli wzięli. Wstał i wyszedł z kuchni, tym samym kładąc kres dyskusji.

Nie poddawała się. Poszła za nim przez przepastny salon do gabinetu.

– Przywykłam do niezależności. Mam własne pieniądze. – Po chwili dodała złośliwie: – Nie bój się, nie będę się witała z twoimi przyjaciółmi.

– Nie będzie samochodu, pani profesor, koniec, kropka.

Odszedł, tym razem do gabinetu. Zacisnęła usta i ruszyła za nim. To śmieszne. Chyba zapomniał, że żyją w dwudziestym wieku. I że ona ma swoje pieniądze.

Zatrzymała się w progu.

– W przeciwieństwie do twoich kochanek, mam prawo jazdy.

– To powoli przestaje być śmieszne.

– Tylko że nigdy takie nie było, prawda? – popatrzyła na niego uważnie. – Czy aby na pewno chodzi ci tylko o rodziców? Może po prostu wolisz, żeby mój zaawansowany wiek i brak urody nie przyniosły ci wstydu?

– Sama nie wiesz, co mówisz. – Usiadł za biurkiem.

Nie dała się zbić z tropu.

– W niczym nie przypominam kobiety, z którą według oczekiwań koleżków miałeś się ożenić, prawda? Jestem za brzydka, za stara, mam za małe piersi. Co za wstyd dla Bombera!

Skrzyżował nogi w kostkach i oparł je na biurku.

– Skoro tak mówisz.

– Cal, nie potrzebuję twojego pozwolenia, żeby kupić samochód. Zrobię to i tak.

Posłał jej mordercze spojrzenie.

– Akurat.

Rozdział 11

Rodzice Cala mieszkali w górzystej dzielnicy, wśród starych drzew i wiekowych domów. Wokół skrzynek pocztowych wiły się pędy dzikiego wina, gołe jeszcze altanki czekały na pnące róże.

Dom Bonnerów stał na szczycie wzgórza porosłego bluszczem i rododendronami. Był to uroczy, bezpretensjonalny budynek o kremowych ścianach i jasnozielonym dachu z hiszpańskich dachówek. Cal podjechał do samej werandy, wysiadł i przytrzymał Jane drzwi.

Zatrzymał wzrok na jej nogach. Nie skomentował miękkiej spódnicy z brązowej tafty, choć chyba podwinęła ją w talii, bo odsłaniała dobre kilka centymetrów smukłych ud. Jane przemknęło przez myśl, że w jego oczach nogi trzydziestoczteroletniej belferki nie mogą się równać ze szczupłymi nóżkami wygimnastykowanych dwudziestolatek, jednak błysk uznania zdawał się temu przeczyć.

Nie pamiętała, kiedy ostatnio była równie zagubiona. Ostatniej nocy wzbudził w niej całą gamę sprzecznych uczuć. W kuchni poczuła silną więź, prawie wspólnotę. Do tego dochodził gniew, śmiech i pożądanie. Obecnie to ostatnie najbardziej ją niepokoiło.

– Podobają mi się twoje włosy – oznajmił.

Rozpuściła je, co więcej, zostawiła w domu okulary i umalowała się znacznie staranniej niż zazwyczaj. Gdy błądził wzrokiem po jej ciele, wydawało jej się, że podoba mu się znacznie więcej niż tylko włosy. Dopóki się nie skrzywił.

– Żadnych bzdur dzisiaj, jasne?

– Jak słońce. – Specjalnie chciała go zdenerwować, żeby wreszcie nie myśleć o ostatnim wieczorze. – A może przykryjesz mnie marynarką, żeby sąsiedzi przypadkiem czegoś nie zauważyli? Zresztą, co ja mówię! Jeśli mnie zobaczą, powiemy, że jestem matką twojej żony.

Złapał ją za ramię i pociągnął do drzwi.

– Pewnego dnia zalepię ci buzię taśmą klejącą.

– Niemożliwe. Nie dożyjesz tej chwili. Widziałam w garażu elektryczny sekator.

– Więc cię zwiążę, zamknę w szafie i dorzucę tuzin wygłodzonych szczurów.

Uniosła brew.

– Brawo.

Bąknął coś niezrozumiale i otworzył drzwi.

– Tu jesteśmy – dobiegło ich wołanie Lynn.

Cal wprowadził ją do pięknie urządzonego salonu, utrzymanego w różnych odcieniach bieli, z nielicznymi akcentami w kolorze brzoskwini i zielonego groszku. Jane nie miała czasu, by podziwiać wystrój wnętrza, jej uwagę przykuł bowiem najprzystojniejszy mężczyzna, jakiego kiedykolwiek widziała.

– Jane, to mój brat, Ethan.

Podszedł do niej, podał rękę, popatrzył ciepłymi niebieskimi oczami.

– Witaj, Jane. W końcu się poznaliśmy.

Czuła, jak topnieje jej rezerwa, co zaskoczyło ją tak bardzo, że z trudem skinęła głową. Jakim cudem ten delikatny, wrażliwy młody człowiek o subtelnych rysach może być rodzonym bratem Cala? Patrząc mu w oczy, poczuła się tak samo jak czasami, gdy patrzyła na zdjęcie Matki Teresy z Kalkuty albo fotografię noworodka. Złapała się na tym, iż dyskretnie zerka na Cala, jakby chcąc się upewnić, że na pewno niczego nie przeoczyła.

Wzruszył ramionami.

– Nie patrz tak na mnie. Nikt tego nie pojmuje.

– Podejrzewamy, że go podmienili. – Lynn wstała z fotela. – Cała rodzina się za niego wstydzi. Bóg jeden wie, jak długie są listy naszych grzechów, ale przy nim wyglądamy na gorszych niż jesteśmy.

– Nie bez powodu. – Ethan patrzył na Jane ze śmiertelną powagą. – To wszystko pomioty szatana.

Jane zdążyła już przywyknąć do nietypowego poczucia humoru rodziny Bonnerów.

– A ty zapewne dla sportu napadasz bezbronne staruszki.

Ethan parsknął śmiechem i zwrócił się do brata:

– No, wreszcie znalazłeś prawdziwą kobietę.

Cal burknął coś pod nosem i łypnął na nią morderczym wzrokiem, jakby chciał przypomnieć, że ma wszystkich do siebie zniechęcić, a nie przekonać. Nie zapomniała, ale też nie chciała o tym za dużo myśleć.

– Poród zatrzymał ojca – wyjaśniła Lynn. – Ale powinien się zjawić lada moment. Betsy Wood rodzi trzeci raz. Pamiętasz ją? Byliście razem na balu absolwentów. Wiesz, ojciec chyba przyjmował porody wszystkich twoich byłych dziewczyn.

– Tata przejął praktykę po dziadku – wyjaśnił Ethan. – Od dawna jest jedynym lekarzem w okolicy. Ma pomocników, jednak bardzo ciężko pracuje.

Uprzytomniła sobie, że i ona będzie musiała wkrótce rozejrzeć się za lekarzem. Nie będzie to jednak Jim Bonner.

Jakby przywołały go ich słowa, stanął w drzwiach. Wydawał się zmęczony i zniechęcony, i Jane dostrzegła troskę w oczach Lynn.

Jim wszedł do pokoju i zaraz huknął na całe gardło:

– Dlaczego nikt nie pije?

– W kuchni czekają margarity. – Lynn z uśmiechem podeszła do drzwi.

– Pójdziemy z tobą – zadecydował Jim. – Nie znoszę tego pokoju, odkąd ty i ten cholerny dekorator wnętrz tak go zepsuliście. Tak tu biało, że się boję usiąść.

Zdaniem Jane pokój był cudowny i Jim niepotrzebnie go krytykował. Poszli do kuchni, ciepłej i przytulnej dzięki sosnowej boazerii. Jane nie pojmowała, jak Cal może wytrzymać w ich okropnym, tandetnym domostwie, skoro wychował się w tak innym otoczeniu.

Jim podał synowi puszkę piwa i zwrócił się do Jane:

– Margaritę?

– Wolałabym coś słabszego.

– Baptystka?

– Słucham?

– Niepijąca?

– Nie.

– Mamy białe wino. Amber stała się smakoszem win, prawda, skarbie? – Mówił jak dumny mąż, ale ironiczny ton świadczył o czymś wręcz przeciwnym.

– Dosyć tego, tato. – W głosie Cala pojawiły się stalowe nuty. – Nie mam pojęcia, co tu się dzieje, ale chcę, żebyście natychmiast przestali.

Jim wyprostował się i odwzajemnił spojrzenie syna. Cal się nie poruszył, jednak jego poważna mina mówiła ojcu, że przekroczył umowną granicę.

Jim najwyraźniej nie przywykł, by ktokolwiek dyktował mu, jak ma się zachowywać, ale Cal nie miał zamiaru ustąpić. Jane przypomniała sobie, jak nie dalej niż wczoraj zapewniał, że między rodzicami wszystko jest w porządku.

Ethan przerwał nieprzyjemną ciszę, prosząc o piwo i wspominając o zebraniu rady miejskiej. Pewnie jest rodzinnym rozjemcą. Napięcie opadło. Lynn zapytała Jane o jej poranną wizytę u Annie. Sądząc po chłodzie w jej głosie, zastanawiała się pewnie, jak to możliwe, że synowa ma czas na pracę w ogrodzie, a nie może urwać się na kilka godzin na zakupy.

Jane zerknęła na Cala. Był zrezygnowany. Nie wierzył, że dotrzyma słowa.

Ogarnął ją smutek, wiedziała jednak, że nie wolno jej pragnąć gwiazdki z nieba. Jest mu to winna.

– Było okropnie, tylko jej tego nie mów. Annie nie rozumie, że każda godzina, podczas której nie pracuję, to godzina stracona.

Zapadła nieprzyjemna cisza. Jane unikała wzroku Cala. Nie chciała widzieć, jak oddycha z ulgą, że ona robi z siebie idiotkę wobec jego rodziny.

– Rozumiem, że ogródek jest dla niej ważny, ale nie ma przecież porównania z tym, co robię. Chciałam jej to wytłumaczyć, ale jest taka… Nie, nie, nie chciałam powiedzieć, że głupia, ale spójrzmy prawdzie w oczy, jej pojmowanie kompleksowych kwestii jest raczej ograniczone.

– Dlaczego w ogóle prosiła cię o pomoc? – warknął Jim.

Jane udawała, że nie słyszy jego pogardliwego tonu; mówił tak samo jak syn.

– A któż zrozumie humory starowinki?

Cal uznał za stosowne włączyć się do rozmowy.

– Wiecie, co myślę? Jane jest humorzasta, zupełnie jak Annie, i dlatego babci odpowiada jej towarzystwo. Mają dużo wspólnego.

– Ależ z nas szczęściarze – mruknął Ethan.

Jane była czerwona jak burak. Cal chyba się domyślił, że posunęła się najdalej jak mogła, bo umiejętnie skierował rozmowę na inne tory. Niedługo potem usiedli do stołu.

Jane robiła co w jej mocy, by wyglądać na znudzoną, a w rzeczywistości chciwie chłonęła najdrobniejsze szczegóły. Obserwowała niewymuszoną braterską przyjaźń i bezwarunkową miłość, jaką Jim i Lynn darzyli synów. Mimo problemów małżeńskich teściów, oddałaby wszystko, by należeć do tej rodziny.

Wielokrotnie podczas posiłku rozmowa schodziła na praktykę Jima: opowiadał o interesujących przypadkach, o nowych sposobach leczenia. Zdaniem Jane jego opisy były zbyt naturalistyczne jak na porę posiłku, nie przeszkadzało to jednak nikomu innemu, doszła więc do wniosku, że zdążyli przywyknąć. Zwłaszcza Cal ciekawie wypytywał o szczegóły.

Jane była zafascynowana Lynn. Podczas kolacji matka Cala rozprawiała o muzyce i sztuce, o klubie dyskusyjnym, któremu przewodniczy. Okazała się także wyśmienitą kucharką i Jane zrobiło się wstyd. Boże, czy ta dziewczyna z gór potrafi wszystko?

Ethan wskazał piękny bukiet lilii i orchidei w kryształowym wazonie.

– Skąd to wzięłaś, mamo? Odkąd Joyce Belik zamknęła kwiaciarnię, nie widziałem tu równie wspaniałych kwiatów.

– Zamówiłam je w Asheville. Lilie co prawda troszkę zwiędły, ale nadal są piękne.

Po raz pierwszy, odkąd usiedli do kolacji, Jim zwrócił się bezpośrednio do żony:

– A pamiętasz, jak dekorowałaś stół zaraz po naszym ślubie?

Umilkła na chwilę.

– Było to tak dawno temu, że już zapomniałam.

– A ja nie. – Popatrzył na synów. – Wasza matka zrywała dzwonki w cudzych ogródkach, wsadzała je do słoika i prezentowała mi dumnie, jakby to były jakieś egzotyczne cuda. Tak się podniecała słoikiem kaczeńców, jak inne kobiety bukietem róż.

Jane była ciekawa, czy Jim zamierzał zawstydzić żonę, wypominając jej ubogie pochodzenie. Jeśli tak, plan spalił na panewce. Lynn nie zawstydziła się wcale, za to w jego głosie pojawiły się niskie nuty, świadczące o głębokim poruszeniu. Może Jim Bonner wcale nie odnosi się tak pogardliwie do prostych korzeni Lynn, jak udaje.

– Złościłeś się na mnie – odparła – i wcale ci się nie dziwię. Pomyśleć tylko: zwykłe dzwonki na stole.

– Nie tylko kwiaty ją zachwycały. Kiedyś, pamiętam, nazbierała kamyków i ułożyła je w ptasim gnieździe.

– A ty wtedy, bardzo słusznie zresztą, zauważyłeś, że ptasie gniazdo na stole jest bardzo niehigieniczne i nie tknąłeś kolacji, póki nie posprzątałam.

– Zrobiłem tak? – Sięgnął po kieliszek wina. Zmarszczył brwi. – No tak, na pewno było to niehigieniczne jak diabli, ale i ładne.

– Doprawdy, Jim, nic nadzwyczajnego. – Uśmiechnęła się chłodno i spokojnie, jakby nie dotyczyły jej dawne uczucia, najwyraźniej dręczące jej męża.

Po raz pierwszy spojrzał jej prosto w oczy.

– Zawsze lubiłaś ładne rzeczy.

– Do dzisiaj tak jest.

– Tylko że teraz lubisz znane marki.

– A tobie te marki podobają się o wiele bardziej niż dzwonki w słoiku czy ptasie gniazda.

Chociaż obiecała, że zachowa dystans, Jane nie mogła tego dłużej słuchać.

– Jak sobie radziliście podczas pierwszych lat po ślubie? Cal mówił, że nie mieliście pieniędzy.

Cal i Ethan wymienili spojrzenia. Jane nabrała podejrzeń, że poruszyła zakazany temat; w końcu zadała bardzo osobiste pytanie. Skoro jednak ma być bezczelna, co za różnica?

– No właśnie, tato, jak sobie radziliście? – zapytał Ethan.

Lynn wytarła kąciki ust lnianą serwetką.

– To zbyt przygnębiające, by o tym mówić. Ojciec uczył się całymi dniami… zresztą nie chcę mu psuć kolacji ponurymi wspomnieniami.

– Nie całymi dniami. – Jim zadumał się nagle. – Mieszkaliśmy w okropnym dwupokojowym mieszkaniu na Chapel Hill. Nasze okna wychodziły na tylne podwórko, gdzie wszyscy wystawiali stare niepotrzebne meble. Czułem się tam okropnie, ale mama była zachwycona. Wycinała zdjęcia z „National Geographic" i przyczepiała do ścian. Nie mieliśmy zasłon, tylko rolety pożółkłe ze starości. Ozdobiła je różowymi kwiatami z bibułki. Byliśmy biedni jak myszy kościelne. Kiedy nie kułem w bibliotece, robiłem zakupy, ale cały ciężar spadał na nią. Aż do narodzin Cala co rano wstawała o czwartej i szła do pracy w piekarni. I bez względu na to, jak była zmęczona, w drodze do domu zbierała dzwonki.

Lynn wzruszyła ramionami.

– Doprawdy, praca w piekarni to nic w porównaniu z uprawą roli na Heartache Mountain.

– Ale byłaś w ciąży – zauważyła Jane. Usiłowała sobie to wyobrazić.

– Byłam młoda i silna. I zakochana. – Po raz pierwszy Lynn okazała silniejsze wzruszenie. – Kiedy Cal przyszedł na świat, doszły nam rachunki za lekarzy. Nie mogłam pracować w piekarni i się nim zajmować, więc zaczęłam eksperymentować z ciastkami.

– Karmiła go o drugiej w nocy i zabierała się do piecze-
nia. Piekła do czwartej, spała z godzinkę, karmiła go znowu,
budziła mnie na zajęcia. Potem pakowała wszystko na stary
wózek, który znalazła w sklepie ze starociami, kładła Cala
między ciastka i wędrowała do miasteczka uniwersytec-
kiego. Sprzedawała ciasteczka po dwadzieścia pięć centów
za sztukę. Nie miała pozwolenia, więc ilekroć pojawiali
się strażnicy, przykrywała wszystko kocem, tak że Calowi
wystawała tylko główka.

Uśmiechnęła się do syna:

– Biedactwo. Nie miałam wtedy pojęcia o dzieciach
i o mały włos cię nie zadusiłam.

Popatrzył na nią ciepło.

– Po dziś dzień nie znoszę kołder.

– Strażnicy nigdy jej nie przyłapali – ciągnął Jim. – Widzieli tylko szesnastoletnią biedaczkę z wózkiem, a w wóz-
ku dzieciaka, którego wszyscy uważali za jej młodszego
braciszka.

Ethan nachmurzył się nagle.

– Wiedzieliśmy, że było wam ciężko, ale nigdy nie
opowiadaliście szczegółów. Dlaczego?

I dlaczego teraz, dodała Jane w myślach.

Lynn wstała.

– To stara, nudna historia. Bieda ma urok tylko z perspektywy czasu. Ethan, pomożesz mi podać deser?

Ku rozczarowaniu Jane rozmowa zeszła na mniej fa-
scynujący temat, czyli na futbol. Chyba nikt poza nią nie
zauważał, że Jim Bonner co chwila posyła żonie smutne
spojrzenia.

Nieważne, jak prostacko się zachował, Jane nie była
już taka skora do wydawania sądów. W jego oczach krył
się wzruszający smutek. Patrząc na rodziców Cala, miała
wrażenie, że nic nie jest takie, jakie się wydaje.

Dla niej najciekawszy był moment, gdy Ethan zapytał, jak tam spotkania Cala. Dowiedziała się wtedy, w jaki sposób jej mąż spędza całe dnie. Na prośbę starego kumpla, dzisiaj dyrektora szkoły, odwiedzał lokalnych biznesmenów i zabiegał o finansowe wsparcie nowego programu szkolenia zawodowego dla młodzieży ze środowisk kryminogennych. Z rozmowy wynikało także, że wydatnie zasila kampanię antynarkotykową Ethana kiedy jednak zaczęła wypytywać o szczegóły, zmienił temat.

Wieczór się ciągnął. Jim zapytał ją o pracę; odparła z wyższością, że to bardzo skomplikowane. Lynn zaprosiła ją na spotkanie klubu dyskusyjnego: Jane zgasiła ją, twierdząc, że nie ma czasu na babskie pogaduszki. Ethan wyraził nadzieję, że zobaczy ją na mszy, na co odparła, że jest niewierząca.

Wybacz mi, Boże; robię co mogę. To dobrzy ludzie, niech nie cierpią już więcej.

W końcu nadszedł czas pożegnania. Wszyscy zachowywali się bez zarzutu, dostrzegła jednak ściągnięte brwi Jima i zatroskane oczy Lynn, gdy żegnali się z Calem.

Cal odezwał się, dopiero kiedy wyjechali na szosę.

– Dzięki, Jane.

Nie patrzyła na niego.

– Nie wytrzymam tego jeszcze raz. Trzymaj ich ode mnie z daleka.

– Dobrze.

– Mówię poważnie.

– Wiem, że nie było ci łatwo – stwierdził miękko.

– To wspaniali ludzie. Postąpiłam okropnie.

Milczał przez większość drogi. Dopiero na obrzeżach Salvation rzucił:

– Pomyślałem sobie, że moglibyśmy umówić się na randkę. Co ty na to?

Czyżby to nagroda za dzisiejszy wieczór? Fakt, że akurat dzisiaj ją zaprosił, sprawił, że stała się opryskliwa.

– Mam włożyć papierowa torbę na głowę, na wypadek, gdyby ktoś nas zobaczył?

– Cholera, dlaczego od razu się pieklisz? Zaprosiłem cię na randkę, tak czy nie?

– Kiedy?

– Nie wiem. Może w środę?

– Dokąd pójdziemy?

– Niech cię o to głowa nie boli. Załóż najbardziej obcisłe dżinsy, jakie masz i oczywiście koszulkę na ramiączkach.

– Z trudem się dopinam w obcisłych dżinsach i nie posiadam bluzeczek na ramiączkach. Zresztą i tak jest za zimno.

– Sądzę, że dam radę cię rozgrzać, guzikami też się nie przejmuj. – Zadrżała, słysząc zmysłową obietnicę w jego głosie. Zerknął na nią i poczuła się, jakby ją pieścił oczami. Nie mógł wyrazić tego jaśniej. Pragnie jej. I dostanie, czego chce.

Pozostaje tylko pytanie, czy jest na to gotowa? Zawsze podchodziła do życia poważnie, beztroska nie leży w jej charakterze. Czy w przyszłości zdoła uporać się z bólem, który ją czeka, jeśli teraz się zapomni?

Rozbolała ją głowa. Odwróciła się do okna, nie odpowiadając. Usiłowała skupić się na czymś innym. Za oknami samochodu przesuwały się światła Salvation, a ona rozważała, co wie o Jimie i Lynn.

Lynn nie zawsze była dystyngowaną damą, jak dzisiaj wieczorem. Ale Jim? Jane chciałaby darzyć go niechęcią, jednak nie mogła: cały czas pamiętała, jak tęsknie spoglądał na żonę.

Co się stało z dwójką zakochanych dzieciaków? – zastanawiała się.

Jim wszedł do kuchni i nalał sobie kawy bezkofeinowej. Lynn stała przy zlewie, plecami do niego, co i tak nie stanowiło żadnej różnicy. Nawet jeśli patrzy mu prosto w oczy, nie pokazuje mu niczego poza chłodną, uprzejmą, obojętną maską.

Kiedy chodziła w ciąży z Gabe'em, zaczęła się jej stopniowa transformacja w idealną żonę młodego lekarza. Pamiętał, z jaką ulgą powitał jej coraz większą rezerwę i to, że nie ośmieszała go już publicznie, mówiąc niegramatycznie i przesadnie okazując uczucia. W miarę upływu lat nabrał przekonania, że to przemiana Lynn uchroniła ich małżeństwo od katastrofy, którą, zdaniem większości, zakończyłoby się niechybnie. Ba, wydawało mu się nawet, że jest szczęśliwy.

I wtedy utracił jedynego wnuka i synową, którą uwielbiał. Potem był świadkiem, jak jego syn wpada w rozpacz, a on nie potrafi mu pomóc, i coś w nim pękło. Kiedy Cal zadzwonił z wiadomością, że się ożenił, odżyła w nim nadzieja. Potem jednak poznał nową synową. Jakim cudem ta zimna suka zaciągnęła go do ołtarza? Czy Cal nie widzi, że ona go unieszczęśliwi?

Objął kubek dłońmi i utkwił wzrok w szczupłych plecach żony. Małżeństwo Cala wstrząsnęło Lynn do głębi i teraz oboje starali się gorączkowo zrozumieć, dlaczego dokonał takiego wyboru. Owszem, Jane była pociągająca na swój sposób, czego Lynn mogła nie zauważyć, ale przecież to nie powód, żeby się żenić. Od lat martwił ich pociąg Cala do młodych i głupich kobiet, one jednak były przynajmniej miłe.

Nie wiedział, jak pomóc Calowi, zwłaszcza że nie był w stanie uporać się z własnymi problemami rodzinnymi. Rozmowa podczas kolacji obudziła stare wspomnienia. Miał wrażenie, że wskazówki zegara cofają się w przyspieszonym tempie. Chciał je zatrzymać, by nie wracać do czasów, gdy zbyt często dokonywał niewłaściwych wyborów.

– Dlaczego nigdy nawet nie wspomniałaś tamtego dnia, gdy kupiłem od ciebie ciasteczka? Minęło tyle czasu, a ty nie powiedziałaś ani słowa.

Uniosła głowę, gdy zaczął mówić. Spodziewał się, że uda, iż nie wie, o co mu chodzi, a przecież powinien wiedzieć, że to nie w jej stylu.

– Na Boga, Jim, to było trzydzieści sześć lat temu!

– Pamiętam, jakby to było wczoraj.

W ten piękny kwietniowy ranek był studentem pierwszego roku, Cal miał niecałe pięć miesięcy. Wyszedł właśnie z laboratorium chemicznego z nowymi kumplami. Wszyscy byli studentami wyższych lat. Dziś nie pamiętał nawet ich nazwisk, ale wtedy nade wszystko pragnął ich akceptacji, i dlatego gdy jeden nich krzyknął: „O! Jest dziewczynka z ciasteczkami!" – poczuł, jak zamienia się w sopel lodu.

Dlaczego akurat teraz, tutaj, przy jego nowych kolegach? Złość i żal podeszły mu do gardła. Jest beznadziejna. Przez nią naje się wstydu!

Szła ku nim, pchając stary rozklekotany wózek; chuda, znużona dziewczyna z gór. Zapomniał, za co ją kochał: za śmiech, za gorliwość, z którą mu się oddawała, za zabawne małe serduszka, które kreśliła mu na brzuchu, zanim w nią wszedł i zapomniał o całym świecie.

Patrzył, jak podchodzi coraz bliżej, a w jego uszach rozbrzmiewały wszystkie gorzkie słowa, które słyszał od rodziców. Jest nic niewarta. Jedna z Glide'ów. Złapała go na dziecko i zmusiła do małżeństwa. Zmarnuje mu życie. Nie dostanie ani pensa, póki się z nią nie rozwiedzie. On, Jim, zasługuje na coś lepszego niż mieszkanie pełne karaluchów i młodziutka żona, nawet taka czuła i słodka.

Kiedy kolega przywołał ją, wpadł w panikę. Znajomi pytali:

– Masz ciasteczka z masłem orzechowym?

– Ile za paczkę czekoladowych?

Najchętniej by uciekł, ale było już za późno. Nowi przyjaciele łakomie oglądali ciasteczka, które piekła, gdy on spał. Jeden z nich pochylił się nad wózkiem i połaskotał jego syna w brzuszek. Inny poklepał go po ramieniu.

– Hej, Jimbo, chodź no tutaj. Nie wiesz, co to dobre ciastka, dopóki nie spróbujesz wypieków tej małej.

Amber podniosła na niego wzrok i w oczach błękitnych jak górskie niebo rozbłysł uśmiech. Najwyraźniej czekała, aż on powie, że to jego żona; widać było, że bawi ją ta sytuacja, tak jak bawiło ją całe życie.

Uśmiechała się promiennie, gdy do niej podchodził. Pamiętał, że tamtego dnia zebrała włosy w koński ogon i spięła je niebieską gumką, że miała na sobie jego starą koszulę z wilgotną plamą na ramieniu – pewnie Cal ją opluł.

– Poproszę czekoladowe.

Przechyliła głowę na bok, jakby chciała zapytać:

„Ejże, głuptasie, kiedy im powiesz?" – ale nadal się śmiała, nadal czekała na najlepszy moment.

– Czekoladowe – powtórzył.

Nie wątpiła w jego honor. Czekała. Uśmiechała się. Wsadził rękę do kieszeni i wydobył monetę.

Dopiero wtedy zrozumiała. Nie przyzna się do niej. Wydawało się, że ktoś zgasił światło gdzieś w jej wnętrzu. Zniknęły radość i śmiech, znikła duma, ich miejsce zajęły ból i upokorzenie. Przez chwilę patrzyła na niego bez ruchu, a potem sięgnęła do wózka, wyjęła ciasteczko i podała mu drżącą ręką.

Cisnął jej ćwierćdolarówkę, jedną z czterech, które rano sama mu podała. Cisnął jej ćwierćdolarówkę, jakby była uliczną żebraczką, roześmiał się z kawału kolegi i odszedł. Nie patrzył na nią, tylko gniótł ciasteczka, które paliły go jak rozżarzone żelazo.

Minęło ponad trzydzieści lat, a jego nadal gryzło sumienie. Odstawił kubek na stół.

– Postąpiłem niewłaściwie. Nigdy o tym nie zapomniałem, nigdy sobie nie wybaczyłem, i przepraszam.

– Przeprosiny przyjęte. – Odkręciła kran, jakby celowo chciała zakończyć tę rozmowę. Zmieniła temat. – Dlaczego Cal się z nią ożenił? Dlaczego najpierw nie zamieszkali na próbę razem? Wtedy przekonałby się, co to za typ.

Jim nie chciał rozmawiać o Calu i jego nowej żonie.

– Powinnaś była napluć mi wtedy w twarz.

– Żałuję, że nie poznaliśmy Jane wcześniej.

Nie podobało mu się, że tak łatwo mu wybaczyła, zwłaszcza iż przypuszczał, że w głębi duszy nadal nosi urazę.

– Chcę cię odzyskać, Lynn.

– Może pod naszym wpływem zmieniłby zdanie.

– Przestań! Nie chcę rozmawiać o nich, tylko o nas! Chcę cię odzyskać.

W końcu się odwróciła. Patrzyła na niego jasnymi błękitnymi oczami, które niczego nie zdradzały.

– Przecież tu jestem.

– Taką, jaka kiedyś byłaś.

– Jesteś dzisiaj w dziwnym humorze.

Zdziwił się, że ogarnia go wzruszenie, ale i tak nie mógł przestać mówić.

– Chcę, żebyś była taka, jak na początku. Zabawna, głupiutka. Żebyś przedrzeźniała naszą gospodynię i drwiła, że jestem taki poważny. Chcę, żebyś dekorowała stół dzwonkami i smażyła fasolę na smalcu. Chcę, żebyś chichotała bez opamiętania, a kiedy stanę w progu, rzucała mi się na szyję.

Zmartwiona, ściągnęła brwi w wąską kreskę. Podeszła do niego i położyła rękę na ramieniu w geście otuchy, takim samym od niemal czterdziestu lat.

– Jim, nie cofnę czasu. Nie mogę się odmłodzić. I nie mogę przywrócić Jamiego i Cherry do życia, choć bardzo bym chciała.

– Wiem, do cholery! – Odepchnął ją; odtrącił współczucie i duszącą dobroć. – Nie chodzi mi o nich. Zrozumiałem, że nie odpowiada mi obecny stan rzeczy. Nie podoba mi się, że się tak zmieniłaś.

– Masz za sobą ciężki dzień. Pomasuję ci plecy.

Jak zwykle, wobec jej dobroci czuł się podły i nic niewart. Właśnie podłość kazała mu mówić jej okropne rzeczy; podpowiadała, że kiedy doprowadzi ją do ostateczności, odzyska dziewczynę, którą utracił przed laty.

Może jeśli udowodni jej, że nie jest taki zły, ona zmięknie.

– Ani razu cię nie zdradziłem.

– Cieszę się.

To za mało, musi jej powiedzieć całą prawdę, może bardziej to doceni.

– Miałem wiele okazji, ale nigdy nie poszedłem na całość. Raz byłem już w drzwiach motelu…

– Nie chcę tego słuchać.

– Ale się wycofałem. Boże, jaki byłem z siebie dumny przez co najmniej tydzień.

– Nie wiem, po co to robisz, ale masz przestać, i to w tej chwili.

– Chcę, żebyśmy zaczęli od nowa. Myślałem, że może podczas urlopu… ale przecież właściwie się do siebie nie odzywamy. Czemu nie damy sobie jeszcze jednej szansy?

– Bo dzisiaj nie podobałoby ci się to, tak samo jak wtedy.

Była nieosiągalna jak daleka gwiazda, jednak musiał jej dotknąć.

– Kochałem cię, wiesz o tym, prawda? Nawet kiedy uległem rodzicom i zażądałem rozwodu, kochałem cię.

– To już bez znaczenia, Jim. Przyszedł na świat Gabe, potem Ethan, i nie doszło do rozwodu. Minęło tyle czasu. Nie ma sensu rozdrapywać starych ran. Mamy trzech wspaniałych synów i wygodne życie.

– Nie chcę żyć wygodnie! – Frustracja i gniew w końcu doprowadziły do wybuchu. – Do cholery, czy ty nic nie rozumiesz? Boże, jak ja cię nienawidzę! – Przez tyle lat ani razu nie podniósł na nią ręki, a teraz złapał ją za ramiona i potrząsnął z całej siły. – Nie zniosę tego! Zmień się!

– Przestań! – Wbiła palce w jego barki. – Przestań! Co ci jest?

Zobaczył jej strach. Odskoczył jak oparzony, przerażony tym, co zrobił.

Jej lodowata rezerwa ustąpiła wściekłości, uczuciu, którego do tej pory nigdy nie widział w jej oczach.

– Dokuczasz mi od kilku miesięcy! – krzyknęła. – Upokarzasz wobec synów. Ranisz mnie na tysiąc różnych sposobów dzień po dniu! Oddałam ci wszystko, ale tobie ciągle mało! Cóż, koniec z tym! Odchodzę! – Wybiegła.

Ogarnęła go panika. Rzucił się za nią, ale zatrzymał się w progu. Co zrobi? Znowu podniesie na nią rękę? Boże jedyny! A co, jeśli posunął się za daleko?

Odetchnął głęboko i powiedział sobie, że ona nadal jest jego Amber Lynn, słodką i pogodną jak popołudnie w górach. Nie odejdzie od niego, bez względu na to, co powiedziała. Po prostu musi ochłonąć, i tyle.

Słysząc warkot silnika, powtórzył to jeszcze raz.

Nie odejdzie od niego. Nie mogłaby.

Lynn z trudem oddychała, jakby niewidzialna ręka ściskała ją za gardło. Jechała wąską, krętą szosą, najbardziej zdradliwym, niebezpiecznym odcinkiem, znała ją jednak jak własną kieszeń, toteż kierowała samochodem pewnie, nawet łzy jej nie powstrzymywały. Wiedziała, czego chciał: żeby po raz kolejny otworzyła serce i krwawiła z miłości, jak kiedyś. Krwawiła z miłości, której nigdy nie odwzajemnił.

Zaczerpnęła tchu i przypomniała sobie, że dostała nauczkę jeszcze jako dziecko. Miała wówczas szesnaście lat, była naiwna, wierzyła święcie, że miłość wystarczy, by pokonali dzielące ich bariery. Tylko że naiwność się skończyła. Było to dwa tygodnie po tym, jak powiedziała Jimowi, że spodziewa się Gabe'a. Cal miał wtedy jedenaście miesięcy.

Powinna była się tego spodziewać, ale nic nie zauważyła. Kiedy mu mówiła, że jest w ciąży, tryskała radością, choć Cal miał niecały roczek i nadal z trudem wiązali koniec z końcem. Jim siedział jak wryty, a ona paplała radośnie:

– Pomyśl tylko, Jim! Jeszcze jedne dzieciaczek! Może dziewczynka? Damy jej Rose albo Sharon. Jezu, jakbym chciała córeczkę! Ale chłopiec byłby lepszy, Cal miałby kolegę do zabawy.

Nie ruszył się. Ogarnęły ją obawy.

– Wiem, będzie nam ciężko, ale zobacz, moje ciasteczka dobrze się sprzedają, a Cal jest taki kochany. I będziemy na przyszłość uważać, żeby już więcej nie... Powiedz, że się cieszysz, Jim. Błagam.

Milczał, a potem wyszedł, zostawiając ją samą i przerażoną. W ciemności czekała na jego powrót. Nie odezwał się, tylko zaciągnął ją do łóżka i kochał z takim zapałem, że zapomniała o obawach.

Dwa tygodnie później, gdy Jim był na wykładach, odwiedziła ją teściowa. Mildred Bonner oznajmiła, że Jim jej nie kocha i chce rozwodu. Miał jej o tym powiedzieć tego dnia, gdy poinformowała go o ciąży i teraz honor nie pozwala mu jej zostawić. Mildred uważa, że jeśli Lynn naprawdę go kocha, powinna pozwolić mu odejść.

Lynn nie uwierzyła. Jim nie zrobiłby tego. Kocha ją. Przecież ma tego dowody co noc.

Tego wieczoru opowiedziała mu o niespodziewanej wizycie. Myślała, że potraktuje to jako kawał. Myliła się.

– Nie ma o czym rozmawiać – stwierdził. – Jesteś znowu w ciąży, więc nigdzie nie odejdę.

Bajkowy świat jej marzeń legł w gruzach. Więc to tylko złudzenia? To, że lubi chodzić z nią do łóżka, nie znaczy, że ją kocha? Jak mogła być taka głupia? On jest z Bonnerów, a ona z Glide'ów.

Dwa dni później jego matka odwiedziła ją ponownie. Domagała się, by Lynn zwróciła jej synowi wolność. Lynn jest niewykształcona, prosta, przynosi mu wstyd! Tylko zmarnuje mu życie.

Mildred miała rację, ale Lynn wiedziała, że nie może pozwolić Jimowi odejść, choć bardzo go kocha. Nie chodziło tu o nią; dzieci muszą mieć ojca.

Nie wiadomo, skąd czerpała odwagę, by stawić czoło jego matce.

– Skoro nie jestem dla niego dość dobra, weź mnie pani naucz, jaka mam być, bo ani ja, ani moje dzieci się stąd nie ruszymy.

Nie nastąpiło to od razu, ale z czasem zawarły pokój. Słuchała Mildred Bonner we wszystkim: jak mówić, jak chodzić, co gotować. Mildred uznała, że Amber to imię białej hołoty i kazała jej przedstawiać się jako Lynn.

Cal bawił się u jej stóp, a ona pochłaniała książki z listy lektur Jima. Umówiła się z inną młodą matką, że będą na zmianę pilnowały dzieci, i wymykała się na wykłady do co bardziej zatłoczonych sal. Tam jej poetycka dusza chłonęła literaturę, sztukę i historię.

Gabe przyszedł na świat i rodzice Jima zmiękli na tyle, że wzięli na siebie koszty jego edukacji. Nadal było im ciężko, ale ich położenie nie było już rozpaczliwe. Mildred nalegała, by się przeprowadzili do lepszego mieszkania, które umeblowała rodzinnymi zabytkami Bonnerów.

Transformacja Lynn następowała tak powoli i niepostrzeżenie, że nie wiedziała nawet, czy Jim ją zauważył. Nadal kochał się z nią prawie co noc. Nie szeptała mu już nic do ucha, nie śmiała się, nie żartowała, ale chyba tego nie widział. Także poza sypialnią okazywała coraz większą rezerwę, co spotykało się z jego uznaniem. Z czasem nauczyła się ukrywać miłość do męża na tyle głęboko, żeby nikomu nie przyniosła wstydu.

Po college'u nadeszły koszmarne lata studiów medycznych. Zajmowała się chłopcami i ciągle pracowała nad sobą. Kiedy Jim zakończył staż, wrócili do Salvation. Przejął praktykę po ojcu.

Mijały lata. Znalazła ukojenie w synach, pracy społecznej i umiłowaniu sztuki. Prowadzili z Jimem osobne życie, a przecież był wobec niej niezmiennie troskliwy. Łączyła ich także namiętność w sypialni. Z czasem chłopcy wyprowadzili się z domu i Lynn odnalazła spokój. Kochała męża całym sercem, ale nie miała do niego pretensji, że nie odwzajemnia jej uczucia.

Potem Jamie i Cherry zginęli i Jim Bonner się załamał.

W ciągu minionych miesięcy ranił ją dotkliwie. Czasami obawiała się, że chce ją zamęczyć. Bolała ją taka niesprawiedliwość. Stała się taka, jak chciał, tyle że teraz już tego nie pragnął. Chciał czegoś, czego już nie umie mu dać.

Rozdział 12

Annie zadzwoniła do Jane przed ósmą w poniedziałkowy ranek i oznaj miła, że na razie nie ma ochoty na pracę w ogrodzie, zresztą jej zdaniem nowożeńcy mają chyba coś lepszego do roboty niż zawracanie głowy biednej staruszce.

Jane z uśmiechem odłożyła słuchawkę i skupiła się na gotowaniu owsianki. Jeśli w wieku Annie będzie równie żywotna i energiczna, podziękuje Opatrzności.

– Kto dzwonił?

Podskoczyła i upuściła łyżkę, słysząc głos Cala. Miał na sobie dżinsy i rozpiętą flanelową koszulę. Był rozczochrany i na bosaka.

– Nie strasz mnie! – Wmawiała sobie, że nieoczekiwane bicie serca to przerażenie, a nie reakcja na jego widok.

– Nie straszę, tylko cichutko chodzę.

– Nie rób tego więcej.

– Marudny z ciebie doktorek.

– Doktorek?

– No, doktorek. My, głupki, tak o was myślimy.

Porwała czystą łyżkę, zamieszała owsiankę.

– A my, doktorki, mówimy o was głupki, co świadczy o naszej wybitnej inteligencji.

Zachichotał. Co on tu właściwie robi? Zazwyczaj nie było go w domu, gdy schodziła na śniadanie. W zeszłym tygodniu, kiedy jeździli do Annie, też jadali osobno. Cały czas siedział w gabinecie.

– Kto dzwonił? – powtórzył.

– Annie. Nie chce, żebyśmy jej dzisiaj zawracali głowę.

– I dobrze.

Wszedł do spiżarni. Po chwili wynurzył się, niosąc jedno z licznych opakowań płatków owocowych, torbę chipsów ziemniaczanych i garść batoników. Obserwowała, jak sypie płatki do miski, podchodzi do lodówki, wyjmuje mleko.

– Jak na syna lekarza, odżywiasz się katastrofalnie.

– Podczas wakacji jem co chcę. – Znalazł łyżkę, przysiadł na wysokim barowym stołku i pochylił się nad miską.

Z trudem oderwała wzrok od jego wąskich stóp.

– Gotuję owsiankę. Może zjesz troszeczkę, zamiast tego świństwa?

– Gwoli ścisłości, to nie żadne świństwo. Tak się składa, że płatki owocowe to efekt wieloletnich badań.

– Na pudełku jest trędowaty!

– Śliczny chłopaczek. – Wymachiwał łyżką w jej stronę. – A wiesz, co jest najlepsze? Płatki owocowe.

– Owocowe?

– Nie wiem, kto wpadł na pomysł, by farbować płatki i nadawać im smaki owocowe, ale facet był geniuszem. W moim kontrakcie jest napisane, że drużyna Gwiazd gwarantuje mi płatki owocowe.

– Fascynujące. Rozmawiam z facetem, który ukończył studia *summa cum laude*, a mogłabym przysiąc, że towarzyszy mi kretyn.

– Wiesz, nad czym się zastanawiam? Owocowe są co prawda pyszne, ale może gdzieś istnieją jeszcze lepsze płatki i czekają, aż ktoś je wymyśli? – Nabrał pełną łyżkę. – Widzisz, pani profesor, gdybym był taki mądry jak ty, właśnie tym bym się zajmował. Nie zawracałbym sobie głowy kwarkami, o nie, tylko wymyśliłbym najlepsze płatki śniadaniowe na świecie. Tak, to bardzo trudne. Są już płatki z czekoladą i z masłem orzechowym, że już nie wspomnę o płatkach owocowych, ale pomyśl tylko: co z cukierkami M&M? Nie, szanowna pani, jeszcze nie. Nikomu jeszcze nie przyszło na myśl, że można zbić fortunę, dodając M&M do płatków śniadaniowych.

Słuchała go i jednocześnie napawała oczy jego widokiem. Siedział przy ladzie, bosy, rozchełstany, umięśniony. Piękny i głupi. Tak, piękny, ale bynajmniej nie głupi.

Nałożyła sobie owsianki.

– Z masłem orzechowym czy bez?

Zastanawiał się przez dłuższą chwilę.

– Na początek nie ma co przesadzać. Bez.

– Bardzo mądrze. – Dolała sobie mleka i usiadła koło niego.

Łypnął na nią podejrzliwie.

– Naprawdę masz zamiar to zjeść?

– Oczywiście. To płatki owsiane, jak Pan Bóg przykazał.

Bez ostrzeżenia zgarnął swoją łyżką cały brązowy cukier ze środka jej talerza.

– Niezłe.

– Zjadłeś mi cukier!

– Tak, ale wiesz, co by naprawdę smakowało z tą paćką?

– Poczekaj, niech się zastanowię… M&M?

– Mądra z ciebie babka. – Nasypał jej swoich płatków do talerza. – Zobacz, teraz będzie bardziej chrupiące.

– Jejku, dzięki.

– Bardzo lubię płatki owocowe.

– Już to mówiłeś. – Odsunęła jego pudełko i zaczęła jeść. – Wiesz chyba, że takie kolorowe płatki produkuje się z myślą o dzieciach?

– Z tego wniosek, że w głębi duszy nadal jestem dzieciakiem.

Dziecinne było w nim jedno – stosunek do kobiet. Czy właśnie dlatego wrócił do domu dopiero o trzeciej w nocy? Podrywał młodsze od niej?

Uznała, że nie będzie dłużej męczyła się w niepewności.

– Gdzie wczoraj byłeś?

– Zazdrosna?

– Nie. Źle spałam i słyszałam, o której wróciłeś, i tyle.

– To nie ma nic wspólnego z tobą.

– Owszem, jeśli spotykasz się z inną.

– A tak sądzisz? – Przesunął po niej wzrokiem, jakby chciał ją przestraszyć. Miała na sobie czerwoną koszulkę z równaniami Maxwella, choć ostatnie było niewidoczne, nikło pod gumką spodni. Zatrzymał wzrok na jej biodrach, zapewne szerszych niż te, do których przywykł. Sądząc jednak po jego minie, nie stanowiło to dla niego problemu.

– Cóż, nie wykluczam tego. – Odsunęła od siebie talerz. – Po prostu chcę wiedzieć, na czym stoimy. Nie rozmawialiśmy na ten temat, a chyba powinniśmy. Czy możemy sypiać z kim chcemy, czy nie?

Jego brwi niemal dotknęły włosów:

– My?

Starała się zachować obojętny wyraz twarzy.

– Nie rozumiem.

Przeczesał włosy palcami. Urosły ostatnio, stały się niesforne.

– Pobraliśmy się – burknął. – I już.

– I już?

– I już.

– Aha.

– Jesteś mężatką, do tego ciężarną, na wypadek, gdybyś zapomniała.

– A ty jesteś żonaty – zauważyła. – Na wypadek, gdybyś zapomniał.

– No właśnie.

– Więc możemy sypiać z innymi czy nie?

– Nie!

Ukryła ulgę, najlepiej jak umiała.

– No dobrze. Nie wolno nam sypiać z innymi, ale wolno włóczyć się do trzeciej bez słowa przeprosin, tak?

Obserwowała, jak przeżuwa jej słowa. Ciekawiło ją, jak na to zareaguje. Nie zdziwiła się, kiedy ominął pułapkę.

– Ja mogę się włóczyć. Ty nie.

– Rozumiem. – Zaniosła miseczkę do zlewu. Wyczuwała, że czeka, aż zrobi awanturę. Poznała go na tyle, by wiedzieć, że podoba mu się myśl o obronie z góry straconej pozycji. – Właściwie z twojego punktu widzenia, to logiczne.

– Tak?

– Oczywiście – uśmiechnęła się słodko. – A może znasz inny sposób, by wmówić całemu światu, że nadal masz dwadzieścia jeden lat?

Rozdział 13

Przyjemnie! Powiedziała, że było przyjemnie! Cal rozmyślał nad jej słowami przy ulubionym stoliku w Mountaineer. Zazwyczaj nie siedział sam, dzisiaj jednak stali bywalcy wyczuwali chyba jego fatalny humor i omijali go szerokim łukiem.

Nieważne, co mówiła, i tak wiedział, że pani profesor Różyczka w życiu nie miała lepszego kochanka. Tym razem obeszło się bez poprzednich bzdur. Nie odpychała jego rąk. O nie, tym razem błądził dłońmi po całym jej ciele i nie zaprotestowała ani słowem.

Nie to jednak tak go gryzło. Nie dawał mu spokoju fakt, że nigdy w życiu seks nie sprawił mu większej przyjemności i że chciał więcej.

Może to jego wina, kara za to, że starał się być miły. Powinien był zaciągnąć ją do sypialni, kochać się przy zapalonym świetle, żeby wszystko było dobrze widać w tym cholernym lustrze. Tak byłoby lepiej; nie żeby tak było źle, ale wtedy zobaczyłby wszystko, co chciał. Ze wszystkich stron.

Uświadomił sobie, że zrobili to po raz trzeci, a nadal nie widział jej ciała. To się powoli zamienia w obsesję. Cholera, gdyby nie zgasił światła, napatrzyłby się do woli... Postąpił inaczej, bo zdawał sobie sprawę, że mimo niewyparzonego języka jest płochliwa jak łania, a pragnął jej tak bardzo, że nie był w stanie myśleć logicznie. I teraz musi ponieść konsekwencje.

Znał siebie na tyle, by wiedzieć, że dlatego w kółko o niej myślał, bo jeszcze ani razu nie kochał się z nią porządnie. Jak by to było, gdyby mógł na nią patrzeć? Kiedy doświadczy tego na własnej skórze, przejdzie mu. Zamiast potęgować się z każdym dniem, uczucie, które go do niej ciągnie, umrze śmiercią naturalną. Wtedy znowu będzie sobą, znowu zapragnie świeżych, pachnących rosą młodziutkich dziewcząt o buziach bez skazy, łagodnych jak baranki. Rozważał jednak, czy nie podnieść granicy minimalnego wieku do dwudziestu czterech – powoli miał dosyć tego, że wszyscy mu dokuczają.

Powrócił myślami do pani profesor. Jezu, ależ z niej śmieszna babka. I mądra, co do tego nie ma żadnych wątpliwości. W głębi ducha szczycił się tym, że był inteligentniejszy niż większość ludzi, z którymi się stykał, ale nie przy niej. O nie, przy niej musiał się wysilać, żeby nadążyć! Do tego taka przenikliwa. Niemal sobie wyobrażał, jak prześwietla najbardziej ukryte zakamarki jego umysłu i trafnie ocenia wszystko, co tam znajdzie.

– Co, wspominasz trzy punkty zdobyte w zeszłorocznym meczu z Niedźwiedziami?

Gwałtownie podniósł głowę i spojrzał prosto w twarz ze swoich koszmarów. Sukinsyn.

Kevin Tucker uśmiechnął się złośliwie, a Cal pomyślał z zazdrością, że cholerny gnojek nie musi codziennie sterczeć przez pół godziny pod gorącym prysznicem, żeby w ogóle stanąć na nogi.

– Co ty tu robisz, do cholery?

– Podobno to piękna okolica, postanowiłem rzucić okiem. Wynająłem domek na północnym skraju miasteczka. Ładnie tu.

– Tak zupełnie przypadkiem wybrałeś akurat Salvation?

– Dziwne, prawda? Dopiero jak przyjechałem, przypomniałem sobie, że tu mieszkasz. Nie wiem, jak mogło mi to wylecieć z głowy.

– Rzeczywiście, niepojęte.

– Może mógłbyś mnie oprowadzić po okolicy? – Kevin skinął na kelnerkę. – Dla mnie whisky z lodem, a dla Bombera jeszcze raz to samo co pije.

Cal popijał oranżadę i miał nadzieję, że Shelby nie powie tego głośno.

Kevin usiadł, nie czekając na zaproszenie, i rozparł się wygodnie.

– Nie miałem okazji pogratulować ci ślubu. Zaskoczyłeś wszystkich, nie ma co. Pewnie twoja żona ubawiła się nieźle na wspomnienie tego wieczora, kiedy wziąłem ja za napaloną fankę i zaprowadziłem do twojego pokoju.

– O, tak, oboje mieliśmy ubaw po pachy.

– Wykładowca fizyki. Nie do wiary. Nie wydawała się w twoim typie, ale i nie wyglądała na panią profesor.

– Naprawdę?

Shelby przyniosła szklanki i zerknęła na Kevina spod długich rzęs.

– Widziałam pana na meczach, panie Tucker.

– Dla ciebie jestem Kevin, skarbie. Dzięki. Obecny tu staruszek nauczył mnie wszystkiego, co umiem.

Cal nachmurzył się, ale nie mógł przecież dołożyć Kevinowi na oczach Shelby. Strasznie długo flirtowała z Pięknisiem, zanim sobie w końcu poszła.

– Daruj sobie te bzdury, Tucker, i powiedz, po co tu jesteś.

– Już powiedziałem. Mam wakacje. I tyle.

Cal stłumił złość, świadom, że im bardziej będzie naciskał, tym większą sprawi Tuckerowi satysfakcję. Zresztą domyślał się, co przyniosło Kevina do Salvation i wcale mu się to nie podobało. Dzieciak zagrywa psychologicznie: „Nie uciekniesz przede mną, Bonner, nawet poza sezonem. Jestem młody, silny i depczę ci po piętach".

Następnego ranka Cal zszedł do kuchni o ósmej. Nie miał ochoty na to spotkanie z Ethanem. O dziewiątej mieli spotkanie z przedstawicielem lokalnych władz, żeby omówić szczegóły kampanii antynarkotykowej. Nie uśmiechał mu się również lunch z matką, podczas którego miał nadzieję przemówić jej do rozumu, ale nie mógł odwołać ani jednego, ani drugiego. Może gdyby się wyspał, byłby w lepszym nastroju.

Zdawał sobie jednak sprawę, że winę za jego fatalny humor nie ponosi zarwana noc czy ból w plecach, tylko ta żmija, z którą się ożenił. Gdyby nie jej obsesja na temat ubrania, tej nocy spałby jak dziecko.

W kuchni zastał Jane zajadającą jakąś zdrowo wyglądającą bułeczkę z miodem. Przez moment scena była tak rodzinna, tak domowa, że zaparło mu dech w piersiach. Nie tego pragnie! Nie chce domu, żony i dzieciaka w drodze, szczególnie teraz, kiedy przyjechał Kevin Tucker! Nie jest na to przygotowany.

Nie uszło jego uwagi, że pani profesor jest schludna jak zwykle. Miała na sobie złocisty golf i spodnie khaki, ani za luźne, ani za obcisłe, takie w sam raz. Włosy przytrzymywała skromna klamra z szylkretu. Jak zwykle nie zawracała sobie głowy makijażem, musnęła tylko usta szminką. Wcale nie jest seksy, więc dlaczego ma ochotę zaciągnąć ją do łóżka?

Wziął pudełko ulubionych śniadaniowych płatków z kredensu, znalazł łyżkę i miskę. Postawił karton mleka na stole bardziej energicznie niż zwykle i tylko czekał, aż zacznie robić mu wyrzuty za wczorajsze wyjście. Rzeczywiście, nie zachował się jak dżentelmen, ale zraniła jego uczucia. Teraz przyjdzie mu za to zapłacić, choć ostatnią rzeczą, na którą miał ochotę o ósmej rano, była awantura.

Uniosła brwi aż nad okulary.

– Ciągle pijesz mleko z dwuprocentową zawartością tłuszczu?

– A co w tym złego? – Rozerwał pudełko płatków.

– Dwa procent tłuszczu to nie to samo, co mleko całkowicie odtłuszczone, wbrew temu, co sądzi większość Amerykanów. Powinieneś przestawić się na mleko odtłuszczone, albo chociaż z jednym procentem tłuszczu, ze względu na arterie.

– A ty nie powinnaś wtykać nosa w nie swoje sprawy. – Nasypał płatków do miski. – Jeśli będę ciekaw twojego zdania, to o nie… – urwał, nie wierząc własnym oczom.

– Co się stało?

– Popatrz tylko.

– Mój Boże.

Z szeroko otwartymi ustami gapił się na stertę suchych płatków. Nie było owocowych! Owszem, zwykłe płatki w cukrze, ale ani jednego owocowego! Nie było dzwoneczków, gwiazdek, księżyców, zwierzątek, owocków… Ani jednego.

– Może ktoś majstrował przy pudełku – podsunęła usłużnie.

– Niemożliwe! Było szczelnie zamknięte, fabrycznie! Coś się pochrzaniło w fabryce.

Zerwał się z miejsca, podbiegł do spiżarni po nowe opakowanie. Jeszcze tylko tego brakowało, żeby do końca schrzanić i bez tego nieudany poranek. Wyrzucił zawartość miski do śmieci, rozerwał nowe pudełko, wsypał i zobaczył zwykłe płatki. Ani jednego owocowego.

– Nie do wiary! Napiszę do zarządu fabryki! Co, do licha, nie słyszeli o kontroli jakości?

– To przypadek.

– Nic mnie to nie obchodzi! To nie do przyjęcia! Kiedy człowiek kupuje płatki owocowe, ma pewne wymagania!

– Może masz ochotę na bułeczkę z miodem? I szklaneczkę odtłuszczonego mleka?

– Nie chcę bułeczki, a już na pewno nie chcę odłuszczonego mleka! Chcę moje płatki! – Wpadł do spiżarni, ściągnął z półki trzy pozostałe opakowania. – Założę się o każdą sumę, że w jednym nich będą owocowe!

Nie było. Otworzył wszystkie trzy, ale w żadnym nie znalazł nawet jednego.

Pani profesor tymczasem skończyła bułeczkę. Jej zielone oczy były lodowate, jak nieszczęsne brakujące jabłkowe płatki.

– Może ugotować ci owsianki? Chyba mamy płatki owsiane?

Wpadł w furię. Boże, czy na nic już nie można liczyć? Kevin Tucker pojawił się nie wiadomo skąd, matka odeszła od ojca, a w płatkach śniadaniowych nie ma tych najlepszych!

– Nie chcę!

Napiła się mleka i posłała mu niewinne spojrzenie.

– Niezdrowo jest zaczynać dzień bez śniadania.

– Zaryzykuję.

Najchętniej ściągnąłby ją z wysokiego stołka, przerzucił sobie przez ramię, zaniósł do sypialni i doprowadził do końca to, co zaczął w nocy. Zamiast tego porwał kluczyki i pobiegł do garażu.

Nie, nie napisze do zarządu fabryki, postanowił. Pozwie ich do sądu! Wszystkich, poczynając od rady nadzorczej, kończąc na stróżu nocnym! Już on ich nauczy, że nie wolno wypuszczać bubli! Gwałtownym ruchem otworzył drzwiczki dżipa. I wtedy je zobaczył.

Kolorowe płatki. Setki malutkich płateczków na siedzeniach. Czerwone baloniki, różowe serduszka, błękitne półksiężyce. Były wszędzie. Na desce rozdzielczej, na siedzeniach, na podłodze.

Czerwona mgła zasnuła mu wzrok. Zamorduje ją!

Siedziała spokojnie i piła herbatę drobnymi łykami.

– Zapomniałeś czegoś?

– A jakże! Sprać cię na kwaśne jabłko!

Wcale się nie przestraszyła. Do cholery! Nieważne, ile wrzeszczy, ona się nawet nie skrzywi, pewnie dlatego, że wie, że on jej nie skrzywdzi. Trudno, musi mu wystarczyć wrzask na pełny regulator.

– Zapłacisz mi za to!

Porwał jedno z opakowań, odwrócił do góry nogami, tak że płatki się rozsypały. Rozerwał pudełko od spodu. Oczywiście, na dnie foliowej torebki dostrzegł małe rozcięcie starannie zaklejone taśmą klejącą.

Zazgrzytał zębami.

– Nie uważasz, że to trochę dziecinne?

– Owszem. Ale sprawiło mi wielką satysfakcję. – Napiła się herbaty.

– Skoro byłaś zła, że wczoraj wyszedłem, dlaczego tego po prostu nie powiedziałaś?

– Wolę czyny.

– Nie mieści mi się w głowie, że jesteś taka niedojrzała!

– Mogłam postąpić o wiele gorzej, na przykład wsypać ci je do szuflady z bielizną, ale moim zdaniem zemsta musi być finezyjna.

– Finezyjna! Zmarnowałaś pięć paczek płatków i zepsułaś mi dzień.

– Co za pech.

– Powinienem… – Do licha, dlaczego nie… Kurczę, piekło go pochłonie, jeśli zaraz nie zaniesie jej na górę. Będzie się z nią kochał, aż zacznie błagać o litość.

– Nie zaczynaj ze mną, Calvin, bo to się źle skończy.

No, nie. Zabije ją, naprawdę ją zabije. Popatrzył spod zmrużonych powiek.

– Może mi powiesz, co cię zdenerwowało do tego stopnia, że to zrobiłaś? Przecież wczoraj nie doszło do niczego ważnego, prawda? Sama powiedziałaś, że było… Jak ty to ujęłaś? A, już mam. Przyjemnie. A moim zdaniem przyjemne nie znaczy to samo co ważne. – Popatrzył na nią badawczo. – Ale może wcale nie to chciałaś powiedzieć. Nie „przyjemnie". Może to, co się stało, było dla ciebie ważniejsze niż chcesz przyznać.

Czy to jego wyobraźnia, czy w oczach koloru koniczyny coś błysnęło?

– Nie wygłupiaj się. Uraziło mnie twoje prostackie zachowanie. Człowiek dobrze wychowany zostałby w domu, a nie poleciał do kolegów, jak nastolatek, który zaliczył panienkę.

– Dobrze wychowany? Jak ty, która zamordowałaś pięć paczek płatków?

– Tak.

Jeszcze tylko jeden cios. I tak już jest spóźniony, ale nie wyjdzie, jeśli jej nie dołoży.

– Upadłaś najniżej, jak to możliwe.

– Co?

– Jesteś jak Dusiciel z Bostonu, jak Charles Manson.

– Nie uważasz, że to lekka przesada?

– Ani trochę. – Pokręcił głową, patrząc na nią z obrzydzeniem. – Ożeniłem się z morderczynią płatków.

Rozdział 14

JANE Z UŚMIECHEM JECHAŁA w stronę Heartache Mountain starym fordem escortem. Poprzedniej nocy niemal cztery godziny wybierała z niego owocowe płatki, ale warto było. Już niedługo Cal zrozumie, że nie może nią pomiatać. Oby historia z płatkami otworzyła mu oczy.

Dlaczego tak bardzo ją intryguje? Wyobrażała sobie wiele pułapek, czyhających na nią w tym małżeństwie, ale nawet przez myśl jej nie przeszło, że mogłaby się w nim zakochać. Denerwuje ją, to fakt, ale i zachwyca, choćby tym, że jej inteligencja nie onieśmiela go, jak wielu innych. Przy nim czuła, że żyje: jej serce biło mocniej, krew krążyła szybciej, mózg pracował intensywniej, wszystkie zmysły budziły się do życia. Do tej pory doświadczała tych uczuć jedynie podczas pracy.

Byłoby łatwiej, gdyby okazał się samolubnym draniem, rzeczywistość jednak okazała się znacznie bardziej skomplikowana. Pod maską znudzonego gbura kryła się nie tylko wyjątkowa inteligencja, ale i poczucie humoru. Po incydencie z płatkami, no i mając świadomość, że Cal już wkrótce dowie się o samochodzie, liczyła przede wszystkim na to drugie.

Zatrzymała się przed domkiem Annie, zgasiła silnik. Escort powarczał jeszcze chwilę i umilkł. Rozejrzała się uważnie: samochodu Lynn nigdzie nie było widać. Miała nadzieję, że lunch matki z Calem jeszcze się nie skończył i uda jej się porozmawiać z Annie w cztery oczy.

Wysiadła z samochodu, pokonała cztery stopnie i weszła bez pukania. Annie obruszyła się, kiedy ostatnim razem postąpiła inaczej.

– Należysz do rodziny, paniusiu, chybaś nie zapomniała? – fuknęła na nią.

– Annie? – weszła do pustego saloniku.

Ku jej niezadowoleniu, z kuchni wyjrzała Lynn Bonner. Na widok synowej wyprostowała się powoli.

Jane dostrzegła jej bladość pod makijażem, ciemne cienie pod oczami. W dżinsach i różowej koszulce w niczym nie przypominała eleganckiej pani domu, którą widziała w sobotę. Już miała wyrazić troskę, gdy uświadomiła sobie, że nawet drobny gest przyniesie więcej szkody niż pożytku. Nie przysporzy Lynn nowych kłopotów; musi dalej udawać sukę.

– Nie wiedziałam, że tu jesteś. Myślałam, że jesz lunch z Calem.

– Ranne spotkanie się przeciągnęło i odwołał nasz lunch. – Lynn odłożyła ścierkę na fotel bujany. – Przyszłaś tu w jakimś szczególnym celu?

– Do Annie.

– Śpi.

– Więc jej powiedz, że byłam.

– Dlaczego chcesz się z nią zobaczyć?

Jane chciała powiedzieć, że się o nią martwi, ale w ostatniej chwili ugryzła się w język.

– Cal mnie prosił, żebym dzisiaj do niej zajrzała. – Czy kłamstwa w dobrej wierze to grzech?

– Rozumiem. – Błękitne oczy Lynn były lodowate. – W takim razie cieszę się, że poczucie obowiązku kazało ci się oderwać od pracy, bo musimy porozmawiać. Napijesz się kawy albo herbaty?

Ostatnią rzeczą, na jaką miała ochotę, była pogawędka w cztery oczy z matką Cala.

– Nie mam czasu.

– Nie zajmę ci dużo czasu. Siadaj.

– Może innym razem. Mam tyle do zrobienia…

– Siadaj!

W innej sytuacji Jane doceniłaby humorystyczny aspekt tej sceny. Najwyraźniej Cal odziedziczył apodyktyczność nie tylko po ojcu. Z drugiej strony, każda kobieta, której przyszło wychować trzech upartych mężczyzn, musiałaby się nauczyć stanowczości.

– No dobrze, ale naprawdę na chwilę. – Przysiadła na kanapie.

Lynn wybrała fotel na biegunach.

– Musimy porozmawiać o Calu.

– Nie chcę o nim rozmawiać za jego plecami.

– Jestem jego matką, a ty żoną. Skoro to nas nie upoważnia do rozmowy o nim, to co? Przecież obie go kochamy?

Uwadze Jane nie uszedł leciutki znak zapytania na końcu ostatniego zdania. Lynn chciała się upewnić co do jej uczuć wobec Cala. Na wszelki wypadek przybrała obojętną minę. Cal ma rację. Lynn i Jim wycierpieli tyle, że nie ma sensu skazywać ich na opłakiwanie jego małżeństwa. Raczej niech świętują jego wolność. Przynajmniej będą mieli wspólny powód do radości.

Lynn wyprostowała się jeszcze bardziej. Jane pękało serce, gdy na nią patrzyła, wiedziała jednak, że na dłuższą metę tak jest lepiej. Najwyraźniej nieszczęścia upatrzyły sobie jej teściów, ona jednak zrobi co w jej mocy, by przynajmniej to trwało jak najkrócej.

– Cal pod wieloma względami przypomina ojca – powiedziała Lynn. – Obaj udają twardzieli, ale są bardziej wrażliwi, niż się wydaje. – Przez jej twarz przemknął cień.

Może minimalne ustępstwo z jej strony uspokoi Lynn na tyle, że będzie mogła się stąd wyrwać.

– Cal jest wyjątkowy, wiedziałam o tym od początku.

Natychmiast pożałowała tych słów, widząc iskierkę matczynej nadziei w oczach teściowej. Lynn już się łudziła, że wyniosła, oziębła suka, którą poślubił jej syn, nie jest taka straszna, jak się wydaje.

Jane zacisnęła dłonie. Nie chce sprawiać jej bólu. Było w Lynn coś smutnego, jakaś kruchość, kryjąca się pod wyrafinowaną powłoką. Jane musi zrobić wszystko, by matka Cala nie żywiła bezpodstawnych nadziei. To byłoby najokrutniejsze.

Uśmiechnęła się sztucznie.

– Gdyby ktoś w to wątpił, wystarczy zapytać samego Cala. Ma bardzo wygórowane mniemanie o sobie.

Lynn gwałtownie uniosła głowę. Zacisnęła ręce na poręczy fotela.

– Chyba za nim nie przepadasz.

– Owszem, ale nikt nie jest doskonały. – Jane myślała, że się udusi. Nigdy w życiu nie sprawiała przykrości naumyślnie, i teraz robiło jej się niedobrze, gdy słuchała własnych słów.

– Nie pojmuję, czemu za niego wyszłaś.

Musi stąd uciec, zanim się rozsypie na kawałki. Zerwała się na równe nogi.

– Jest bogaty, inteligentny i nie przeszkadza mi w pracy. Coś jeszcze cię interesuje?

– Tak. – Lynn również wstała. – Dlaczego, do cholery, się z tobą ożenił?

Jane postanowiła wbić ostatni gwóźdź do trumny.

– To proste. Jestem inteligentna, dobra w łóżku i tolerancyjna, jeśli chodzi o jego pracę. Słuchaj, Lynn, nie zawracaj sobie tym głowy. Ani Cal, ani ja nie zaangażowaliśmy się w ten związek. Mamy nadzieję, że nam się uda, a jeśli nie… trudno, świat się nie zawali. A teraz wybacz, ale muszę wracać do pracy. Powiedz Annie, żeby zadzwoniła do Cala, gdyby czegoś potrzebowała.

– Chcę, żeby skończył malowanie.

Odwróciła się gwałtownie i zobaczyła Annie w drzwiach sypialni. Nie wiedziała, jak długo tam stała i ile słyszała. Annie jest nieobliczalna. Nie powiedziała Lynn, że Jane jest w ciąży, to pewne, ale co zdradziła? Stara kobieta patrzyła na nią ze współczuciem.

– Powiem mu – oznajmiła Jane.

– Koniecznie – burknęła Annie i weszła do kuchni.

Jane pobiegła do samochodu, oślepiona przez łzy. Niech piekło pochłonie Cala za to, że przywiózł ją do Salvation! Niech go piekło pochłonie za to, że zmusił ją do małżeństwa i wmówił, że bez trudu uda się trzymać jego rodziców na dystans!

Wiedziała jednak, że nie on ponosi winę, tylko ona. To ona wszystko zaczęła. Nie przypuszczała tylko, że zło dotknie tyle osób.

Otarła oczy wierzchem dłoni, ale i tak niewiele widziała. Jadąc krętą szosą, rozmyślała o efekcie motylim. Teoria ta zaprzątała umysły fizyków zajmujących się teorią chaosu. Według niej coś tak drobnego i nieistotnego jak motyl trzepocący skrzydłami w Singapurze wpływał, koniec końców, na zmianę pogody w Denver. Efekt motyli to także lekcja moralności. Pamiętała, jak sama to powiedziała swoim trzecioklasistom: każdy dobry uczynek, choćby najmniejszy, będzie się mnożył i rozrastał, aż cały świat stanie się lepszy.

Jej czyn też pociągnął takie skutki, tyle że w odwrotną stronę. Jej egoizm powodował cierpienie niewinnych ludzi. A końca nawet nie widać. Szkoda jest coraz większa, efekt motyli się potęguje. Skrzywdziła Cala, jego rodziców i, co najgorsze, własne dziecko.

Była zbyt wzburzona, by pracować, więc pojechała do miasteczka, do drogerii. Po wyjściu ze sklepu usłyszała znajomy głos:

– Cześć, ślicznotko. Modliłaś się za mnie?

Odwróciła się na pięcie i napotkała kpiące spojrzenie zielonych oczu. Z całkowicie niezrozumiałych powodów jej humor poprawił się odrobinę.

– Witam, panie Tucker. Nie spodziewałam się pana.

– Mów mi Kevin, dobrze? A jeszcze lepiej mów „skarbie", a staruszka ze złości krew zaleje.

Uśmiechnęła się. Przywodził jej na myśl golden retrievera: ładny, nadgorliwy, pełen energii i pewności siebie.

– Niech zgadnę: przybyłeś do Salvation, żeby grać Calowi na nerwach.

– Ja? Niby dlaczego? Kocham staruszka.

– Jeśli ktoś nie utrze ci nosa w najbliższej przyszłości, nie ma sprawiedliwości na tym świecie. Musisz wiedzieć, gdzie twoje miejsce.

– Moje miejsce jest na ławce rezerwowej, i wcale mi się to nie podoba.

– Wyobrażam sobie.

– Słuchaj Jane… mogę tak do ciebie mówić, prawda? Dlaczego właściwie jeździsz takim gruchotem? Myślałem, że takie wraki mają zakaz wjazdu na szosę. Czyj to wóz?

Otworzyła drzwiczki escorta, wstawiła siatkę z zakupami.

– Mój. I nie waż się tak o nim mówić, ranisz jego uczucia.

– To nie twój samochód. Bomber za skarby świata nie pozwoliłby ci jeździć takim trupem. Chodź, zapraszam cię na lunch do Mountaineer. To najlepsza knajpa w mieście.

Złapał ją za ramię. Ledwie się obejrzała, zaprowadził ją za róg, do niewielkiego, schludnego budynku. Skromny drewniany szyld informował, iż jest to klub, o którym tyle słyszała. Kevinowi usta się nie zamykały przez cały czas.

– Wiesz, że tu panuje prohibicja? Nie ma barów. Mountaineer to klub butelkowy, tak zdaje się go nazywają. Musiałem wykupić kartę członkowską, żeby móc wejść do środka. Nie wydaje ci się, że to pic na wodę? Żeby pić, musisz mieć kartę członkowską.

Weszli po schodkach, minęli drewniany ganek i zatrzymali się przy młodej kobiecie, która z poważną miną przeglądała kartę dań.

– Witaj, skarbie, prosimy stolik na dwie osoby. W jakimś przytulnym kąciku. – Kevin machnął kartą członkowską.

Hostessa uśmiechnęła się do niego przyjaźnie. Ruszyli za nią. Jane rozglądała się uważnie. Weszli do niedużego pomieszczenia, kiedyś zapewne saloniku, dzisiaj sali restauracyjnej. Znajdowało się tam sześć stolików – wszystkie wolne. Po pokonaniu dwóch stopni znaleźli się na dawnej werandzie. Na bocznej ścianie królował kominek, naprzeciw niego bar. W tle rozbrzmiewały dźwięki muzyki country. Przy małych stoliczkach i na wysokich barowych stołkach siedzieli miejscowi i z apetytem zajadali obiad. Hostessa posadziła ich niedaleko kominka.

Jane nigdy nie przepadała za barami, musiała jednak przyznać, że ten jest bardzo przytulny. Na ścianach wisiały stare plakaty reklamowe, wzbudzające nostalgię, pożółkłe wycinki z gazet i rozmaite pamiątki związane z futbolem, między innymi złoto-granatowa koszulka Gwiazd z numerem osiemnaście. Obok koszulki zaś widniała kolekcja oprawionych zdjęć z magazynów sportowych – na wszystkich dostrzegła swojego męża.

Kevin ledwie rzucił na nie okiem. Odsunął jej krzesło.

– Jedzenie co prawda jest znakomite, ale widok może każdemu odebrać apetyt.

– Gdybyś nie chciał takich widoków, nie przyjechałbyś do Salvation.

Prychnął pogardliwie.

– Cała populacja miasteczka przeszła pranie mózgu.

– Daj spokój, Kevin.

– Powinienem był się spodziewać, że będziesz trzymała jego stronę.

Rozbawiła ją jego zmartwiona mina.

– Jestem jego żoną! Czego się spodziewałeś?

– No i co z tego? Podobno jesteś genialna. Liczyłem, że również sprawiedliwa.

Przybycie kelnerki uratowało ją od odpowiedzi. Kelnerka wręcz pochłaniała Kevina wzrokiem, on jednak niczego nie zauważył, do tego stopnia zaabsorbowała go karta dań.

– Weźmiemy hamburgery, frytki i piwo.

– Doskonale.

– I sałatkę z białej kapusty.

Jane z trudem powstrzymała się, by nie przewrócić oczami, słysząc jego despotyczne zamówienie.

– Dla mnie proszę sałatkę, bez bekonu, z serem i sosem, i odtłuszczone mleko.

Kevin skrzywił się zabawnie.

– Żartujesz chyba!

– To jedzenie na umysł.

– Jak chcesz.

Kelnerka odeszła. Jane słuchała monologu na jeden temat: Kevin Tucker. Poczekała, aż podano im jedzenie, po czym przeszła do rzeczy.

– O co ci chodzi?

– Jak to?

– Czemu przyjechałeś do Salvation?

– Ładnie tu.

– Ładnie jest w wielu miejscach. – Świdrowała go najsurowszym belferskim wzrokiem. – Kevin, zostaw te frytki i wytłumacz mi, co cię tu sprowadza. – Nagle do niej dotarło, że chce chronić Cala. Dziwne, zwłaszcza że ciągle jest na niego zła.

– Nic. – Wzruszył ramionami i odłożył frytki do niebieskiego plastikowego koszyczka. – Chcę się trochę zabawić, i tyle.

– Czego od niego chcesz, poza jego miejscem w drużynie?

– A czemu niby miałbym czegokolwiek od niego chcieć?

– W innym wypadku nie byłoby cię tutaj. – Machinalnie gładziła zimną szklankę. – Prędzej czy później Cal zrezygnuje i zajmiesz jego miejsce. Nie możesz po prostu jeszcze trochę poczekać?

– Powinienem już grać!

– Najwyraźniej trenerzy są innego zdania.

– To durnie!

– Zadajesz sobie wiele trudu, by uprzykrzyć mu życie. Dlaczego? Fakt, że ze sobą rywalizujecie, nie musi od razu czynić z was wrogów.

Naburmuszył się, przez co wyglądał jeszcze młodziej niż w rzeczywistości.

– Nienawidzę go.

– Gdybym nienawidziła kogoś tak bardzo jak ty Cala, starałabym się trzymać jak najdalej od niego.

– Nie rozumiesz.

– Więc mi wytłumacz.

– Ja… jest wredny i tyle.

– I?

– On… sam nie wiem. – Opuścił wzrok. Poruszył się niespokojnie. – Jest niezłym trenerem.

– Aha!

– Co to miało znaczyć?

– Nic. Tylko „aha".

– Powiedziałaś, jakby to coś znaczyło.

– Naprawdę?

– Naprawdę ci się wydaje, że chciałbym, żeby mnie szkolił, żeby w kółko wrzeszczał, że cała moja zręczność na nic, skoro nie używam przy tym mózgu? Uwierz mi, to ostatnia rzecz, na którą mam ochotę. Jestem świetny i bez jego pomocy.

Ale byłbyś lepszy, gdyby cię trenował, dodała Jane w myśli. Więc dlatego Kevin przyjechał do Salvation. Nie chodzi mu tylko o miejsce Cala w drużynie; chciałby także, by udzielał mu lekcji. Może się myli, ale jej zdaniem Kevin jest w kropce: nie ma pojęcia, jak poprosić o pomoc, nie narażając swojej dumy na szwank. Na wszelki wypadek zapisała tę informację w pamięci.

Kevin najwyraźniej palił się do zmiany tematu.

– Przepraszam za tamto w hotelu. Myślałem, że jesteś fanką, nie miałem pojęcia, że coś was łączy.

– Nie ma sprawy.

– Bardzo się ukrywaliście.

Nie po raz pierwszy pomyślała o Juniorze i innych, którzy organizowali urodzinowy prezent dla Cala. Ciekawe, co o tym wszystkim sądzą? I, co ważniejsze, czy dotrzymali tajemnicy?

Postanowiła delikatnie to wybadać.

– Kilka osób wiedziało, że się spotykamy.

– Chłopcy z drużyny?

– Kilku.

– Nic nie powiedzieli.

Więc przyjaciele Cala trzymali języki za zębami.

– Nie jesteś w jego typie, to pewne.

– Nie znasz Cala tak dobrze jak ci się wydaje, to pewne.

– Może wcale nie chcę. – Wbił zęby w hamburgera, odrywając kawał tak duży, że urągał wszelkim zasadom dobrego wychowania. Jego apetyt był jednak zaraźliwy do tego stopnia, iż nagle uświadomiła sobie, że jest głodna.

Podczas posiłku zabawiał ją pikantnymi anegdotami, których bohaterem, w przeważającej większości, był on sam. Powinno ją to drażnić, ale tak nie było. Odnosiła wrażenie, że przesadna pewność siebie Kevina miała ukryć przed całym światem jego kompleksy. Było tysiąc powodów, dla których nie powinna go lubić, jednak nie mogła nic poradzić na to, że darzyła Kevina Tuckera szczerą sympatią.

Dopił piwo i uśmiechnął się szeroko.

– Masz ochotę zdradzić Bombera? Bo jeśli tak, moglibyśmy… no wiesz, nieźle zaszaleć.

– Jesteś nieznośny.

Uśmiechnął się, ale jego oczy pozostały poważne.

– Wiem, że na pierwszy rzut oka wydaje się, że mamy niewiele wspólnego, poza tym jesteś trochę ode mnie starsza, ale odpowiada mi twoje towarzystwo. Dużo rozumiesz. I umiesz słuchać.

– Dziękuję – uśmiechnęła się wbrew sobie. – Mnie także odpowiada twoje towarzystwo.

– Ale pewnie nie masz ochoty na romans? No bo wzięliście ślub zaledwie parę tygodni temu…

– Coś takiego. – Choć nie powinno jej to sprawiać przyjemności, ostatniej nocy jej poczucie własnej wartości znacznie ucierpiało, a Kevin był uroczy. Uznała jednak, że mając tyle grzechów na sumieniu, nie powinna poprawiać sobie humoru jego kosztem. – Ile masz lat?

– Dwadzieścia pięć.

– A ja trzydzieści cztery. Jestem od ciebie o dziewięć lat starsza.

– Nie do wiary. Jesteś prawie w wieku Bombera.

– Niestety.

– Nie przeszkadza mi to. – Zacisnął usta w wąską linię. – Może Bomber przejmuje się wiekiem, ja nie. Gorzej tylko… – zasmucił się lekko. – Co prawda nienawidzę Bombera, ale postanowiłem sobie, że nie będę romansował z mężatkami.

– To bardzo dobrze.

– Naprawdę?

– To dobrze o tobie świadczy.

– Cóż, chyba tak. – Zadowolony, wziął ją za rękę. – Obiecaj mi coś, Jane. Gdybyś rozstała się z Bomberem, zaraz do mnie zadzwoń.

– Och, Kevin, nie uważam…

– No, no, no, cóż za romantyczna scena.

Niski, ponury głos wpadł jej w słowo. Gwałtownie podniosła głowę i zobaczyła, że Calvin James Bonner zmierza ku nim jak tornado. Niemal oczekiwała, że sąsiednie stoliki uniosą się w powietrze. Chciała wyrwać dłoń z rąk Kevina, on jednak trzymał mocno. Powinna była się domyślić, że nie przepuści takiej wspaniałej okazji, by dokuczyć jej mężowi.

– Witaj, staruszku. Właśnie sobie uciąłem pogawędkę z twoją damą. Przystaw sobie krzesło i dosiądź się do nas.

Cal puścił jego słowa mimo uszu i posłał Jane spojrzenie mogące zatrząść połową Karoliny.

– Idziemy stąd.

– Jeszcze nie skończyłam. – Wskazała niedojedzoną sałatkę.

– Owszem, skończyłaś. – Porwał talerz i wysypał jego zawartość na nakrycie Kevina.

Jane nie wierzyła własnym oczom. Czyżby była świadkiem autentycznego ataku zazdrości? Jej humor uległ znacznej poprawie. Jednocześnie zastanowiła się, co zrobić. Urządzić scenę w domu czy tutaj?

Kevin podjął decyzję za nią. Zerwał się na równe nogi.

– Ty sukinsynu!

Wielka pięść przecięła powietrze i ledwie się zorientowała, Kevin leżał na podłodze. Poderwała się z krzesła, podbiegła do niego.

– Nic ci nie jest? – Posłała mężowi mordercze spojrzenie. – Kretyn!

– To mięczak. Ledwie go dotknąłem.

Kevin zaklął siarczyście i wstał, a Jane przypomniała sobie, że ma do czynienia z dwójką dużych chłopców, do tego w gorącej wodzie kąpanych.

– Przestańcie natychmiast! – krzyknęła. – Koniec!

– Chcesz załatwić to na zewnątrz? – syknął Cal do Kevina.

– Nie! Skopię ci tyłek tutaj!

Kevin uderzył go w pierś; Cal zatoczył się, ale nie upadł.

Jane uniosła dłonie do twarzy. Urządzają publiczną awanturę i, jeśli się nie myli, ona jest jednym z powodów. Zdławiła szybko satysfakcję, przypomniawszy sobie, że jest przeciwna wszelkiej przemocy. Musi ich powstrzymać.

– Żadnego kopania tyłków! – powiedziała surowo, jak do swoich trzecioklasistów. Tylko że ci chłopcy nie zwrócili na nią uwagi. Cal pchnął Kevina na wysoki stołek barowy, Kevin cisnął jej mężem o ścianę. Zdjęcie Cala spadło z hukiem na ziemię.

Jane zdawała sobie sprawę, że nie da sobie z nimi rady fizycznie, więc postanowiła spróbować innej taktyki. Sięgnęła za bar, złapała szlauch i skierowała na walczących strumień wody. Niestety, byli zbyt daleko, by prysznic przyniósł pożądane efekty.

Zwróciła się do gapiów, którzy wstali z miejsc, żeby lepiej widzieć:

– Zróbcie coś! Słyszycie? Rozdzielcie ich!

Puścili jej słowa mimo uszu.

Przez chwilę zastanawiała się, czy nie pozwolić, by się pozabijali, jednak nie miała tyle odwagi. Porwała z baru pełny dzban piwa, podbiegła do walczących i wylała im na głowy.

Wzdrygnęli się, wstrząsnęli i stanęli do dalszej walki, jak gdyby nigdy nic.

Kevin walnął Cala w żołądek, Cal wymierzył mu cios w szczękę. Żaden z gapiów nie przejawiał najmniejszej ochoty, by interweniować, wiedziała więc, że jest zdana na własne siły. Jedyny pomysł, który przychodził jej do głowy, był wbrew jej zasadom, jednak uznała, że nie ma innego wyjścia. Nabrała wielki haust powietrza, przysiadła na stołku barowym i wrzasnęła co sił w płucach.

Dźwięk był denerwujący, nawet dla niej, ale nie przestawała. Gapie natychmiast przenieśli uwagę z walczących na szaloną blondynkę, wrzeszczącą jakby ją obdzierano ze skóry. Cal się zagapił i Kevin walnął go w skroń. Kevin pozwolił sobie na chwilę nieuwagi i wylądował na podłodze.

Nabrała jeszcze więcej powietrza i wrzeszczała dalej.

– Przestań! – wrzasnął Cal.

Kręciło jej się w głowie, ale krzyczała dzielnie.

Kevin gramolił się z podłogi, dysząc ciężko.

– Co jej jest?

– Atak histerii. – Cal otarł piwo z twarzy wierzchem dłoni, odetchnął głęboko i podszedł do niej. – Muszę dać jej w twarz.

– Nie waż się – burknęła.

– Muszę. – W jego oku pojawił się diabelski błysk.

– Jeśli mnie tkniesz, będę krzyczeć!

– Zostaw ją! – krzyknęło natychmiast troje gapiów.

Założyła ręce na piersi i posłała im wrogie spojrzenie.

– Gdybyście mi pomogli, to byłoby niepotrzebne.

– To tylko bójka – mruknął Kevin. – Po co tyle zamieszania?

Cal złapał ją za ramię i ściągnął ze stołka.

– Jest troszkę spięta.

– Delikatnie mówiąc. – Kevin wytarł twarz połą koszuli. Miał podbite oko i spuchniętą wargę.

Mężczyzna w średnim wieku, w białej koszuli i czarnym krawacie przyglądał się Jane ciekawie.

– Kim ona jest?

Cal udał, że nie słyszy.

– Darlington – przedstawiła się, wyciągając rękę. – Jane Darlington.

– Moja żona – burknął Cal.

– Twoja żona? – Mężczyzna nie wierzył własnym uszom.

– Tak jest – potwierdziła.

– To Harley Crisp, właściciel sklepu żelaznego – wyjaśnił Cal. Jane nigdy nie słyszała równie opryskliwego tonu.

Harley puścił rękę Jane i zwrócił się do Cala:

– Dlaczego, kiedy w końcu tu przyszła, zjawiła się z Tuckerem, a nie z tobą?

Cal zacisnął zęby.

– To starzy znajomi.

Jane poczuła na sobie wzrok wszystkich zebranych. Nie były to przyjazne spojrzenia.

– Miło, że w końcu zechciała pani poświęcić nam, wieśniakom, chwilę czasu, pani Bonner – mruknął Harley.

Wtedy zrozumiała, że wiadomość, iż Cal ożenił się z wyniosłą, dumną profesorką, obiegła już całe miasteczko.

Cal zwrócił na siebie uwagę, każąc dopisać szkody do rachunku Kevina. Młodszy mężczyzna naburmuszył się jak chłopiec, którego odsyła się do jego pokoju.

– Przecież ty mnie pierwszy uderzyłeś.

Cal nie słuchał. Złapał Jane za rękę i pociągnął do drzwi.

– Cieszę się, że was poznałam – krzyknęła przez ramię pod adresem wrogiej gromadki. – Chociaż szkoda, że mi nie pomogliście.

– Zamknij się wreszcie! – syknął.

Wyszli na dwór. Prowadził ją do dżipa, co jej przypomniało, że czeka ich jeszcze jedna walka. Małżeństwo z Calem Bonnerem okazywało się coraz bardziej skomplikowane.

– Mam własny samochód.

– Akurat. – Krwawił z rany na wardze, spuchła mu szczęka.

– Właśnie że tak.

– Nie.

– Stoi przed drogerią. – Otworzyła torebkę, wyjęła chusteczkę i przytknęła do jego krwawiących ust.

Nie zwracał na to uwagi.

– Kupiłaś samochód?

– Mówiłam, że to zrobię.

Zatrzymał się gwałtownie. Delikatnie wycierała mu krew, ale odepchnął ją energicznie.

– Zabroniłem ci.

– Cóż, jestem trochę za stara na takie zakazy.

– Pokaż – parsknął gniewnie.

Przypomniała sobie niepochlebne uwagi Kevina na temat jej samochodu i nagle poczuła się nieswojo.

– Może spotkamy się w domu?

– Pokaż!

Zrezygnowana, szła w kierunku centrum. Towarzyszył jej w milczeniu. Wydawało się, że spod jego nóg lecą iskry.

Niestety, wygląd escorta nie uległ szczególnej poprawie podczas jej nieobecności. Cal wyglądał, jakby chciał przetrzeć oczy ze zdumienia:

– Powiedz, że to nie ten.

– Potrzebny mi tylko czasowy środek transportu. W domu czeka na mnie saturn w doskonałym stanie.

Mówił, jakby dławiły go wypowiadane słowa.

– Czy ktoś cię w tym widział?

– Prawie nikt.

– To znaczy?

– Kevin.

– Cholera!

– Doprawdy, Cal, uważaj na słowa i na ciśnienie krwi. W twoim wieku… – Zorientowała się, że weszła na grząski grunt i szybko zmieniła temat. – Wystarcza mi w zupełności.

– Oddaj kluczyki.

– Nie.

– Wygrałaś, pani profesor. Kupię ci samochód. A teraz oddawaj kluczyki.

– Mam samochód.

– Prawdziwy. Mercedesa, bmw, co tylko chcesz.

– Nie chcę mercedesa ani bmw.

– Tak ci się tylko wydaje.

– Nie strasz mnie.

Powoli gromadzili się wokół nich gapie, co zresztą nie było niczym dziwnym. Bo przecież jak często mieszkańcy Salvation w Północnej Karolinie mają okazję zobaczyć lokalnego gwiazdora ociekającego krwią i piwem w samym centrum miasteczka?

– Oddawaj kluczyki – syknął.

– Figę!

Na jej szczęście wobec tylu gapiów nie mógł ich zabrać siłą, jak tego pragnął. Wykorzystała okazję, by minąć go, wsiąść do samochodu i zatrzasnąć drzwiczki.

Wyglądał, jakby miał zaraz wybuchnąć.

– Ostrzegam cię, pani profesor. Po raz ostatni jedziesz tym gruchotem, więc rozkoszuj się każdą chwilą.

Tym razem nie rozbawiła jej wyniosłość Cala. Najwyraźniej płatki owocowe niczego go nie nauczyły i czas na nową lekcję. Pan Calvin Bonner musi się nauczyć raz na zawsze, że małżeństwo to nie to samo co mecz i że nie będzie jej rozkazywał.

Zazgrzytała zębami.

– Wiesz, co możesz zrobić z twoimi pogróżkami, dupku? Możesz je sobie…

– Porozmawiamy o tym w domu. – Posłał jej lodowate spojrzenie jasnych oczu. – Jedź już!

Wściekła, nacisnęła pedał gazu. Samochód, na szczęście, nie sprzeciwił się. Zacisnęła usta i ruszyła w stronę domu.

Już ona mu pokaże.

Rozdział 15

JANE ZABLOKOWAŁA AUTOMATYCZNE OTWIERANIE BRAMY małym śrubokrętem, który zawsze miała przy sobie, a zajęło jej to niecałe dwie minuty. Doskonale, teraz się nie otworzą. Dojechała do domu, zaparkowała escorta, wpadła do środka i zastawiła drzwi wejściowe. Tylne wejście zablokowała prowizoryczną sztabą.

Zabezpieczała właśnie drzwi na taras, gdy rozległ się dzwonek interkomu. Wróciła do kuchni. Zaciągnęła wszystkie zasłony w oknach, wyłączyła telefon. Dopiero wtedy sięgnęła po słuchawkę interkomu. Cały czas miała przy sobie swój mały śrubokręt.

– Cal?

– Tak. Słuchaj, Jane, coś jest nie tak z bramą.

– Coś jest nie tak, a jakże, ale nie z bramą! – Jednym ruchem wyrwała kabel ze ściany. Następnie wróciła na górę, włączyła komputer i zabrała się do pracy.

Niewiele czasu upłynęło, gdy jej skupienie zakłóciło łomotanie w drzwi i szarpanie klamki. Hałas jej przeszkadzał, więc przedarła chusteczkę na pół i zatkała sobie uszy.

Błogosławiona cisza.

Escort! Cal podciągnął się i po chwili stał na niższej części dachu, nad gabinetem. Najpierw popsuła mu śniadanie, sabotując płatki, a potem narobiła mu wstydu na oczach całego miasteczka, jeżdżąc starym escortem! Nie pojmował, dlaczego te akurat przestępstwa wydają mu się o wiele gorsze niż choćby to, że nie wpuszcza go do jego własnego domu. Może dlatego, że podoba mu się wyzwanie, jakie przed nim postawiła, i że musi jakoś dostać się do środka. Już nie wspomni o awanturze, którą jej zrobi, ledwie postawi nogę w domu.

Szedł najdelikatniej jak umiał; nie chciał, żeby dach zaczął przeciekać przy najbliższym deszczu. Wystarczyło jedno spojrzenie na pociemniałe niebo, by się domyślić, że lunie lada chwila.

Doszedł do końca. Rozczarował się odrobinę, widząc, jak niewielki odstęp dzieli dach od balkonu. Mimo wszystko, balustradka z kutego żelaza nie utrzyma jego ciężaru, więc musi wymyślić coś innego.

Podskoczył, złapał się podłogi balkonu i przesuwał krok po kroku, wisząc na rękach, aż dotarł do kolumny. Nad jego głową zagrzmiało; zaczął padać deszcz. Cal oplótł kolumnę nogami, złapał się jedną ręką cienkiej balustradki i podciągnął na tyle, że wskoczył na balkon.

Zamek w drzwiach jego sypialni był kiepski; zdenerwowało go, że pani Mądralińska nie pomyślała, by zastawić je chociaż krzesłem. Pewnie uznała, że jest za stary, by się tędy dostać. Fakt, że piecze go warga, bolą żebra, a kontuzjowana łopatka dokucza jak sto diabłów, tylko potęgował jego irytację. Otworzył drzwi, na nowo rozjuszony. Co za brak szacunku! Nawet nie zastawiła drzwi zwykłym krzesłem!

Wyszedł z ciemnej sypialni i skierował się w stronę światła z jej pokoju. Siedziała tyłem do drzwi, skupiona na kolumnach niezrozumiałych cyfr migających na monitorze. Z jej uszu sterczały kawałki niebieskiej chusteczki do nosa. Wyglądała jak królik z kreskówek. Najchętniej podszedłby do niej cichutko i nastraszył, wyjmując te prowizoryczne zatyczki, jednak zmienił plan ze względu na jej ciążę. Nie żeby wierzył w ostrzeżenia Annie na temat znamion i duszących pępowin, ale wolał nie ryzykować.

Smród piwa towarzyszył mu przez cały czas. Był przemoczony, zły i obolały, a to wszystko jej wina! Cichutko zszedł na dół. Serce zabiło mu szybciej, gdy odrzucił głowę do tyłu i ryknął na całe gardło:

– Jane Darlington Bonner! Chodź tu natychmiast!

Jane gwałtownie podniosła głowę. Usłyszała go przez cienką chusteczkę. Więc jakoś się dostał do środka. Wyjęła zatyczki z uszu. Zastanawiała się, jak to zrobił. Bez wątpienia dokonał tego w spektakularny sposób; nie zniżyłby się do czegoś tak prostackiego jak wybicie szyby. Mimo złości, była z niego dumna.

Wstała, zdjęła okulary i pomyślała, że mogłaby zabarykadować się w swoim pokoju. Nigdy nie lubiła konfliktów i nie umiała sobie radzić w takich sytuacjach – weźmy na przykład jej żałosne rozmowy z Jerrym Milesem. Może tym razem nie dąży do uniknięcia konfrontacji, bo jej przeciwnikiem będzie Cal. Przez całe życie starała się być miła, uprzejma, nikogo nie urazić. Przy Calu jest inaczej – Cala drażnią uprzejmości, godność nie robi na nim wrażenia, urazy spływają po nim jak po psie. Przy nim nie musi uważać na każde słowo, może być sobą. Wychodząc z pokoju, czuła, jak krew zaczyna szybciej krążyć w jej żyłach. Czuła, że żyje i rozkoszowała się tym wrażeniem.

Cal obserwował z dołu, jak schodzi, kołysząc tyłeczkiem. Zielona koszulka podkreślała piersi tak małe, że nie pojmował, czemu w ogóle zwraca na nie uwagę. Włosy, spięte spinkami jak u licealistki, podobały mu się tak samo jak kuszące usta.

Patrzyła na niego z góry. Nie bała się, chociaż powinna; nie, mógłby za to przysiąc, że w jej oczach błysnęła psotna iskierka.

– Czyżby ktoś się zdenerwował? – zapytała zadziornie.

– Ty… – Oparł dłonie na biodrach. – Zapłacisz mi za to.

– A co mi zrobisz? Spuścisz lanie?

Nabrzmiał, ot tak, od razu. Cholera! Dlaczego mu to robi? I co to za słowa w ustach szanownej pani profesor?

Nie wiadomo, kiedy stanęła mu przed oczami wizja jej tyłeczka w jego dłoniach. Zacisnął zęby, zmrużył oczy i posłał jej wyjątkowo wredne spojrzenie; aż miał do siebie pretensję, że starszy nim biedną, bezbronną ciężarną kobietę.

– Może właśnie tego ci trzeba.

– Doprawdy? – Zamiast zemdleć ze strachu, jak zrobiłaby każda rozsądna kobieta, spojrzała na niego badawczo. – Może to i dobry pomysł. Muszę to przemyśleć.

Z tymi słowami najzwyczajniej w świecie obróciła się na pięcie i wyszła, a on jak głupi został u stóp schodów. Zabrakło mu słów. Jakim cudem to uchodzi jej na sucho? Musi to przemyśleć? O co jej chodzi, u licha?

Przypomniał sobie, że na środku podjazdu stoi jej sfatygowany escort, i ruszył za nią. Nie skończył z nią jeszcze, o nie!

Jane słyszała jego kroki. Wstydziła się dreszczu emocji, który ją przeszedł na myśl o dalszej walce. Do niedawna nie zdawała sobie sprawy, jak wielkim ciężarem może się okazać zachowanie godności. Ale Calowi godność zdałaby się jak psu rajstopy.

Wpadł jak burza do jej pokoju, wymachując groźnie palcem wskazującym.

– Wyjaśnimy sobie pewne rzeczy teraz, w tej chwili. Jestem głową tej rodziny i oczekuję szacunku! Ani słowa więcej! Rozumiemy się?

Nie wątpiła, że taki sposób rozwiązywania konfliktów sprawdza się doskonale w przypadku mężczyzn, jednak ogarnęło ją współczucie dla biednych młodziutkich dziewczynek, z którymi zwykł się spotykać. Nieszczęsne istotki pewnie umierały ze strachu.

Jednak jakoś nie potrafiła sobie wyobrazić, że Cal wrzeszczy na bezbronną dwudziestolatkę, i szybko zrozumiała dlaczego. Nie zrobiłby tego. Cal nie okazałby gniewu wobec osoby, którą uważał za słabszą od siebie. Poczuła, że jest z niego dumna.

– Warga ci krwawi – powiedziała. – Chodźmy do łazienki, opatrzę cię.

– Nigdzie nie pójdę, póki tego nie skończymy.

– Bardzo, bardzo proszę. Zawsze sobie wyobrażałam, że leczę obrażenia rannego wojownika.

Zamyślił się nad tymi słowami. W jego oczach pojawił się ten niebezpieczny błysk, który sprawiał, że uginały się pod nią nogi. Cal to dziewięćdziesiąt kilogramów dynamitu z zapalonym lontem. Dlaczego się go nie boi?

Wsadził dłonie do kieszeni dżinsów.

– Dobrze, ale pod jednym warunkiem.

– Czyli?

– Kiedy skończysz mnie łatać, będziesz siedziała cicho, czyli nie zaczniesz wrzeszczeć. Ja tymczasem zajmę się tobą.

– W porządku.

– W porządku?! – Myślała, że pękną jej bębenki, tak głośno ryknął. – Tyle masz mi do powiedzenia? Kobieto, chyba nie wiesz, co mam na myśli, w innym wypadku nie mówiłabyś, że to w porządku!

Uśmiechnęła się, wiedząc, że to zdenerwuje go jeszcze bardziej.

– Moim zdaniem umiejętność komunikacji międzyludzkiej to kluczowa kwestia w małżeństwie.

– Nie rozmawiamy o komunikacji międzyludzkiej, tylko o tym, że cię spiorę na kwaśne jabłko. – Zawiesił głos i wysunął podbródek do przodu. – Przyłożę ci na goły tyłek.

– Wszystko jedno. – Machnęła lekceważąco ręką i poszła do łazienki.

Prawie mu współczuła. Silnie rozwinięty kodeks moralny nie pozwalał mu uderzyć kobiety, przez co satysfakcjonująca potyczka z przedstawicielką płci przeciwnej była dla niego niemal nie do pomyślenia. Dopiero teraz zrozumiała, czemu Cal tak kocha sport. Połączenie siły fizycznej i przemocy ze sztywnymi zasadami to coś dla niego.

Co zarazem oznaczało, że po prostu nie mógł uniknąć problemów z kobietami.

Przeszła przez ponurą łazienkę, otworzyła apteczkę.

– Mam nadzieję, że znajdę tu coś piekącego.

Nie odpowiedział. Odwróciła się. Głośno przełknęła ślinę, widząc, że ściąga koszule przez głowę. Pod opaloną skórą zagrały mięśnie.

– Co ty robisz?

Cisnął koszulkę na bok, rozpiął guzik w dżinsach.

– A jak myślisz? Biorę prysznic. Zapomniałaś już, że wylałaś mi na głowę dzbanek piwa, a potem zamknęłaś drzwi przed nosem w środku ulewy? Aha, jeśli jutro brama nie będzie działała normalnie, wystawię ci słony rachunek. – Rozpiął rozporek.

Odwróciła się, starając się zrobić to tak nonszalancko, jak tylko umiała. Na szczęście w łazience było tyle luster, że wystarczyło lekko przechylić głowę i wszystko widziała. Niestety, stał tyłem. Mimo wszystko widok był imponujący. Szerokie ramiona przechodziły w wąskie biodra i jędrne, twarde pośladki. Koło kręgosłupa widniał siniak – pamiątka po walce z Kevinem. Zmarszczyła brwi, patrząc na liczne blizny, pokrywające ciało wojownika.

Otworzył drzwiczki cylindrycznej kabiny prysznico-wej, wyglądającej jakby pochodziła z wyposażenia statku kosmicznego „Enterprise", i wszedł do środka. Niestety, matowe szkło zasłoniło jej widok.

– Przesadzasz z tą ulewą! – starała się przekrzyczeć szum wody. – Dopiero co zaczęło padać.

– Zanim przelazłem przez poręcz.

– A, tak się dostałeś? – Była pod wrażeniem.

– Tylko dlatego, że miałaś o mnie na tyle niskie mnie-manie, by nie zablokować drzwi na piętrze.

Uśmiechnęła się pod nosem, słysząc obrażony ton.

– Przepraszam, nie pomyślałam o tym.

– Najwyraźniej. – Wsadził głowę pod ciepły strumień. – Może do mnie dołączysz?

Miała na to wielką ochotę, ale jedwabista nuta w jego głosie przywodziła na myśl podstępnego węża na drzewie dobrego i złego, więc udała, że nie słyszy. Zajęła się przetrząsaniem apteczki.

Znalazła pastę do zębów Crest i buteleczkę dezodorantu. Czarny grzebień Cala miał wszystkie zęby i był czysty. Znalazła także nić dentystyczną, cążki do paznokci, krem do golenia, maszynkę, tabletki przeciwbólowe, rozgrzewającą maść Ben Gay i prezerwatywy. Bardzo dużo prezerwatyw, całe pudełko. Na myśl, że będzie ich używał z inną kobietą niż ona, zrobiło jej się zimno.

Nie chciała się nad tym zastanawiać. Uklękła i zajrzała do szafki pod umywalką. Kolejne tuby Ben Gay, sól kąpielowa, maść z antybiotykiem. Ucichł szum wody. Po chwili drzwi kabiny się rozsunęły.

– Tucker cię wykorzystuje – powiedział. – Wiesz o tym, prawda?

– Nieprawda. – Odwróciła się akurat, by zobaczyć, jak owija biodra czarnym grubym ręcznikiem. Był nadal mokry, kropelki wody lśniły we włosach na piersi.

– A właśnie że tak. Wykorzystuje cię, żeby mi dopiec.

Zdenerwowało ją, że zdaniem Cala Kevin nie uważa jej za dość atrakcyjną, by się nią zainteresować.

– Może masz rację, ale nie możesz zaprzeczyć seksualnemu napięciu między nami.

Akurat sięgał po suchy ręcznik, żeby wytrzeć włosy, ale zamarł w bezruchu.

– O co ci chodzi? Jakie seksualne napięcie?

– Usiądź, muszę cię opatrzyć. Znowu krwawisz.

Kropelki z włosów rozprysły się po całej łazience, tak energicznie się odwrócił.

– Nie usiądę, póki mi nie powiesz, co miałaś na myśli!

216

– Starsza kobieta i młody przystojny mężczyzna… to historia stara jak świat. Ale nie martw się, powiedział, że nie romansuje z mężatkami.

Zmrużył oczy, gdy powiedziała, że Kevin jest przystojny.

– I to ma mi przywrócić spokój?

– Tylko jeśli myśl o mnie i Kevinie ci ten spokój odbiera.

Energicznie wycierał włosy.

– Wiesz dobrze, że interesuje się tobą tylko dlatego, że nosisz moją obrączkę. Gdyby nie to, nawet by na ciebie nie spojrzał.

Odkrył jej czułe miejsce i nagle, w ułamku sekundy, to przestało być zabawne. Nie obawiała się, gdy groził jej przemocą fizyczną, ale to, iż uznał ją za zbyt brzydką, by inny mężczyzna zwrócił na nią uwagę, okazało się bardzo bolesne.

– Nie, nie wiem. – Skierowała się do sypialni.

– Dokąd? – zawołał za nią. – Myślałem, że mnie opatrzysz!

– Antybiotyk leży na półce. Zrób to sam.

Poszedł za nią i zatrzymał się w progu.

– Czy Kevin… czy on coś dla ciebie znaczy? – Rzucił ręcznik na ziemię. – Jak to możliwe? W ogóle go nie znasz!

– Nie mamy o czym rozmawiać.

– Wydawało mi się, że przykładasz wielką wagę do komunikacji międzyludzkiej.

Milczała, wpatrzona w okno, i modliła się, żeby już sobie poszedł.

Zbliżył się od tyłu. Zdziwił ją jego lekko zachrypnięty głos:

– Zraniłem cię, tak?

Powoli skinęła głową.

– Nie chciałem. Tylko że… Nie chcę, żebyś cierpiała, i tyle. Nie wiesz, jacy są futboliści. Oni… my… chyba niezbyt dobrze traktujemy kobiety.

– Wiem. – Odwróciła się i zobaczyła cieniutki strumyczek wody spływający po jego piersi. – Na dzisiaj chyba już dosyć przejść. Idź sobie.

Podszedł bliżej, a w jego głosie zabrzmiała, ku jej zdumieniu, nuta czułości.

– Nawet nie doszliśmy do lania na goły tyłek.

– Może innym razem.

– A może ograniczymy się do gołego tyłka, bez lania?

– Nie uważam, by cokolwiek gołego było dobrym pomysłem, przynajmniej na razie.

– A to dlaczego?

– To tylko wszystko komplikuje.

– Poprzednia noc nie była skomplikowana. Przynajmniej dopóki nie zaczęłaś się nadymać.

– Ja! – Gwałtownie uniosła głowę. – Ja? Nadymać? Nigdy w życiu!

– Tak? – Chyba liczył na taką reakcję, bo w jego oczach znowu rozbłysł płomień. – Cóż, tak się składa, że byłem z tobą wczoraj wieczorem i twierdzę, że się nadymałaś.

– Kiedy?

– Wiesz, kiedy.

– Nie wiem.

– „Było przyjemnie"! – przedrzeźniał ją.

– Nie wiem, o co... Ach, to. – Przyjrzała mu się uważnie. – Czyżbym cię uraziła?

– Nie, do cholery, nie uraziłaś mnie. Myślisz, że nie wiem, jaki ze mnie kochanek? A skoro tego nie zauważyłaś, to twój problem, nie mój.

Naburmuszył się. A więc jednak uraziła jego uczucia. Wzruszyło ją to. Mimo pozorów wielkiego zadufania, ma słabości, jak każdy człowiek.

– Było lepiej niż przyjemnie – przyznała.

– Masz rację.

– Powiedziałabym, że było… – zerknęła na niego spod oka. – Jak właściwie?

– Może zaczniesz od: wspaniale?

Jej humor poprawiał się z każdą sekundą.

– Wspaniale? Tak, można tak powiedzieć. Było także… – zawiesiła głos.

– Podniecająco. I dobrze.

– To także, ale…

– I denerwująco.

– Denerwująco?

– Tak. – Bojowo zacisnął usta. – Chcę cię zobaczyć nago.

– Tak? A dlaczego?

– Bo chcę.

– Taki męski kaprys?

Nie wiadomo kiedy, kącik jego ust uniósł się w uśmiechu.

– Można tak powiedzieć.

– Uwierz mi, niewiele tracisz.

– Chyba lepiej się na tym znam niż ty.

– Nie byłabym taka pewna. Wiesz, jakie nogi mają modelki? Takie długie, do samego nieba, po pachy.

– No, tak.

– Nie mam takich.

– Czyżby?

– Och, moje nogi nie są krótkie, ale nie są też wyjątkowo długie. Takie przeciętne. A co do piersi… Lubisz piersi?

– Owszem, zdarzało mi się poświęcać im szczególną uwagę.

– Nie moim. Za to biodra… Są ogromne.

– Nieprawda.

– Wyglądam jak gruszka.

– Nieprawda.

– Dziękuję za słowa otuchy, ale skoro nie widziałeś mnie nago, nie możesz wypowiadać się tak stanowczo.

– Nic prostszego niż to zmienić.

Był niewiarygodnie uwodzicielski z tym błyskiem w szarych oczach, z dołeczkiem na policzku: ciepły, zabawny, seksowny. A ona nagle stała się całkiem bezbronna. W jednej chwili, w ułamku sekundy, zrozumiała, że go kocha. Głęboko, całym sercem, na zawsze. Kocha jego męskość, inteligencję, jego skomplikowany charakter. Kocha jego poczucie humoru i oddanie rodzinie, i staroświecki kodeks moralny, który kazał mu zająć się dzieckiem, choć nie pragnął potomstwa.

Nie czas teraz na takie rozważania, ale nie ma przecież dokąd uciec, żeby tam roztrząsać to, co się stało. Obserwowała, jak Cal pociera szczękę wierzchem dłoni.

– Lubię cię, Różyczko. I to bardzo.

– Naprawdę?

Skinął głową.

Nie, nie powiedział, że ją kocha, tylko że lubi. Jane odchrząknęła z trudem.

– Mówisz to tylko po to, żebym się rozebrała.

Uśmiechnął się szerzej.

– To kusząca wizja, jednak rozmawiamy o zbyt poważnych sprawach, by kłamać.

– Myślałam, że mnie nienawidzisz.

– I tak było. Nie sposób jednak nienawidzić cię na dłuższą metę, nawet jeśli się ma ku temu dobry, podkreślam, naprawdę uzasadniony powód.

Obudziła się w niej nadzieja.

– Wybaczasz mi?

Zawahał się.

– Nie do końca. Niełatwo wybaczyć coś takiego.

Po raz kolejny ogarnęło ją poczucie winy.

– Wiesz, że tego żałuję?

– Czyżby?

– Nie żałuję… nie żałuję, że jestem w ciąży, ale przykro mi, że w tak bezczelny sposób cię wykorzystałam. Nie widziałam w tobie człowieka, tylko przedmiot, który da mi to, czego pragnę. Gdyby mnie ktoś tak potraktował, nigdy bym mu nie darowała. Wiedz, że sama sobie nigdy nie wybaczę.

– Może w takim razie powinnaś pójść za moim przykładem i oddzielić grzech od grzesznika.

Podniosła na niego wzrok. Spróbowała przez jego oczy zajrzeć do serca.

– Naprawdę już mnie nie nienawidzisz?

– Już ci to powiedziałem. Lubię cię.

– Nie rozumiem tego.

– Po prostu tak już jest.

– Od kiedy?

– Od kiedy cię lubię? Chyba od tamtego dnia u Annie, kiedy się dowiedziałaś, że nie jestem głupi.

– A ty, że jestem stara.

– Nie przypominaj mi tego. Nadal nie doszedłem do siebie po tym ciosie. Może wmówimy wszystkim, że błędnie wydrukowano ci datę urodzenia?

Udała, że nie zauważa błysku nadziei w jego oczach.

– Jak mogłeś wtedy mnie polubić? Strasznie się pokłóciliśmy.

– Sam nie wiem. Tak się stało i już.

Rozważała jego słowa. Nie była to co prawda deklaracja dozgonnej miłości, ale jednak usłyszała w jego głosie ciepłe uczucie.

– Muszę to przemyśleć.

– Co?

– Czy ci się pokazać nago.

– Dobrze.

Oto kolejna rzecz, która jej się w nim podoba. Mimo pozorów szorstkości umie odróżnić rzeczy ważne od nieistotnych. Chyba zrozumiał, że w tej kwestii nie może jej poganiać.

– Musimy ustalić jeszcze jedno. – Popatrzyła na niego czujnie, westchnęła i oznajmiła: – Lubię mój samochód. Ma charakter.

– Podobnie jak wielu psychopatów, ale nie chciałabyś mieć ich w domu, prawda? Posłuchaj, zrobimy tak…

– Cal, nie strzęp sobie języka, bo skończy się to tak, że znowu zabarykaduję się w twoim domu. Prosiłam, żebyś mi pomógł przy kupnie samochodu. Odmówiłeś, więc załatwiłam to sama. Samochód zostaje. Nie martw się, nie zepsuję ci reputacji. Ilekroć miejscowi zobaczą mnie za kierownicą, pomyślą, że jestem niegodna być twoją żoną.

– I tu masz rację. Nikt, kto mnie zna, nie uwierzy, że wytrzymuję w towarzystwie kobiety, która jeździ takim gruchotem.

– Nie skomentuję, co takie zachowanie mówi o twoim systemie wartości. – Z jego systemem wartości wszystko w porządku, tylko gust co do kobiet należałoby poprawić.

Uśmiechnął się, ale nie dała się przebłagać. Nie pójdzie mu tak łatwo.

– Masz mi dać słowo honoru, że go nie tkniesz. Nie wywieziesz go, kiedy zagrzebię się w pracy. Samochód jest mój, koniec, kropka. A żeby wszystko było jasne: ostrzegam, że jeżeli tkniesz palcem mojego escorta, nie zjesz ani jednego owocowego płatka więcej.

– Co, dalszy sabotaż?

– Nigdy się nie powtarzam. Tym razem strychnina.

– Nie znam równie krwiożerczej niewiasty.

– To powolna, bolesna śmierć. Nie polecam.

Roześmiał się i wszedł do łazienki. Ledwie zniknął, zaraz znowu wystawił głowę przez drzwi.

– Zgłodniałem przez tę kłótnię. Może coś przekąsimy, kiedy się ubiorę?

– Chętnie.

Za oknami padał deszcz, a oni zajadali zupę, kanapki, sałatkę i chipsy. Podczas posiłku Jane udało się wydusić z męża więcej szczegółów na temat jego pracy z nastolatkami. Dowiedziała się, że od lat poświęca czas dzieciom z rozbitych rodzin. Pomagał zakładać ośrodki rehabilitacyjne, namawiał wolontariuszy do udziału w programach zapobiegawczych, organizował szkolne rozgrywki, działał na rzecz poprawy programów oświaty seksualnej i wiedzy o narkotykach.

Zbył wzruszeniem ramion jej słowa, że nie każdy znany człowiek poświęca tyle czasu, nie mając w perspektywie żadnych korzyści.

– To sposób na zabicie nudy – burknął.

Zegar w holu wybił północ i stopniowo kończyły się tematy do rozmowy. Pojawiło się między nimi napięcie, którego wcześniej nie było. Jane bawiła się skórką od chleba. Cal wiercił się na krześle. Przez cały wieczór czuła się doskonale w jego towarzystwie, ale teraz było jej nieswojo.

– Późno już – stwierdziła w końcu. – Chyba pójdę do łóżka. – Podniosła się z krzesła.

On także zerwał się na równe nogi i wyjął jej talerz z rąk.

– Daj, pozmywam, ty gotowałaś.

Nie podszedł jednak do zlewu. Stał naprzeciwko i pochłaniał ją wzrokiem. Widziała w jego oczach nieme pytanie: „Dzisiaj, Różyczko? Odważysz się odrzucić na bok skrupuły i zrobić to, na co oboje mamy ochotę?"

Gdyby wyciągnął ręce, nie miałaby żadnych szans, ale nie ruszał się i zrozumiała, że tym razem ona musi wykonać pierwszy krok. Jego brwi uniosły się w milczącym wyzwaniu.

Ogarnęła ją panika. Świadomość, że go kocha, wszystko zmienia. Teraz chce, by seks coś znaczył.

Mózg, który kierował całym jej życiem, nagle zawiódł. Nie wiedziała, co robić. Była jak sparaliżowana. Zdobyła się jedynie na sztuczny uprzejmy uśmiech.

– To był uroczy wieczór, Cal. Zreperuję bramę z samego rana.

Nic nie powiedział, tylko na nią patrzył.

Gorączkowo szukała błahych słów, które złagodziłyby napięcie, ale nic nie przychodziło jej na myśl. Patrzył na nią. Wiedziała, że jest świadom jej niepokoju, ale chyba go nie podziela. Zresztą niby dlaczego, skoro nie odwzajemnia jej uczuć? W przeciwieństwie do niej, nie zakochał się.

Odwróciła się z wrażeniem, że coś traci. Wyszła z kuchni. Umysł podpowiadał, że postępuje właściwie, a serce szeptało, że to tchórzostwo.

Cal odprowadzał ją wzrokiem, coraz bardziej rozczarowany. Ucieka, ale dlaczego? Nie poganiał jej, starał się, by rozmowa nie schodziła na niebezpieczne tematy. Szczerze mówiąc, bawił się tak dobrze, że prawie zapomniał o seksie. Prawie, ale nie całkowicie. Za bardzo jej pragnął, by o tym nie myśleć. Poprzedniej nocy było jej dobrze, był o tym przekonany, więc czemu odmawia sobie i jemu podstawowej przyjemności w życiu?

Zaniósł naczynia do zlewu, odkręcił kran. Rozczarowanie ustąpiło miejsca złości. Właściwie dlaczego tak bardzo się nią przejmuje?

Wściekły na siebie, powędrował na górę. Jego humor tylko się pogorszył, gdy wszedł do burdelowo urządzonej sypialni. Grzmot wstrząsnął szybami w oknie. Burza się potęgowała. I dobrze. Sam też jest w gradowym nastroju. Usiadł na łóżku i ściągnął but.

– Cal?

Podniósł głowę i zobaczył otwarte drzwi łazienki. Akurat w tej chwili oślepiająca błyskawica wstrząsnęła posadami domostwa, a potem ciemność spowiła wszystko wokół.

Minęło kilkanaście sekund, zanim usłyszał stłumiony chichot.

Ściągnął drugi but.

– Nie ma światła. Może mi łaskawie wytłumaczysz, co w tym takiego śmiesznego?

– Właściwie to dwie rzeczy: dobra i zła.

– Więc zacznij od dobrej.

– Kiedy to właściwie ta sama wiadomość…

– Nie owijaj w bawełnę.

– No, dobrze. Nie denerwuj się, ale… – Znowu stłumiony śmiech. – Cal… jestem naga.

Rozdział 16

Miesiąc później

CAL ZAJRZAŁ DO JEJ POKOJU ze wspólnej łazienki. W jego oczach błysnął niesforny płomyk.

– Wchodzę pod prysznic. Dołączysz się?

Przesunęła wzrokiem po jego pięknym ciele, doskonale widocznym w porannym słońcu, i z najwyższym trudem powstrzymała się, by nie oblizać łakomie ust.

– Może innym razem.

– Nawet nie wiesz, co tracisz.

– Chyba jednak wiem.

Tęskna nuta w jej głosie wprawiła go w doskonały humor.

– Biedna Różyczka. Zapędziłaś się w kozi róg, prawda? – Z tymi słowami zniknął w łazience.

Pokazała język zamkniętym drzwiom, podparła się na łokciu i wróciła myślami do tamtej kwietniowej nocy, miesiąc temu, gdy pod wpływem impulsu rozebrała się i poszła do niego. Niespodziewana awaria elektryczności zapoczątkowała namiętną noc, której chyba nigdy nie zapomni. Uśmiechnęła się do siebie. Podczas minionego miesiąca Cal wiele się nauczył o miłości przez dotyk.

Ona zresztą też. Może za sprawą jego pożądania pozbyła się swoich zahamowań? Zrobiłaby wszystko, poza jednym – nie pokaże mu się nago.

Narodziła się z tego ich gra. Kochali się zawsze w nocy, przy zgaszonym świetle. Jane zawsze wstawała przed świtem i wymykała się do swojej sypialni albo przemykała do niego, jeśli zasnęli w jej pokoju. Cal z łatwością mógłby to zmienić. Mógłby ją zatrzymać albo w środku dnia oszołomić pocałunkami do tego stopnia, że zgodziłaby się na wszystko. Wiedziała jednak, że tego nie zrobi; nie pozwoli mu na to honor. Lubił walkę; nie chciał wygrywać podstępem, tylko poczekać, aż sama się podda.

Początkowo nalegała na seks po ciemku z przekory; traktowała to jako zabawę, ale w miarę upływu czasu, gdy zdała sobie sprawę, jak bardzo go kocha, coś się zmieniło. Jak zareaguje, gdy ją zobaczy? Jest w czwartym miesiącu ciąży: co prawda tryska zdrowiem, ale nie może już wkładać bluzek do spodni. Nie może się równać ze ślicznymi dziewczętami z jego przeszłości, nie z coraz większym brzuchem i mizernym biustem.

Powstrzymywało ją coś więcej niż kompleksy na tle urody. A co, jeśli tylko tajemnica sprowadza go co noc do jej łóżka? Tajemnica, powab niewiadomej? Może straci całe zainteresowanie, gdy już zaspokoi ciekawość?

Chciałaby uwierzyć, że to bez znaczenia, ale wie prze- cież, jak ważne są dla Cala wyzwania. Czy równie dobrze bawiłby się w jej towarzystwie, gdyby mu ulegała? Jest chyba jedyną kobietą w jego życiu, nie licząc matki i babki, która śmiała stawić mu czoło.

Jest inteligentny i szczodry, ale także dominujący i za- borczy. Może tylko jej nieoczekiwany upór przyciągał go do niej, w łóżku i poza nim?

Musi spojrzeć prawdzie w oczy: skończył się czas gierek. Musi przestać chować głowę w piasek, rozebrać się, żeby ją sobie dokładnie obejrzał, i zmierzyć się z rzeczywistością. Jeśli nie zechce jej takiej, jaka jest, jeśli trzyma go przy niej tylko wyzwanie, ich związek nie ma sensu. Musi to zro- bić jak najszybciej, zdecydowała. Dalsze zwlekanie tylko wszystko zagmatwa.

Wstała i weszła do swojej łazienki. Wyszczotkowała włosy, zażyła witaminy, wróciła do sypialni i z ręką na brzuchu podeszła do okna. Zbocza gór ożyły barwnymi kwiatami. Wiosna w Appallachach była jeszcze piękniejsza, niż sobie wyobrażała. Fiołki i dzwonki czekały na nią na trasie stałych spacerów, po domu pięła się wisteria i dzika róża. Ten maj był bardziej żywotny, bardziej radosny niż jakikolwiek inny maj w jej życiu.

Ale też nigdy dotąd nie była zakochana.

Zdawała sobie sprawę, że jest wobec Cala całkowicie bezbronna, ale gdy z czasem w jego oczach czułość zastą- piła uprzedni gniew, zaczęła się łudzić, że może się w niej zakocha. Dwa miesiące temu uznałaby to za absurd, teraz nie była już taka pewna.

Jak na dwoje ludzi, których nic nie łączy, mieli za- dziwiająco dużo tematów do rozmowy. Rano zazwyczaj pracowała, a Cal ćwiczył i załatwiał sprawy w miasteczku, ale popołudnia i wieczory najczęściej spędzali razem.

Cal dokończył odnawianie domku Annie. Jane zajmowała się ogrodem. Kilka razy wybrali się razem do Asheville, jadali w najlepszych restauracjach, zwiedzali muzea. Wędrowali po co łatwiejszych szlakach w Parku Narodowym Smoky Mountains. Zawiózł ją do Connemara, domu rodzinnego Carla Sandberga, i robił jej zdjęcia, gdy bawiła się z koźlątkami.

Na podstawie niepisanego porozumienia nigdy razem nie jeździli do Salvation. Jane sama wybierała się na zakupy. Czasami przypadkiem spotykała Kevina, który zapraszał ją na lunch do kawiarni. Starała się zawsze ignorować wrogie spojrzenia miejscowych. Na szczęście ciągle jeszcze mogła ukryć ciążę pod luźnymi sukienkami.

Ona i Cal kłócili się często, ale były to dobre kłótnie. Po lodowatej nienawiści, którą w nim wyczuwała na samym początku, nie został nawet ślad. Zamiast tego wrzeszczał ile sił, a ona sprawiała mu wielką frajdę odpowiadając tym samym. Szczerze mówiąc, te awantury bawiły ją w równym stopniu co jego.

Szum prysznica ustał. Uznała, że nie ma sensu wystawiać się na dodatkową pokusę, więc odczekała jeszcze kilka minut, żeby zdążył się wytrzeć i owinąć ręcznikiem, i dopiero wtedy zastukała i weszła.

Stał przy umywalce. Ręcznik miał owinięty tak nisko, aż zdziwiła się, że jeszcze nie opadł. Nakładając pianę do golenia na policzki, przyjrzał się jej dokładnie, szczególną uwagę poświęcając koszulce z wizerunkiem Myszki Miki.

– Pani profesor, okaż mi wreszcie trochę litości i przestań wodzić na pokuszenie seksownymi negliżami.

– Dzisiaj włożę tę z Kubusiem Puchatkiem.

– Uspokój się, moje serce.

Uśmiechnęła się, opuściła przykrywę muszli klozetowej, przysiadła. Początkowo zadowoliła się obserwowaniem go przy goleniu, zaraz jednak wróciła do tematu ich kłótni z poprzedniego dnia.

– Cal, wyjaśnij mi jeszcze raz, dlaczego nie chcesz spędzić z Kevinem trochę czasu?

– Znowu do tego wracamy?

– Nadal nie rozumiem, czemu nie chcesz go szkolić. Bardzo cię szanuje.

– Nienawidzi mnie.

– Tylko dlatego, że chciałby zająć twoje miejsce. Jest młody i utalentowany, a ty stoisz mu na drodze.

Zesztywniał. Nie podobało mu się, że Jane czasami spotyka się z Kevinem, ponieważ jednak powiedziała jasno, że są tylko przyjaciółmi, a Cal ze swojej strony groził Kevinowi poważnymi konsekwencjami, jeśli waży się ją tknąć, zapanował między nimi niełatwy, kruchy pokój.

Ostrożnie golił sobie szyję.

– Nie jest tak zdolny, jak mu się wydaje. Och, rzuca doskonale, co do tego nie ma dwóch zdań. Jest szybki i agresywny, ale musi się jeszcze dużo nauczyć na temat przewidywania reakcji obrony.

– Więc czemu go nie szkolisz?

– Jak już powiedziałem, nie widzę sensu szkolić sobie rywala. Co więcej, jestem ostatnim człowiekiem na świecie, którego rad by posłuchał.

– Nieprawda. Jak myślisz, dlaczego do tej pory siedzi w Salvation?

– Bo sypia z Sally Terryman.

Jane nieraz widziała zgrabną Sally w miasteczku i pomyślała, że prawdopodobnie Cal ma rację, ale puściła jego słowa mimo uszu.

– Byłby o wiele lepszy, gdybyś go szkolił, a ty miałbyś satysfakcję, że coś po tobie zostanie, gdy odejdziesz.

– Do tego jeszcze daleko. – Pochylił się, by spłukać pianę.

Wiedziała, że wchodzi na niebezpieczny grunt, toteż stąpała najostrożniej jak umiała.

– Cal, masz trzydzieści sześć lat. To już niedługo.

– Od razu widać, że nie masz o tym zielonego pojęcia. – Złapał ręcznik i wytarł twarz. – Jestem w szczytowej formie. Nie ma żadnych powodów, żebym odszedł.

– Może nie od razu, ale w niedalekiej przyszłości.

– Przede mną jeszcze wiele lat.

Pomyślała o barku, który masował, gdy mu się wydawało, że nikt nie patrzy, o masażu wodnym w łazience. Wiedziała, że próbuje oszukać samego siebie.

– Co zrobisz, kiedy się wycofasz? Zajmiesz się interesami? A może zostaniesz trenerem?

Mięśnie na jego plecach napięły się lekko.

– Wiesz co, pani profesor, pilnuj swoich kwarków i nie zwracaj sobie głowy moją przyszłością. – Wszedł do swojej sypialni, zrzucił ręcznik z bioder, wyjął z komody parę slipów. – Pamiętasz, że dzisiaj wyjeżdżam do Teksasu, prawda?

Zmienił temat.

– Na turniej golfowy, tak?

– Turniej Dobroczynny Bobby'ego Dentona.

– To twój przyjaciel? – Wstała i oparła się o framugę.

– Skarbie, nie mów, że nigdy nie słyszałaś o Bobbym Tomie Dentonie. To jeden z najsłynniejszych graczy. Mówię ci, dzień, w którym rozwalił sobie kolano i się wycofał, to dzień żałoby.

– Co teraz robi?

Wciągnął spodnie.

– Przede wszystkim dobrą minę do złej gry. Mieszka w Telarosa, w Teksasie, z żoną Gracie i malutkim dzieckiem. Zachowuje się, jakby rodzina i fundacja były dla niego najważniejsze na świecie.

– Może są.

– Nie znasz Bobby'ego Toma. Od dziecka żył tylko piłką.

– Wydaje się, że robi coś ważnego.

– Fundacja Dentona? – Założył brązową koszulkę polo. – Owszem, odwala kawał dobrej roboty, nie przeczę. Sam turniej golfowy przynosi kilkaset tysięcy dolarów, tylko że moim zdaniem wielu w tym kraju mogłoby poprowadzić fundację, a nikt tak nie grał jak B.T.

Zdaniem Jane prowadzenie fundacji dobroczynnej to o wiele ważniejsza sprawa niż gra na boisku, ale na szczęście zachowała tę opinię dla siebie.

– Życie na emeryturze może być ciekawe. Pomyśl tylko, mógłbyś zacząć nowe życie w kwiecie wieku.

– Podoba mi się moje życie takie, jakie jest.

Nie zdążyła nic powiedzieć, bo zamknął ją w ramionach i całował do utraty tchu. Poczuła, jak nabrzmiewa, ale był jasny dzień, więc odsunęła się, choć niechętnie.

– Jeszcze się nie poddajesz?

Zatrzymała wzrok na jego ustach i westchnęła:

– Już prawie.

– Wiesz, że nie pozwolę ci się wykpić byle czym, prawda? Nie zadowoli mnie nic poza striptizem w biały dzień.

– Wiem.

– Może nawet każę ci przejść się na zewnątrz.

Spojrzała na niego ponuro.

– Nie zdziwiłabym się.

– Oczywiście nie wygnałbym cię na dwór na na golasa.

– Ależ z ciebie łaskawca.

– Włożyłabyś te fajne szpilki.

– Wielkie dzięki.

Całowali się znowu, a Cal błądził dłońmi po jej piersiach. Już po chwili oboje ciężko dyszeli. Nie chciała, by przerywał. Nie tak dawno temu postanowiła sobie, że koniec z gierkami. Czas dotrzymać słowa. Jedną ręką uniosła skraj koszuli nocnej.

Zadzwonił telefon. Podnosiła koszulę wyżej, nie przerywając pocałunku, ale uparty dzwonek zniszczył cały nastrój. Jęknął.

– Dlaczego nie włącza się sekretarka?

Pozwoliła koszulce opaść z powrotem.

– Wczoraj były sprzątaczki, pewnie ją wyłączyły… niechcący.

– To na pewno ojciec. Miał do mnie dzisiaj zadzwonić. – Przyciągnął ją do siebie, przytulił i pocałował w czubek nosa.

Nie mieściło jej się to w głowie. W końcu zdobyła się na odwagę, by pokazać mu swoje pulchne ciało, a ten głupi telefon wszystko zepsuł! Nie chcąc mu przeszkadzać, wróciła do swojej sypialni, wzięła prysznic, ubrała się i zeszła do kuchni.

Cal wsuwał właśnie portfel do tylnej kieszeni spodni.

– Dzwonił ojciec. Umówił się z mamą na lunch w Asheville. Może ją przekona, że czas skończyć z wygłupami i wracać do domu. Nie mogę uwierzyć, że jest taka uparta.

– W tym związku jest dwoje ludzi.

– Ale tylko jedno jest uparte.

Dała sobie spokój. Cal był święcie przekonany, że to jego matka ponosi winę za separację rodziców – w końcu to ona się wyprowadziła. Jane w żaden sposób nie mogła mu wytłumaczyć, że istnieje także druga strona medalu.

– Wiesz, co mama powiedziała Ethanowi, kiedy jej zaproponował wsparcie duchowe? Żeby pilnował swego nosa!

Uniosła brew.

– Ethan nie jest najlepszym doradcą.

– Jest jej pastorem!

Z trudem powstrzymała się, by nie przewrócić oczami. Zamiast tego cierpliwie tłumaczyła rzeczy oczywiste:

– Ty i Ethan jesteście zbyt zaangażowani osobiście, by cokolwiek doradzać któremukolwiek z nich.

– Chyba tak. – Sięgnął po kluczyki. Nagle zmarszczył czoło. – Nadal nie rozumiem, jak mogło do tego dojść.

Patrząc na jego zmartwienie, modliła się, by Lynn i Jim doszli do porozumienia, nie tylko ze względu na siebie, ale i na synów. Cal i Ethan kochali rodziców i kryzys ich związku odbijał się i na nich.

Po raz kolejny zastanowiła się, co też się stało z Lynn i Jimem Bonnerami. Wydawało się, że od lat żyli razem, i to szczęśliwie. Dlaczego rozstali się teraz?

Jim Bonner wszedł do sali restauracyjnej Grove Park Inn, ulubionego lokalu Lynn. Umówili się tu na lunch. Może miłe wspomnienia sprawią, że jej upór zmięknie.

Grove Park Inn powstał na przełomie dziewiętnastego i dwudziestego wieku jako letni azyl dla możnych tego świata. Budynek, wtulony w zbocze Sunset Mountain, był, w zależności od punktu widzenia, wspaniały albo okropny.

Sala restauracyjna, podobnie jak cały hotel, była utrzymana w przytulnym, staroświeckim stylu. Jim wszedł w głąb sali i dostrzegł Lynn przy stoliku pod oknem, spoglądającą na majestatyczne góry. Napawał się jej widokiem.

Nie chciał jej odwiedzać na Heartache Mountain, więc miał do wyboru: albo dzwonić, albo liczyć, że ją spotka miasteczku. Wynajdywał wymówki, by co środa wpadać do kościoła akurat wtedy, gdy zbierał się komitet dobroczynny, i wypatrywał jej przed sklepem spożywczym.

Ona zaś zdawała się robić co w jej mocy, by go unikać. Wpadała do domu wtedy, gdy, jak wiedziała, jest w gabinecie albo w szpitalu. Kamień spadł mu z serca, gdy zgodziła się na dzisiejsze spotkanie.

Zadowolenie na jej widok przerodziło się w irytację. Ostatni miesiąc nie zostawił na niej żadnych śladów, podczas gdy on miał wrażenie, że bardzo się postarzał. Miała na sobie luźny żakiet w kolorze lawendy, który bardzo lubił, srebrne kolczyki i jedwabną bluzkę. Kiedy siadał naprzeciwko, wmawiał sobie, że widzi cienie pod jej oczami, ale to na pewno tylko gra świateł.

Uprzejmie skinęła mu głową, jak nieznajomemu. Gdzie się podziała dzika, szalona dziewczyna z gór, która dekorowała stół kaczeńcami?

Podszedł kelner. Jim zamówił dwa kieliszki ich ulubionego wina, ale Lynn zaraz poprosiła o dietetyczną pepsi zamiast alkoholu. Po odejściu kelnera Jim spojrzał pytająco.

– Przytyłam dwa i pół kilo – wyjaśniła.

– Jesteś w trakcie kuracji hormonalnej. To normalne.

– To nie wina tabletek, tylko kuchni Annie. Jeśli nie doda kostki masła, uważa, że danie jest niejadalne.

– Czyli najlepszym sposobem pozbycia się tych paru kilogramów byłby powrót do domu.

Przez chwilę zwlekała z odpowiedzią.

– Mój dom zawsze był na Heartache Mountain.

Poczuł się, jakby otrzymał cios w żołądek.

– Mówię o prawdziwym domu. Naszym domu.

Nie odpowiedziała, zagłębiła się w lekturze karty dań. Kelner przyniósł napoje i przyjął zamówienia. Gdy czekali na jedzenie, Lynn mówiła o pogodzie i koncercie, na którym była w poprzednim tygodniu. Przypomniała mu, by sprawdził klimatyzację i zapytała o roboty drogowe. Serce mu się krajało. Oto piękna kobieta, która kiedyś mówiła, co myśli, teraz zamknęła się w sobie.

Ze wszystkich sił starała się unikać tematów osobistych, ale wiedział, że nie zlekceważy problemów synów.

– Gabe dzwonił wczoraj z Meksyku. Najwyraźniej żaden braci nie śmiał mu powiedzieć, że się wyprowadziłaś.

Zmarszczyła brwi.

– Nie powiedziałeś mu, prawda? I bez tego ma dosyć zmartwień.

– Nie, nie powiedziałem.

Odetchnęła z wyraźną ulgą.

– Martwię się o niego. Chciałabym, żeby wrócił do domu.

– Może kiedyś.

– Martwię się także o Cala. Zauważyłeś?

– Co? Wygląda doskonale.

– Albo i lepiej. Widziałam go wczoraj. Nigdy nie był tak szczęśliwy. Nie rozumiem tego, Jim. Znam się na ludziach; ta kobieta złamie mu serce. Dlaczego nie widzi, jaka jest naprawdę?

Jim spochmurniał na myśl o synowej. Kilka dni temu minęła go na ulicy i udała, że nie widzi, jakby był powietrzem. Nie pokazywała się w kościele, odrzucała zaproszenia najsympatyczniejszych kobiet w Salvation, ba, nie przyszła nawet na uroczysty obiad, który państwo Jaycee wydali na cześć Cala. Wyglądało na to, że jedynym, któremu łaskawie poświęca trochę czasu, jest Kevin Tucker, a wszystko to nie wróżyło Calowi nic dobrego.

– Nie pojmuję – ciągnęła Lynn – jakim cudem może być szczęśliwy, mając za żonę taką… taką…

– Oziębłą sukę.

– Nienawidzę jej, nic na to nie poradzę. Zrobi mu krzywdę, a Cal na to nie zasłużył. – Jej brwi ściągnęły się w poziomą kreskę. Lekko podniesiony głos zdradzał, jak bardzo jest wzburzona. – Przez tyle lat czekaliśmy, aż się ożeni i ustatkuje, a tymczasem popatrz, co zrobił; związał się z okropną egoistką. – Popatrzyła na niego ze smutkiem. – Szkoda, że nie możemy mu pomóc.

– Lynn, nie dajemy sobie rady z własnymi problemami. Jak niby mielibyśmy pomóc Calowi?

– To nie to samo. On… on jest wrażliwy.

– A my nie?

Po raz pierwszy poruszyła się niespokojnie.

– Tego nie powiedziałam.

Gorycz podeszła mu do gardła.

– Mam dosyć tej zabawy w kotka i myszkę. Ostrzegam cię, Lynn, nie będę tego dłużej tolerował.

Od razu zdał sobie sprawę, że popełnił błąd. Lynn nie lubi, by ją zapędzać w kozi róg. W takich sytuacjach staje się tylko jeszcze bardziej uparta. Spojrzała na niego spokojnie.

– Annie nie życzy sobie, byś wydzwaniał do niej do domu.

– Trudno.

– Jest naprawdę zła.

– Annie jest na mnie zła, odkąd skończyłem osiem lat.

– Nieprawda. Zdrowie jej szwankuje.

– Jeśli nie przestanie topić wszystkiego w tłuszczu, nie poczuje się lepiej. – Usiadł wygodniej. – Wiesz doskonale, dlaczego ona nie chce, żebyśmy rozmawiali. Wygodnie jej z tobą. Nie podda się tak łatwo.

– Naprawdę tak myślisz?

– A żebyś wiedziała.

– Mylisz się. Stara się mnie chronić.

– Przede mną? Akurat. – Nagle złagodniał. – Do licha, Lynn, byłem dobrym mężem. Nie zasługuję na to.

Opuściła wzrok na talerz, ale zaraz spojrzała na niego oczami pełnymi bólu.

– Zawsze chodzi o ciebie, prawda, Jim? Od samego początku wszystko się kręciło wokół ciebie. Na co zasłużyłeś. Jak się czułeś. W jakim byłeś humorze. Przez całe życie starałam się ciebie zadowolić, ale nic z tego nie wyszło.

– To śmieszne. Robisz z igły widły. Posłuchaj, zapomnij, co wtedy powiedziałem. Nie mówiłem poważnie. Przechodziłem... bo ja wiem, chyba kryzys wieku średniego. Podobasz mi się taka, jaka jesteś. Byłaś najlepszą żoną, jakiej można sobie życzyć. Zapomnijmy o tym i niech będzie jak dawniej.

– Nie mogę. Ty też nie.

– Nie wiesz, co mówisz.

– Gdzieś w głębi tkwi w tobie złość i żal, które pojawiły się w dniu naszego ślubu i nigdy nie ustąpiły. Chcesz, żebym wróciła... to tylko przyzwyczajenie. Wiesz co, Jim? Ty mnie nawet nie lubisz. Chyba nigdy nie lubiłeś.

– To absurd. Niepotrzebnie dramatyzujesz. Powiedz, czego chcesz. Dostaniesz to.

– Teraz chcę sprawić sobie przyjemność.

– Proszę bardzo! Zrób to! Nie stoję ci na drodze, nie musisz w tym celu uciekać.

– Owszem, muszę.

– Będziesz mnie obwiniała o wszystko, prawda? No, proszę, do dzieła! Powiedz synom, jaki ze mnie drań. Tylko nie zapomnij dodać, że to ty odeszłaś po trzydziestu siedmiu latach małżeństwa, nie ja!

Patrzyła na niego spokojnie.

– Wiesz, co mi się wydaje? Że to ty odszedłeś ode mnie w dniu naszego ślubu.

– Wiedziałem, że będziesz mi wypominała przeszłość. Teraz chcesz mnie karać za błędy osiemnastolatka?

– Nie o to chodzi. Po prostu mam dosyć życia tą cząstką ciebie, która nadal ma osiemnaście lat, tą cząstką, która dotąd nie pogodziła się z faktem, że zrobiłeś dzieciaka Amber Lynn Glide i musisz ponieść konsekwencje. Z chłopakiem, któremu się wydaje, że zasługuje na coś lepszego. – Zniżyła głos, wyraźnie zmęczona. – Mam dosyć życia z poczuciem winy, Jim. Mam dosyć ciągłego sprawdzania się.

– Więc tego nie rób! Nie kazałem ci! Sama tego chciałaś!

– A teraz się zastanawiam, jak to odkręcić.

– Nie mieści mi się w głowie, że jesteś taka samolubna. Chcesz rozwodu, Lynn? O to ci chodzi? Bo jeśli chcesz rozwodu, powiedz od razu. Nie będę żył w próżni w nieskończoność. Powiedz od razu.

Myślał, że nią wstrząśnie, proponując coś niemożliwego. Tylko że szoku nie było. Wpadł w panikę. Dlaczego nie kazała mu przestać się wygłupiać, czemu nie powiedziała, że o rozwodzie nie ma mowy? Okazało się, że po raz kolejny niewłaściwie ocenił sytuację.

– Może tak byłoby najlepiej.

Zakręciło mu się w głowie.

Zamyśliła się, rozmarzyła.

– Wiesz, czego bym chciała? Żebyśmy mogli zacząć od nowa. Żebyśmy się dopiero poznali, żeby nie łączyła nas wspólna przeszłość. Wtedy, gdyby nam się nie udało, każde poszłoby w swoją stronę. A gdyby się udało… – ochrypła ze wzruszenia – bylibyśmy równorzędnymi partnerami. Byłaby… równowaga sił.

– Sił? – Strach plątał mu język. – Nie rozumiem.

Spojrzała na niego z litością.

– Naprawdę nie rozumiesz, Jim. Przez trzydzieści siedem lat naszego związku władza była w twoich rękach. Przez trzydzieści siedem lat byłam w naszym małżeństwie obywatelką gorszej kategorii. Nie mogę dłużej.

Mówiła spokojnie, jak dorosły tłumaczący coś dziecku, co rozwścieczyło go jeszcze bardziej.

– Możesz się rozwieść, proszę bardzo. Jeszcze ci to bokiem wyjdzie.

Cisnął na stół plik banknotów, nie zawracając sobie głowy liczeniem, i wybiegł, nawet na nią nie patrząc.

W holu poczuł, że jest mokry od potu. Wywróciła jego życie do góry nogami, jak na początku ich znajomości.

Zachciewa jej się władzy! Odkąd skończyła piętnaście lat, miała władzę nad jego życiem, zmieniła jego tor! Gdyby nie ona, byłoby inaczej. Nie wróciłby do Salvation, o nie. Poświęciłby się pracy naukowej albo związał z międzynarodową organizacją i jeździł po całym świecie, badając różne choroby zakaźne. Zawsze o tym marzył.

Miał miliony możliwości, a raczej miałby, gdyby nie musiał się z nią ożenić. Miał żonę i dzieci na utrzymaniu, więc zamiast skorzystać z szansy, wrócił do rodzinnego miasteczka z podkulonym ogonem i przejął praktykę po ojcu.

Stare żale nadal piekły. Jego życie zmieniło się nieodwracalnie, gdy był jeszcze zbyt młody, by sobie to uświadomić. I to ona mu to zrobiła, ta kobieta, która przed chwilą powiedziała, że nie miała władzy. Spieprzyła mu życie, a teraz obwinia jego.

Zatrzymał się w pół kroku i cała krew odpłynęła mu z twarzy. Jezu. Miała rację.

Opadł na kanapę przy ścianie, ukrył twarz w dłoniach. Sekundy przechodziły w minuty, a w jego umyśle wszystkie zasłony, którymi odgradzał się od prawdy, stopniowo opadały.

Nie myliła się, mówiąc, że miał do niej żal, ale rozgoryczenie tkwiło w nim od tak dawna, że właściwie już go nie zauważał. Miała rację. Po tylu latach ciągle miał do niej pretensje.

Przypomniał sobie, jak podczas minionych lat karał ją na różne sposoby: czepiał się drobiazgów, gasił ją, upierał się ślepo przy swoim, nie dostrzegał jej potrzeb. Tak traktował kobietę najbliższą jego sercu.

Chciało mu się płakać. Lynn miała rację. We wszystkim.

Rozdział 17

Jane DRŻĄCA RĘKĄ rozsmarowała migdałowy balsam na całym ciele, nie pomijając zaokrąglonego brzucha. Przez okno sypialni wpadało światło słoneczne. W pokoju obok czekała walizka Cala, spakowana na wyjazd do Austin. Rano podjęła decyzję i zamierzała wcielić plan w życie, zanim opuści ją odwaga.

Czesała włosy, by nabrały blasku, i nerwowo przyglądała się swojemu odbiciu. Usiłowała spojrzeć na siebie oczami Cala, ale myślała nie tyle o tym, jak wygląda, tylko jak nie wygląda. Z całą pewnością nie wygląda jak dziewczyna z rozkładówki „Playboya".

Z gniewnym okrzykiem wróciła do sypialni i włożyła najładniejszy szlafrok – morelowy, z zielonym szlaczkiem, jedwabny. Jest naukowcem, do licha! Kobietą sukcesu! Odkąd to jej wartość mierzy się obwodem bioder?

I od kiedy szanuje mężczyznę, który widzi w niej jedynie ciało? Jeśli jej wymiary nie spotkają się z aprobatą Cala, najwyższy czas się o tym dowiedzieć. Nie mają szans na trwały związek, jeśli trzyma go przy niej tylko ciekawość, jak wygląda nago.

A trwałego związku pragnęła najbardziej na świecie. Za bardzo bolała świadomość, że tylko ona angażuje się emocjonalnie. Nie może się dłużej zamartwiać, musi się dowiedzieć, czy łączy ich coś więcej, czy może jest kolejną zdobyczą Cala Bonnera.

Słyszała z oddali otwierane drzwi garażu. Serce podskoczyło jej w piersi. Więc wrócił do domu. Ogarnęły ją wątpliwości. Może powinna była wybrać bardziej odpowiedni moment, a nie dzień, w którym wybierał się na drugi koniec kontynentu? Może lepiej poczekać, aż będzie spokojniejsza? – tłumaczyła sobie.

Własne tchórzostwo napawało ją niesmakiem. Z trudem opanowała odruch, by włożyć na siebie wszystko, co znajdzie w szafie. Dzisiaj zrobi pierwszy krok w kierunku prawdy: czy postąpiła słusznie, oddając mu serce, czy nie.

Głęboko zaczerpnęła tchu, rozwiązała pasek szlafroka i na bosaka wyszła do holu.

– Jane?

– Tu jestem. – Zatrzymała się u szczytu schodów. Z wrażenia kręciło jej się w głowie.

Był piętro niżej.

– Zgadnij, kto… – urwał, widząc, że żona ma na sobie tylko cieniutki szlafroczek, i to w biały dzień.

Uśmiechnął się i wetknął ręce do kieszeni.

– Cóż, wiesz, jak powitać męża w domu!

Nie była w stanie wykrztusić słowa. Powoli rozchylała szlafrok, a w głębi serca szeptała bez słów: „Błagam, pragnij mnie za to, jaka jestem, a nie za to, jak wyglądam. Błagam, kochaj mnie choć odrobinkę". Szarpnęła mocniej i oto śliski jedwab leżał u jej stóp.

Ciepłe słoneczne światło odsłaniało wszystko: małe piersi, zaokrąglony brzuch, szerokie biodra i przeciętne nogi.

Cal wyglądał, jakby dostał zawrotu głowy. Jane oparła dłoń na poręczy i zeszła powoli na dół, spowita jedynie w migdałowy zapach.

Rozchylił usta. Oczy mu błyszczały.

Doszła do stóp schodów. Uśmiechnęła się.

Cal zwilżył wargi, jakby zaschło mu w ustach, i poprosił ochryple:

– Odwróć się, Eth.

– Za żadne skarby świata.

Jane gwałtownie podniosła głowę. Ku swojemu przerażeniu dostrzegła w drzwiach, tuż za Calem, wielebnego Ethana Bonnera.

Przyglądał się jej z jawnym zainteresowaniem.

Ze stłumionym jękiem uciekła na górę, aż za dobrze wiedząc, że tym samym prezentuje im w całej okazałości swoją odwrotną stronę. Poderwała szlafrok z podłogi i ukryła się w łazience. Oparła się plecami o drzwi. Nigdy w życiu nie było jej tak wstyd.

Wydawało się, że minęło zaledwie kilka sekund, gdy rozległo się delikatne pukanie.

– Kochanie? – W głosie Cala było napięcie, charakterystyczne dla kogoś, kto wie, że ma tylko kilka minut na rozbrojenie bomby.

– Nie ma mnie. Idź sobie. – Ku swojej rozpaczy miała łzy w oczach. Rozmyślała o tym od tak dawna, przywiązywała do tego taką wagę, a teraz wszystko przepadło.

Drzwi zadygotały.

– Skarbie, odsuń się i daj mi wejść.

Posłuchała, zbyt załamana, by się sprzeczać. Przycisnęła szlafrok do piersi i przywarła plecami do przeciwległej ściany.

Wszedł niepewnie, jak saper wkraczający na pole minowe.

– Wszystko w porządku, skarbie?

– Nie mów tak do mnie! Nigdy w życiu nie było mi tak wstyd!

– Niepotrzebnie, skarbie. Sprawiłaś Ethowi niespodziankę dnia. Ba, miesiąca. A może i roku. Że już nie wspomnę o sobie.

– Twój brat widział mnie nagą! Stałam tam, na schodach, golusieńka jak mnie Pan Bóg stworzył, i robiłam z siebie idiotkę!

– I tu się mylisz. W twojej nagości nie było nic idio-
tycznego. Skarbie, pozwól, powieszę ten szlafroczek, zanim
do końca go zniszczysz.

Przycisnęła jedwab do piersi.

– Patrzył na mnie przez cały czas, a ty nawet nie pi-
snąłeś. Dlaczego mnie nie ostrzegłeś, że nie jesteśmy sami?

– Zaskoczyłaś mnie, skarbie. Nie myślałem logicznie.
A Eth nie mógł nic na to poradzić, że patrzy. Od lat nie
widział pięknego ciała. Martwiłbym się raczej, gdyby nie
patrzył.

– Jest duchownym!

– Cóż za błogosławieństwo. Na pewno nie chcesz, żebym
powiesił szlafroczek?

– Kpisz sobie z całej sytuacji!

– Skądże znowu. Tylko gruboskórny cham uznałby tak
przerażające przeżycie za powód do śmiechu. Wiesz co?
Zaraz zejdę na dół i zabiję go, zanim stąd pójdzie.

Nie chciała się uśmiechać, wolała się naburmuszyć.
Zawsze miała na to ochotę, ale aż do dzisiaj nie bardzo
wiedziała, jak to zrobić. Teraz wydało się to naturalne.

– Przeżyłam największy szok w życiu, a ty sobie stroisz
żarty.

– Jestem wieprzem. – Przyciągnął ją lekko do siebie,
dotknął gołych pleców. – Na twoim miejscu kazałbym mi
iść do diabła, przecież nawet nie jestem godzien oddychać
tym samym powietrzem co ty.

– To prawda.

– Skarbie, naprawdę się martwię o ten śliczny szlafroczek. Gniecie się między nami, nic z niego nie będzie.
Oddaj mi go, dobrze?

Przywarła do niego, rozkoszując się ciepłem jego dłoni
na plecach, ale jeszcze się nie rozchmurzyła.

– Nigdy w życiu nie spojrzę mu w oczy. Już i tak uważa mnie za pogankę. A teraz?

– To fakt, ale Ethan od dziecka interesował się kobietami upadłymi. To jego przekleństwo.

– Na pewno zauważył, że jestem w ciąży.

– Jeśli go poproszę, nikomu o tym nie powie.

Westchnęła głośno.

– Muszę się z tym pogodzić, prawda?

Pogłaskał ją po policzku.

– Skarbie, w chwili, gdy stanęłaś u szczytu schodów, znalazłaś się w punkcie bez powrotu.

– Chyba tak.

– A skoro nie masz nic przeciwko temu, poczekaj tu chwileczkę. Rozsunę zasłony, żeby było widniej i żebym miał lepszy widok.

Westchnęła.

– Nie ułatwiasz mi niczego, prawda?

– Nie. – Po chwili popołudniowe słońce zalało pokój ciepłym światłem.

– A co z Ethanem?

– Nie jest głupi. Już dawno poszedł.

– Może się najpierw rozbierzesz?

– O, nie. Wiele razy widziałaś mnie nago. Teraz moja kolej.

– Jeśli myślisz, że będę tu stała goła, podczas gdy ty nie zdjąłeś nawet koszulki…

– Tak właśnie myślę. – Podszedł do łóżka, ułożył stertę poduszek przy wezgłowiu, ściągnął buty i ułożył się wygodnie. Założył ręce pod głowę, jak człowiek szykujący się na dobry film.

Irytacja i rozbawienie walczyły w niej o lepsze.

– A co, jeśli zmieniłam zdanie?

– Oboje wiemy, że jesteś zbyt dumna, by teraz się wycofać. Powiedz, chcesz, żebym zamknął oczy?

244

– Już widzę, jak to robisz. – Dlaczego właściwie robi z tego taką wielką sprawę? Jak na osobę o takim ilorazie inteligencji, jest głupia jak but. Niech go piekło pochłonie. Dlaczego po prostu nie wyrwał jej szlafroka i nie skończył tego wszystkiego? Ale nie, to byłoby zbyt proste. Wolał leżeć z irytującym błyskiem w oku i działać jej na nerwy. Denerwowała się coraz bardziej. To test dla niego, nie dla niej. To on ma jej coś udowodnić. Czas dać mu szansę.

Zamknęła oczy i zdjęła szlafrok.

Cisza jak makiem zasiał.

Tysiąc rzeczy przemknęło jej przez myśl, jedna gorsza od drugiej: nie podoba mu się, zemdlał na widok jej bioder, brzydzi go zaokrąglony brzuch.

Ta ostatnia myśl była jak zapalony lont. Co za bydlak! Gorzej niż bydlak! Którego mężczyznę brzydzi ciało kobiety noszącej jego dziecko? Jest gorszy niż bezmózgowce.

Uniosła powieki.

– Wiedziałam! Wiedziałam, że uznasz moje ciało za okropne! – Wzięła się pod boki, podeszła do łóżka i łypnęła na niego z góry. – A dla twojej wiadomości, dupku: słodkie seksowne maleństwa z twojej przeszłości może i miały idealne wymiary, ale nie rozróżniają protonu od leptonu. Jeśli ci się wydaje, że będę tu stała i pozwalała, byś mnie osądzał na podstawie moich bioder albo okrągłego brzucha, jesteś w błędzie. – Pogroziła mu palcem. – Tak wygląda dorosła kobieta, dupku! Bóg zaprojektował ludzkie ciało, żeby było użyteczne, nie żeby gapił się na nie ograniczony dureń, którego podniecają dziewuszki bawiące się Barbie!

– Cholera, muszę cię zakneblować. – Jednym ruchem pociągnął ją na łóżko, przydusił sobą i zamknął usta pocałunkiem.

Całował głęboko i mocno. Zaczął od ust, potem błądził po szyi, piersiach, brzuchu, udach. Jej gniew przerodził się w pożądanie.

Nie wiedziała dokładnie, kiedy się rozebrał, ale rozkoszowała się dotykiem jego silnego ciała. Jak na człowieka akcji, był bardzo powolnym kochankiem. W jasnym świetle słońca pieścił każdy skrawek jej ciała i sycił oczy jej widokiem, aż zaczęła go błagać.

– Proszę… nie wytrzymam dłużej.

Musnął ustami jej pierś. Jego oddech zdawał się parzyć skórę.

– Wytrzymasz o wiele, wiele dłużej, zanim skończymy.

Ukarała go na swój sposób, pieszcząc go tak, jak lubił, ale to tylko roznieciło jej pożądanie, więc oboje byli u kresu wytrzymałości. Przykrył ją sobą i wszedł. Szczytowała błyskawicznie.

– Widzisz, co zrobiłeś? – mruknęła, gdy już wróciła na ziemię.

Jego oczy pociemniały, jak wiosenne niebo przed burzą, a w głosie pojawiła się jedwabiście ostrzegawcza nuta.

– Biedactwo. Chyba musimy zacząć od nowa? – Wszedł w nią głęboko.

– Nie mam ochoty – skłamała.

– Więc zamknij oczy i poczekaj, aż skończę.

Roześmiała się. Pocałował ją i po chwili znowu zagubili się w sobie. Nigdy nie czuła się taka wolna. Zrzucając ubranie, odrzucała także wszelkie opory.

– Kocham cię – szepnęła, gdy w nią wchodził. – Tak bardzo cię kocham.

Całował ją, jakby spijał te słowa z jej ust.

– Moja piękna…

Odnaleźli wspólny rytm, stary jak świat, i razem wspinali się coraz wyżej. Kochał ją ciałem i, wiedziała to teraz, także sercem. Nie może być inaczej. Ta świadomość zaniosła ją na szczyt.

Następne kilka godzin spędzili w różnych fazach negliżu. Pozwolił jej włożyć niebieskie sandałki i nic więcej. Ona zgodziła się na czarny ręcznik dla niego, tyle że na karku, nie na biodrach.

Zjedli późny lunch w łóżku i wymyślali zmysłowe igraszki z plastrami pomarańczy. Później wzięli razem prysznic. Uklękła przed nim i kochała go, aż oboje stracili panowanie nad sobą.

Nie mogli się sobą nasycić. Miała wrażenie, że istnieje tylko po to, żeby go zaspokoić i przyjmować rozkosz, którą jej ofiaruje. Nikt nigdy tak jej nie kochał, nigdy nie była tak pewna swojej kobiecości. Czuła się silna i delikatna zarazem. Choć nic nie mówił, w głębi serca wiedziała, że ją kocha. Niemożliwe, by tylko ona odczuwała wszystko tak intensywnie.

Zwlekał z wyjazdem do ostatniej chwili. Gdy dżip opuszczał podjazd, uśmiechnęła się pod nosem.

Wszystko będzie dobrze.

Najlepszy zespół folkowy w Telarosa w Teksasie przygrywał skocznego two-stepa, ale Cal nie zatańczył ani z cheerleaderką z Dallas, ani z zabójczą panienką z Austin. Był niezłym tancerzem, tego wieczoru jednak nie miał ochoty na tańce, nie tylko dlatego, że kiepsko szło mu w turnieju golfowym. Ogarnęła go depresja posępna jak noc w górach.

Jeden z powodów tej depresji siedział teraz koło niego i wyglądał o wiele lepiej i pogodniej, niż można by się spodziewać po kimś, kto musiał się rozstać z piłką. Malutka blondyneczka, w przyszłości zapewne pożeraczka męskich serc, drzemała w jego ramionach. O ile Cal się nie myli, Wendy Susan Denton opuszczała ramiona tatusia tylko wtedy, gdy grał w golfa albo karmiła ją mama.

– Czy Gracie pokazała ci, jak rozbudowaliśmy dom? – zapytał Bobby Tom Denton. – Uznaliśmy, że potrzeba nam więcej miejsca. Poza tym odkąd Gracie została burmistrzem, uznała że musi mieć swój gabinet.

– Tak, B.T., Gracie mi pokazała. – Cal rozejrzał się w poszukiwaniu ucieczki, ale był osaczony. Przemknęło mu przez myśl, że rozmowy z żoną B.T., Gracie Snow Denton, okazały się jednym z nielicznych przyjemnych akcentów tego weekendu. W tym czasie Bobby Tom oprowadzał reporterów po polu golfowym, zabierając Wendy ze sobą, więc Cal nie musiał patrzeć na małe zawiniątko i myśleć o przyszłości.

Ku swemu zdumieniu bardzo polubił mamę Wendy, choć pani burmistrz Gracie wcale nie wyglądała na kobietę, z którą ożeniłby się legendarny Bobby Tom. Kiedyś otaczał się pięknościami o wielkich biustach, a Gracie nie miała się czym pochwalić w tej dziedzinie. Była za to miła, to pewne. Prostolinijna i troskliwa. Trochę tak jak pani profesor, tylko że nie przerywała rozmowy w połowie, pogrążając się w rozważaniach zawiłej teorii, którą oprócz niej rozumie może z tuzin naukowców na całym świecie.

– Gracie i ja świetnie się bawiliśmy, projektując nową część domu. – Bobby Tom uśmiechnął się szeroko i przesunął kowbojski kapelusz na tył głowy. Zdaniem Cala Boby mógłby nauczyć nawet Ethana, jak wyglądać niczym prawdziwa gwiazda filmowa, chociaż czas zostawił na twarzy B.T. swoje ślady.

– A mówiła ci, że kupiłem w zachodnim Teksasie całą starą nawierzchnię ulicy? Gracie się dowiedziała, że chcą ją zalać asfaltem, więc pojechałem tam i dobiłem z nimi targu. Nie ma to jak stary bruk. Radzę ci, zajrzyj na tyły domu i zobacz, jak to wygląda.

Bobby Tom rozprawiał o starych cegłach i płytkach, jakby to było najważniejsze na świecie, a dzieciak uśmiechał się słodko, ssał palec i co jakiś czas miłośnie spoglądał na tatusia. Calowi zaczynało brakować powietrza.

Zaledwie dwie godziny wcześniej podsłuchał, jak słynny sportowiec rozprawia z Phoebe Calebow, właścicielką Gwiazd, o karmieniu piersią! Otóż B.T. nie jest wcale pewien, czy Gracie robi to właściwie. Jego zdaniem podchodzi do tego za mało poważnie. Bobby Tom, który nie podchodził poważnie do niczego poza piłką, teraz zachowuje się, jakby karmienie dzieciaka piersią było najważniejszą sprawą na świecie!

Na samo wspomnienie Cala zlał zimny pot. Do tej pory był pewien, że Bobby Tom tylko udaje, że robi dobrą minę do złej gry, ale teraz się przekonał, że B.T. naprawdę w to wierzy. Nie zdaje sobie sprawy, że coś jest nie tak. Przecież to straszne, że jeden z lepszych zawodowych graczy w historii ligi NFL uważa żonę, dziecko i stare cegły za najważniejsze w życiu! Cal nigdy by nie uwierzył, że legendarny Bobby Tom Denton zapomni kim jest, a właśnie tak się stało.

Ku jego uldze Gracie zawołała B.T. do siebie. Zanim odszedł, Cal dostrzegł na jego twarzy wyraz błogości. Poczuł się, jakby oberwał w splot słoneczny.

Dokończył piwo i spróbował sobie wmówić, że ani razu nie spojrzał takim wzrokiem na panią profesor... tylko że wcale nie był tego pewien. Pani profesor postawiła jego życie na głowie. Bóg jeden wie, jakie durne miny robi w jej obecności.

Gdyby nie wyznała mu miłości, nie denerwowałby się tak bardzo. Dlaczego to zrobiła? W pierwszej chwili zrobiło mu się ciepło na sercu, gdy to usłyszał. Było coś cudownego w tym, że wybrała go kobieta tak mądra, zabawna i dobra jak pani profesor. To się jednak zmieniło, gdy przybył do Telarosy i zobaczył życie Bobby'ego Toma.

Może Bobby Tom czuje się dobrze z tą całą stabilizacją, ale nie Cal. Kiedy odejdzie z boiska, nic na niego nie czeka: żadna fundacja, żadna praca, nic, co pozwoliłoby mu chodzić z dumnie podniesioną głową. I tu jest pies pogrzebany, przyznał w końcu.

Jak można być prawdziwym mężczyzną, nie pracując? Bobby Tom ma fundację, ale Cal nie posiada jego talentu pomnażania pieniędzy. Po prostu trzymał je w banku i żył z odsetek. Po skończonym meczu Cala nie czeka nic.

Nic i nikt, tylko Jane. Kiedy się wczoraj z nią żegnał, na pewno wiedziała, że on nie myśli już o ich związku jako o czymś przejściowym. Teraz chodzą jej po głowie ręczniki z monogramem, stare cegły i nowe meble. Tylko że on nie ma na to najmniejszej ochoty, podobnie jak nie chciał jej miłosnych wyznań! Lada chwila każe mu malować ściany i wybierać nową wykładzinę. Skoro sama wyznała mu miłość, będzie oczekiwała tego samego od niego, a jeszcze nie jest gotów. Jeszcze nie. Nie teraz, gdy jedyne, na czym się zna, to gra w piłkę. Nie teraz, gdy zbliża się najtrudniejszy sezon w jego karierze.

Cal grał w golfa w Teksasie, a Jane chodziła na dalekie spacery i marzyła o przyszłości. Wyobrażała sobie, gdzie zamieszkają, w myślach tak układała swój plan zajęć, by choć czasami towarzyszyć mężowi w wyjazdach. W niedzielne popołudnie zerwała w kuchni obrzydliwe tapety w róże i ugotowała domowy rosół.

W poniedziałkowy ranek obudził ją szum prysznica, domyśliła się więc, że Cal wrócił wieczorem, gdy zasnęła.

Żałowała, że nie dołączył do niej w łóżku. W ciągu minionych tygodni zwykła dotrzymywać mu towarzystwa, gdy się golił, ale teraz drzwi do łazienki były szczelnie zamknięte. Zobaczyła go dopiero w kuchni, przy śniadaniu.

– Witaj w domu – odezwała się miękko i czekała, aż ją przytuli. On zaś mruknął coś niewyraźnie pod nosem.

– Jak turniej? – zapytała.

– Kiepsko.

To wyjaśniało jego zły humor.

Zaniósł pusty talerz do zlewu, zalał wodą. Nagle odwrócił się do niej i groźnie wskazał gołe ściany.

– Nie lubię wracać do domu i zastawać ruinę.

– Przecież nie uwierzę, że podobały ci się te róże.

– To nie ma znaczenia. Powinnaś była ze mną porozmawiać, zanim samowolnie zabrałaś się za zmiany w moim domu.

Po czułym kochanku, o którym marzyła przez cały weekend, nie było śladu. Zrobiło jej się nieswojo. Przywykła uważać to gmaszysko za swój dom, ale Cal najwyraźniej nie był tego zdania. Głęboko zaczerpnęła tchu i spróbowała zachować spokój.

– Nie przypuszczałam, że będziesz miał coś przeciwko.

– A jednak mam.

– No dobrze, wybierzemy inne tapety. Sama je położę.

Wpadł w panikę.

– Ja nie wybieram tapet, pani profesor! Nigdy! Ty zresztą też nie! Daj mi spokój! – Porwał kluczyki.

– Chcesz, żeby to tak zostało?

– Właśnie.

Zastanawiała się, czy posłać faceta do diabła, czy starać się go uspokoić. Uznała, że lepsze będzie to drugie. Jakby nie było, zawsze zdąży posłać go do diabła.

– Ugotowałam rosół. Wrócisz na kolację?

– Nie wiem. Wrócę, kiedy zechcę. Nie próbuj mnie udomowić, pani profesor, bo to ci się nie uda. – Z tymi słowami zniknął w garażu.

Przycupnęła na stołku i wmawiała sobie, że nie może przesadzać. Cal jest zmęczony, zły, kiepsko szła mu gra, dlatego tak się zachowuje. Nie ma najmniejszych powodów, by podejrzewać, że jego zachowanie ma cokolwiek wspólnego z tym, co zaszło przed jego wyjazdem. Mimo fatalnego usposobienia tego ranka, Cal jest porządnym człowiekiem. Nie odtrąci jej tylko dlatego, że rozebrała się w środku dnia i wyznała mu miłość.

Zmusiła się do zjedzenia połówki tostu i starała się nie myśleć, dlaczego tak długo nie pokazywała mu się nago. A co, jeśli miała rację? Może teraz, gdy nie stanowi już dla niego wyzwania, stracił wszelkie zainteresowanie? Dwa dni temu gotowa była przysiąc, że ją kocha, teraz nie była już taka pewna.

Wiedziała, że marnuje czas, ale zamiast pracować, bez celu włóczyła się po domu. Zadzwonił telefon; dwa dzwonki oznaczały służbową linię Cala. Nigdy nie podnosiła słuchawki.

Mijała akurat drzwi jego gabinetu, gdy włączyła się sekretarka automatyczna i rozległ się głos, który doskonale pamiętała:

– Cal, tu Brian Delgado. Słuchaj, musimy jak najszybciej pogadać. Na urlopie wymyśliłem, jak możemy to załatwić. Na szare komórki nic tak dobrze nie działa jak porządna plaża. Szkoda tylko, że to tak długo trwało. W każdym razie w weekend miałem spotkanie w tej sprawie i chyba wygramy. Ale jeśli mamy to zrobić, musimy działać natychmiast. – Zawiesił głos dla lepszego efektu. – Z oczywistych przyczyn nie chciałem używać faksu, więc wysłałem ci

252

wszystko pocztą kurierską w sobotę, tak że dzisiaj rano powinno do ciebie dotrzeć. Zadzwoń, gdy przeczytasz – zachichotał. – Wszystkiego najlepszego!

Aż za dobrze pamiętała Briana Delgado, prawnika Cala: chciwe oczy, pogardliwy sposób bycia, aroganckie zachowanie. Coś ją w nim drażniło, chyba fałsz w głosie. Co za niemiły człowiek.

Zerknęła na zegarek. Dziewiąta. Już i tak zmarnowała dzisiaj dużo czasu, nie pozwoli, by telefon Briana Delgado zepsuł jej humor do reszty. Wróciła do kuchni, nalała sobie kawy i poszła do siebie.

Włączyła komputer. Widząc datę na monitorze, poczuła dreszcz. W pierwszej chwili nie wiedziała dlaczego, zaraz jednak zrozumiała. Piąty maja. Pobrali się dwa miesiące temu. Wszystkiego najlepszego.

Przycisnęła palec do ust. Czyżby zbieg okoliczności? Przypomniała sobie słowa Delgado: „Z oczywistych przyczyn nie chciałem użyć faksu"… Z jakich przyczyn? Takich, że mogłaby przeczytać tajemniczy raport przed Calem? Zerwała się z krzesła, zbiegła do jego gabinetu i ponownie odsłuchała wiadomość.

Tuż przed dziesiątą zjawił się kurier FedEx. Pokwitowała odbiór. W gabinecie Cala bez chwili wahania otworzyła przesyłkę.

Raport był bardzo długi i zawierał wiele błędów; dowód, że Delgado pisał go samodzielnie. Nic dziwnego. Ze złamanym sercem czytała jego propozycję i starała się pogodzić z faktem, że Cal się z nią kochał, a jednocześnie knuł zemstę.

Minęła godzina, zanim zdołała pójść na górę i zabrać się za pakowanie. Zadzwoniła do Kevina i kazała mu przyjechać. Kiedy zobaczył walizki, zaczął protestować, ale nie słuchała. Dopiero gdy zagroziła, że sama zniesie komputer, zgodził się zataszczyć go do samochodu. Później kazała mu odejść, usiadła w fotelu i czekała na Cala. Dawna Jane wymknęłaby się chyłkiem, nowa musiała porozmawiać z nim po raz ostatni.

Rozdział 18

JANE NIE WYJECHAŁA!

Cal dostrzegł ją przez okno. Stała wpatrzona w Heartache Mountain. Mięśnie, których napięcia nawet nie poczuł, rozluźniły się. Nadal tu jest.

Ćwiczył w klubie sportowym, gdy Kevin wpadł z wiadomością, że jego żona spakowała komputer i jest gotowa wracać do Chicago. Kevin szukał go przez dłuższy czas, dlatego w drodze do domu Cal zamartwiał się, że już jej nie zastanie.

Nie pojmował, czemu chciała zrobić coś takiego. Owszem, rano zachował się okropnie. Żałował tego od samego początku i obiecał sobie, że wróci na czas, by zjeść jej domowy rosołek. Przecież Jane nie ucieka. Wyobrażał sobie raczej, że wali go w głowę żeliwnym rondlem, niż że wsiada w samochód i odjeżdża.

Stała przed nim, starannie ubrana i zapięta po szyję, i nagle przemknęło mu przez głowę, że chyba tylko jego młodszy brat przykłada taką samą wagę do stroju. Na podróż włożyła bawełnianą sukienkę z podwyższonym stanem, kremową, zapinaną na guziki do samego dołu. Była luźna, tak że nikt by się nie domyślił, że Jane jest w ciąży. Zakrywała jej nogi, ale nie szczupłe kostki i smukłe stopy w brązowych sandałkach.

Szylkretowa opaska podtrzymywała jej włosy. Widząc, jak promienie słońca lśnią w złotych kosmykach, zauważył, jaka jest ładna. Jego żona to kobieta z klasą. Patrząc na nią, doświadczał wielu sprzecznych uczuć: czułości i pożądania, zagubienia i gniewu, żalu i pragnienia. Dlaczego akurat teraz urządza mu awanturę? Wystarczy jeden zły humor w rodzinie, a dzisiaj przyszła jego kolej.

Tylko że jego zły humor nie stanowił problemu. Kilka godzin w sypialni i Jane zapomni, jak po chamsku się dzisiaj zachował, podobnie jak odechce jej się wracać do Chicago. Nie, prawdziwy problem leży gdzie indziej. Dlaczego wyznała mu miłość? Czy nie rozumie, że te słowa wszystko zmieniły?

Byłoby inaczej, gdyby wkroczyła w jego życie dziesięć lat temu, zanim uświadomił sobie, że poza sportem nie ma nic. Pani profesor łatwo myśleć o stabilizacji. Ma pracy do końca życia. W przeciwieństwie do niego. Miał przykre wrażenie, że jego życie zmierza w niewłaściwym kierunku, odpowiednim może dla Bobby'ego Toma Dentona, ale nie dla niego.

Gdy dotykał klamki, jedno wiedział na pewno: Jane bardzo się zdenerwowała, a najlepszym sposobem uspokojenia jej będzie zaciągnąć ją do łóżka. Ale zanim się tam znajdą, będzie się musiał gęsto tłumaczyć.

– Cześć, pani profesor.

Jane odwróciła się w tamtą stronę i zobaczyła, jak wchodzi; potężny, wspaniały, spocony, w dresie. Coś dławiło ją w gardle.

Oparł się o poręcz tarasu i uśmiechnął łobuzersko.

– Byłem na treningu i nie zdążyłem się umyć, więc lepiej biegnij na górę i puść wodę, chyba że masz ochotę na naprawdę brudny seks.

Wsunęła ręce do kieszeni sukienki i weszła na drewniane stopnie werandy. Jak może zachowywać się tak beztrosko po tym, co zrobił?

– Brian Delgado dzwonił rano. – Weszła na werandę.

– Mhm. Wykąpiesz się ze mną i umyjesz mi plecy, dobrze?

– Przysłał raport. Przeczytałam go.

To go zainteresowało, ale nie przestraszyło.

– A od kiedy interesują cię moje kontrakty?

– To raport o mnie.

Spoważniał.

– Gdzie on jest?

– Na twoim biurku. – Popatrzyła mu prosto w oczy, starając się zignorować bolesny ucisk w gardle.

– Masz podjąć decyzję co do mnie jak najszybciej, bo zarząd Laboratorium Preeze ma posiedzenie już za dwa dni. Na szczęście twój prawnik już się zabrał do dzieła. Umówił się z Jerrym Milesem i dopracowali wszystkie niesmaczne szczegóły. Musisz tylko podpisać czek.

– Nie mam pojęcia, o co ci chodzi.

– Nie kłam! – Zacisnęła pięści. – Kazałeś Delgado mnie zniszczyć!

– Zaraz do niego zadzwonię i wszystko wyjaśnię. To nieporozumienie. – Podszedł do drzwi, ale uprzedziła go.

– Nieporozumienie? – Nie starała się nawet ukryć goryczy. – Każesz mu zniszczyć moją karierę i nazywasz to nieporozumieniem?

– Nie kazałem. Daj mi godzinę, a wszystko ci wytłumaczę.

– Teraz.

Chyba zrozumiał, że zasługuje na więcej, bo odsunął się od drzwi.

– Powiedz, co jest w tym raporcie.

256

– Delgado uknuł to z Jerrym Milesem, dyrektorem Laboratorium Preeze. Wypłacisz im potężną sumę pod warunkiem, że mnie zwolnią. – Głęboko zaczerpnęła tchu. – Jerry chce się z tobą skontaktować, zanim mnie wyleje, a w środę zawiadomi zarząd o twojej hojności.

Cal zmełł w zębach przekleństwo.

– Niech no ja go dostanę w swoje ręce! Nie po raz pierwszy Delgado działa samowolnie.

– Chcesz powiedzieć, że to jego pomysł?

– Tak jest.

Uczucia nie pozwalały jej mówić.

– Nie rób tego, Cal. Nie igraj ze mną.

Wpadł we wściekłość.

– Wiesz przecież, że nie zrobiłbym czegoś takiego!

– Więc nie kazałeś mu dowiedzieć się o mnie jak najwięcej? Nie kazałeś znaleźć mojego słabego punktu?

Potarł szczękę wierzchem dłoni. Nigdy nie widziała go równie wzburzonego.

– To było dawno. To skomplikowana sprawa.

– Jestem bardzo inteligentna, wytłumacz mi.

Podszedł do drzwi. Nie patrzył jej w oczy.

– Nie zapominaj, jak się między nami układało na początku. Nie chciałem, by uszło ci na sucho, że zrobiłaś ze mnie balona, i chciałem cię ukarać. – Wsunął ręce do kieszeni dresu, by zaraz znowu je wyjąć. – Powiedziałem Brianowi, że chcę wyrównać rachunki i poleciłem, by dowiedział się o tobie wszystkiego, co się da.

– I czego się dowiedziałeś?

– Że nie masz żadnych mrocznych tajemnic. – W końcu na nią spojrzał. – Że jesteś inteligentna i oddana temu, co robisz. I że praca jest dla ciebie najważniejsza.

– Nie trzeba chyba bandy detektywów, żeby to zauważyć.

– Wtedy tego nie wiedziałem.

– Więc postanowiłeś odebrać mi pracę – powiedziała cicho.

– Nie! – Zacisnął dłoń na klamce. – Po pierwszych kilku tygodniach ochłonąłem i darowałem sobie! Dałem temu spokój!

– Nie wierzę. Żaden prawnik nie zacząłby czegoś takiego bez pełnomocnictwa.

– Miał moje pełnomocnictwo. Nie do tej sprawy, ale… – Wszedł do domu. – Po prostu nigdy nie powiedziałem mu wyraźnie, że ma przestać.

– Dlaczego? – Ruszyła za nim.

– Nie rozmawialiśmy na ten temat. – Zatrzymał się przy kominku. – Miałem inne rzeczy na głowie. A potem Delgado wyjechał na urlop, a ja unikałem jego telefonów.

– Czemu?

– Nie miałem ochoty rozmawiać o interesach.

– Nie jestem interesem.

– Nie, nie jesteś. Po prostu nie pomyślałem, że to, co jest między nami, może mieć jakiś wpływ na… – denerwował się coraz bardziej. – Nawet przez myśl mi nie przeszło, że podejmie jakiekolwiek działania przeciwko tobie bez mojego wyraźnego zezwolenia.

– Z tego, co mówisz, wynika, że już je otrzymał.

– Tak, ale… – rozłożył bezradnie ręce – Jane, przepraszam. Naprawdę nie sądziłem, że podejmie jakąkolwiek decyzję beze mnie.

To powinno poprawić jej humor. Jakkolwiek by nie było, okazało się, że nie spiskował przeciwko niej podczas ostatniego miesiąca. Tymczasem nadal było jej bardzo przykro.

– Nie doszłoby do tego, gdybyś kazał mu odwołać psy. Dlaczego tego nie zrobiłeś, Cal? Bałeś się, że wyjdziesz na mięczaka?

– Uznałem, że to nieistotne, zrozum. Między nami się ułożyło i wcale nie myślałem o zemście.

– Szkoda tylko, że go o tym nie zawiadomiłeś.

Przeczesał już i tak zmierzwione włosy.

– Posłuchaj, nic się nie stało. Nie mam zamiaru dać im ani grosza, a jeśli chcą cię zwolnić, załatwię ich pozwem o dyskryminację.

– To moja sprawa, Cal, nie twoja.

– Daj mi kilka godzin, a wszystko załatwię, obiecuję.

– A wtedy co? – zapytała cicho.

– Wtedy nie będziesz miała powodów do zmartwień.

– Nie o to mi chodzi. Kiedy to załatwisz, co będzie z nami?

– Nic. Wszystko zostanie po staremu. – Skierował się do gabinetu. – Muszę teraz wykonać kilka telefonów, potem rozpakuję twój samochód, a później wyskoczymy gdzieś na kolację. Ciągle nie mieści mi się w głowie, że chciałaś wyjechać.

Weszła za nim do gabinetu, ale zatrzymała się w progu. Rozcierała ramiona, ale chłód pochodził z jej wnętrza, nie z otoczenia.

– Chyba już nie będzie jak dawniej.

– Ależ tak. – Podszedł do biurka. – Przysięgam na Boga, wyleję Delgado na zbity pysk.

– Nie obwiniaj go za coś, co sam zacząłeś – zauważyła cicho.

Obrócił się na pięcie.

– Nie waż się tak mówić! To ty wszystko zaczęłaś, nie zapominaj!

– Jak bym mogła, skoro wypominasz mi to przy byle okazji?

Spojrzał na nią wrogo; odpowiedziała tą samą monetą. Po chwili jednak opuściła wzrok. Wzajemne obarczanie się winą do niczego nie doprowadzi.

Wsunęła dłonie w kieszenie sukienki i perswadowała sobie, że jej najgorsze obawy okazały się bezpodstawne. Nie spiskował przeciwko niej. Mimo wszystko okropny ucisk w żołądku nie chciał ustąpić. To, co się między nimi działo, to symbol wszystkich problemów, które ich dzielą, problemów, które dotychczas ignorowała, wmawiała sobie, że nie istnieją.

Przypomniała sobie, jak zaledwie kilka dni temu żywiła nadzieję, że Cal ją kocha. Przypomniała sobie wszystkie zamki z piasku.

Cóż za ironia losu, że osoba o tak ścisłym umyśle pozwoliła sobie na bezpodstawne mrzonki.

Wyjęła ręce z kieszeni.

– Muszę wiedzieć, co dalej, Cal. Co do mnie czujesz.

– O co ci chodzi?

Sądząc po głosie, wiedział doskonale, o co jej chodzi.

– Co do mnie czujesz?

– Wiesz przecież.

– Nie, nie wiem.

– W takim razie chyba mnie nie słuchałaś.

Utrudnia wszystko jeszcze bardziej, ale ona się nie podda. Nie czas na marzenia. Musi wiedzieć dokładnie, na czym stoi.

– O ile sobie przypominam, powiedziałeś kiedyś, że mnie lubisz.

– Oczywiście, że cię lubię, wiesz o tym.

Patrząc mu prosto w oczy, wymówiła słowa, które nie chciały przejść jej przez gardło:

– Powiedziałam ci, że cię kocham.

Odwrócił wzrok; nie mógł wytrzymać jej spojrzenia.

– Cóż… jestem zaszczycony.

Wbiła paznokcie w dłonie.

– Wcale na to nie wygląda. Raczej umierasz ze strachu. I nie odwzajemniasz mojego uczucia.

– A cóż to ma znaczyć? – Podszedł do biurka. – Jest nam ze sobą lepiej, niż kiedykolwiek przypuszczaliśmy, będziemy mieli dziecko. Dlaczego przyklejać do tego etykietkę? Zależy mi na tobie. Moim zdaniem to bardzo dużo. – Usiadł, jakby rozmowa dobiegła końca.

Nie zostawi tego w ten sposób. Może czegoś się nauczyła podczas ostatnich miesięcy, może przemawiał przez nią upór, ale uważała, że powinien dorzucić coś więcej oprócz seksu i poczucia humoru.

– Obawiam się, że to za mało, jeśli mamy myśleć o przyszłości.

Niecierpliwie machnął ręką.

– Przyszłość sama przyjdzie. Przecież żadne z nas nie chce na razie podejmować poważnych decyzji.

– Kiedy ostatnio rozmawialiśmy na ten temat, stanęło na tym, że rozejdziemy się po narodzinach dziecka. Nadal tego chcesz?

– Jeszcze do tego daleko. Skąd mam wiedzieć, co się wydarzy?

– Ale czy nadal tego chcesz?

– Taki był pierwotny plan.

– A teraz?

– Nie wiem! Skąd mam to wiedzieć? Poczekajmy, co przyniesie jutro.

– Nie mogę dłużej żyć z dnia na dzień.

– Cóż, na razie tak musi być.

Nie zdecyduje się na nic trwałego, a ona nie zgodzi się na nic innego. Miała łzy w oczach, ale powstrzymywała je dzielnie. Musi się teraz wycofać, póki jeszcze się trzyma, i zrobić to, zachowując resztki godności.

– Nie zniosę tego dłużej, Cal. Nie chciałam się w tobie zakochać, wiem, że mnie o to nie prosiłeś, ale tak się stało.

Najwyraźniej zawsze psuję wszystko, co ma związek z tobą. – Zwilżyła suche usta. – Wracam do Chicago.

Zerwał się jak oparzony.

– Ani się waż!

– Odezwę się do ciebie, kiedy dziecko przyjdzie na świat, ale do tego czasu będziemy się porozumiewali wyłącznie poprzez prawników. Obiecuję, nie będę ci utrudniała kontaktów z dzieckiem.

– Uciekasz. – Najeżył się, gotów do ataku. – Nie masz odwagi, by zostać i walczyć, więc uciekasz.

Starała się mówić spokojnie.

– A o co mam walczyć? Przecież i tak chcesz rozwodu.

– Nie spieszy mi się.

– I co z tego? Jesteśmy przyjaciółmi, nie ma się o co złościć.

Zabolało, a przecież wiedziała już, że traktuje ich małżeństwo jako coś przejściowego. Odwróciła się i wyszła do holu.

Był przy niej w ułamku sekundy. Spochmurniał, na skroni pulsowała mu żyłka. Nie dziwiło jej to. Mężczyzna pokroju Cala nie lubi ultimatum.

– Jeśli myślisz, że za tobą pobiegnę, jesteś w błędzie. Kiedy wyjdziesz z tego domu, koniec z nami! Znikasz z mojego życia, jasne?

Skinęła sztywno głową, oślepiona łzami.

– Mówię poważnie, Jane!

Bez słowa wyszła na dwór.

Cal nie patrzył, jak odjeżdża, tylko zamknął drzwi kopniakiem, pobiegł do kuchni i wyjął z szafki butelkę whisky. W pierwszej chwili nie mógł się zdecydować: wypić czy cisnąć o ścianę? Prędzej go piekło pochłonie, niż da się zmusić do czegoś, na co nie ma ochoty.

Odkręcił zakrętkę i przytknął butelkę do ust. Szkocka paliła go w gardle. Skoro sama tego chciała, niech ma. Otarł usta wierzchem dłoni. Najwyższy czas, żeby jego życie wróciło do normy.

Tylko że zamiast poczuć się lepiej, miał ochotę zawyć jak pies. Upił kolejny łyk i wyliczał wszystkie jej przewinienia wobec niego.

Ofiarował jej więcej niż jakiejkolwiek kobiecie: swoją przyjaźń! A co ona na to? Ciska mu ją w twarz, tylko dlatego, że nie upadł na kolana i nie poprosił o dożywocie przy wybieraniu pieprzonej tapety!

Zacisnął dłonie na butelce. Nie podda się. Jest wiele młodszych, ładniejszych kobiet, kobiet, z którymi nie trzeba się kłócić o byle głupstwo, kobiet, które są posłuszne i uległe. Właśnie takich kobiet mu trzeba. Młodych, pięknych i posłusznych.

Pociągnął jeszcze łyk i poszedł do swojego gabinetu, żeby się porządnie upić.

Jane nie mogłaby wyjechać, nie pożegnawszy się z Annie. W tej chwili nie powinna także ulec rozpaczy, więc nerwowo trzepotała powiekami i tłumiła szloch, jadąc krętą szosą na Heartache Mountain. Samochodu Lynn nigdzie nie było widać. Dziękowała Opatrzności, że zdoła pożegnać się ze staruszką bez świadków.

Dom bardzo się zmienił, odkąd widziała go po raz pierwszy. Cal pomalował go na biało. Naprawił krzywe okiennice i spróchniałe schodki. Weszła, wołając Annie. Starała się nie myśleć o szczęśliwych, radosnych chwilach, jakie tu spędziła.

Zobaczyła Annie przez siatkę w drzwiach. Staruszka siedziała na werandzie i łuskała groszek. Obserwując rytmiczne ruchy starych palców, miała ochotę wyręczyć ją w tej pracy. Łuskanie groszku to jedna z nielicznych czynności, których nie zmieniła nowoczesna technologia. Dzisiaj robiło się to tak samo jak przed stu laty.

Nagle wydało jej się, że taka praca dałaby jej coś trwałego, stanowiłaby ogniwo łączące ją z pokoleniami kobiet z przeszłości, kobiet, które łuskały groszek i żyły dalej, mimo serca złamanego przez mężczyznę, który nie odwzajemniał ich uczuć.

Zagryzła usta i podeszła bliżej. Annie podniosła głowę.

– Najwyższy czas, żebyś do mnie wpadła.

Jane przysiadła na leżaku i utkwiła wzrok w zielonych łupinkach. W tej chwili stanowiły centrum jej świata.

– Mogę?

– Ale uważaj, nie rozsypuj.

– Dobrze. – Ostrożnie rozerwała strączek i patrzyła, jak zielone kuleczki wpadają do miski.

– To groszek ze sklepu, mój będzie lepszy.

– Szkoda, że mnie tu nie będzie, żeby go skosztować. – Jej głos był prawie normalny. Może troszkę cichszy, bardziej bezbarwny, ale prawie normalny.

– Dojrzeją, zanim będziecie musieli wracać do Chicago.

Jane nic nie powiedziała, tylko sięgnęła po następny strączek.

Przez kilka minut łuskała w milczeniu, a Annie obserwowała drozda na krzewie magnolii. Niestety, zamiast spodziewanego spokoju, milczenie Annie, ciepłe słońce i monotonna praca do cna skruszyły jej i tak osłabione nerwy.

Pojedyncza łza spłynęła po policzku i upadła na bawełniany przód sukienki, potem następna i jeszcze jedna. Wyrwał jej się cichy szloch. Nadal łuskała groszek, ale nie powstrzymywała już rozpaczy.

Annie odprowadziła wzrokiem ptaszka, który odleciał, i zainteresowała się wiewiórką. Łzy Jane kapały do miski z groszkiem.

Staruszka nuciła coś pod nosem. Jane skończyła łuskać, ale gorączkowo szukała w misce całych strączków.

Annie sięgnęła do kieszeni starego fartucha, wyjęła różową chusteczkę i podała jej. Jane wytarła nos i zaczęła mówić:

– Annie... będę za tobą tęskniła, ale... nie wytrzymam dłużej. Muszę odejść. On... on mnie nie kocha.

Annie z dezaprobatą wydęła usta.

– Calvin sam nie wie, co czuje.

– Chyba jest na tyle dorosły, że mógłby się zoriento-wać. – Głośno wydmuchała nos.

– Nie znałam mężczyzny, który tak jak on obawiałby się starości. Zazwyczaj to kobiety walczą z czasem.

– Nie mogłam odejść bez pożegnania. – Musi stąd uciec. Mało brakowało, a rozsypałaby groszek, tak energicznie wstała.

– Uważaj, bo wszystko wywalisz.

Jane odstawiła miskę na ziemię. Annie z trudem dźwi-gnęła się z fotela.

– Dobra z ciebie dziewczyna, Janie Bonner. Calvin zrozumie.

– Wątpię.

– Czasami żona musi wykazać się cierpliwością.

– Chyba nie potrafię. – Rozpłakała się jeszcze bardziej. – Zresztą, tak naprawdę nie jestem jego żoną.

– Co za bzdura!

Nie miała siły, by się kłócić, więc tylko serdecznie objęła kruchą staruszkę.

– Dziękuję za wszystko, Annie. Czas na mnie. – Od-wróciła się powoli.

I wtedy zobaczyła Lynn Bonner.

Rozdział 19

Odchodzisz od mojego syna?

Lynn wydawała się zagubiona i zdziwiona. Podeszła bliżej, a pod Jane ugięły się kolana. Dlaczego zwlekała tak długo? Dlaczego szybko nie pożegnała się z Annie i nie wyjechała od razu? Otarła łzy wierzchem dłoni.

Annie nie dopuściła jej do słowa.

– Amber Lynn, na kolację będzie zielony groszek, i to ze słoniną, czy ci się to podoba, czy nie.

Lynn nie zwróciła na nią uwagi. Podeszła do Jane.

– Powiedz, czemu odchodzisz od Cala?

Jane starała się przybrać maskę chłodnej i wyniosłej suki, jak tego oczekiwała Lynn.

– Powinnaś być mi wdzięczna – prychnęła. – Byłam fatalną żoną.

Ale te słowa wywołały nowe łzy. Nieprawda, do cholery! Jest najlepszą żoną, jaką mógł sobie wymarzyć! Odwróciła się.

– Naprawdę? – W głosie Lynn słyszała troskę.

Musi stąd uciec, zanim rozklei się zupełnie.

– Muszę zdążyć na samolot. Porozmawiaj z Calem, wszystko ci wyjaśni.

Już miała zejść ze stopni na podwórze, ale zdumiony krzyk Lynn sprawił, że zatrzymała się w pół kroku:

– Mój Boże! Jesteś w ciąży!

Obróciła się na pięcie i zobaczyła wzrok Lynn utkwiony w okolicach jej talii. Automatycznie spojrzała w dół i dopiero teraz uświadomiła sobie, że odruchowo zakryła brzuch ochronnym gestem. Przy tym sukienka przywarła do ciała i zaokrąglenie stało się doskonale widoczne. Wyprostowała się szybko, ale było już za późno.

Lynn nie wiedziała, co o tym myśleć.

– Czy to Cala?

– Amber Lynn Glide! – warknęła Annie. – Gdzie się podziały twoje maniery?

Lynn była raczej wstrząśnięta niż zła.

– A skąd mam wiedzieć, czy to jego, skoro niczego już nie rozumiem w tym małżeństwie? Nie wiem, co w sobie widzą, jak się poznali. Nie wiem nawet, czemu ona płacze. – Urwała nagle. – Wszystko jest nie tak.

W Jane coś pękło. Widząc niepokój Lynn, zrozumiała, że musi jej wyznać całą prawdę. Cal chciał dobrze, ale w rezultacie krzywdził rodziców, zamiast ich chronić. Jeśli minione miesiące czegokolwiek ją nauczyły, to przede wszystkim tego, że kłamstwo nieuchronnie prowadzi do cierpienia.

– To dziecko Cala – powiedziała cicho. – Przepraszam, że dowiedziałaś się o tym w taki sposób.

Lynn nie ukrywała, że jej przykro.

– Ale on nigdy… nigdy nic nie wspomniał. Dlaczego?

– Chciał mnie chronić.

– Przed czym?

– Przed tobą i Jimem. Nie chciał, żebyście się dowiedzieli, co mu zrobiłam.

– Powiedz! – zareagowała jak lwica w obronie lwiątka; nie szkodzi, że lwiątko zdążyło wyrosnąć na władcę sawanny. – Powiedz!

Annie podniosła miskę z ziemi.

– Idę do kuchni ugotować groszek po swojemu. Janie Bonner, nie ruszaj się stąd, póki nie wyjaśnicie sobie wszystkiego z Amber Lynn, jasne? – Poczłapała do kuchni.

Nogi Jane odmówiły jej posłuszeństwa; osunęła się na leżak. Lynn przycupnęła na fotelu naprzeciwko. Zacisnęła usta w wąską kreskę, jakby szykowała się do kłótni. Jane pomyślała o młodziutkiej dziewczynie, która nad ranem piekła ciastka, żeby zapewnić dach nad głową mężowi i synkowi.

Droga sukienka z żółtego lnu i bursztynowy naszyjnik nie skrywają faktu, że umie walczyć o swoje.

Jane nerwowo zaplotła dłonie.

– Cal chciał wam oszczędzić cierpienia. I tak tyle przeszliście podczas ostatniego roku. Uważał... – Opuściła wzrok. – Prawda jest taka: rozpaczliwie pragnęłam dziecka i podstępnie uwiodłam Cala, żeby zajść w ciążę.

– Co zrobiłaś?

Jane zmusiła się, by podnieść głowę.

– Postąpiłam źle. Niewłaściwie. Nie chciałam, by się o tym dowiedział.

– Ale się dowiedział.

Skinęła głową.

Lynn zacisnęła usta.

– Kto podjął decyzję o ślubie?

– On. Zagroził, że wystąpi o wyłączne prawo opieki, jeśli się nie zgodzę. Teraz znam go lepiej i wiem, że by tego nie zrobił, ale wtedy uwierzyłam.

Głęboko zaczerpnęła tchu i opowiedziała Lynn o tamtym poranku, gdy otworzyła drzwi i zastała na progu Jodie Pulanski; mówiła, jaki prezent chcieli Calowi sprawić koledzy z drużyny; tłumaczyła, jak bardzo pragnęła dziecka i jak desperacko szukała odpowiedniego ojca. Mówiła prosto, nie starała się usprawiedliwiać.

Gdy opisywała, jak zobaczyła Cala w telewizji i postanowiła go wykorzystać, Lynn przycisnęła dłoń do ust. Jęk przerażenia mieszał się z tłumionym chichotem na granicy histerii.

– Chcesz powiedzieć, że wybrałaś go, bo sądziłaś, że jest głupi?

Rozważała, czy tłumaczyć, że powiedział „poszłem" i wyglądał tak cudownie głupio, ale uznała, że lepiej dać spokój. Matki nigdy nie zrozumieją pewnych rzeczy.

– Pomyliłam się, choć zdałam sobie z tego sprawę dopiero kilka tygodni po naszym ślubie.

– Wszyscy wiedzą, że Cal jest bardzo inteligentny. Jak mogłaś tak źle go osądzić?

– Najwyraźniej niektórzy nie są tak bystrzy jak im się wydaje. – Opowiadała dalej: o szumie, jaki ich ślub wywołał w mediach i o decyzji Cala co do przyjazdu do Salvation.

W oczach Lynn błysnął gniew, ale ku zdumieniu Jane nie był wymierzony w nią.

– Cal powinien był wyznać mi prawdę na samym początku.

– Nie chciał, by ktokolwiek się dowiedział. Twierdził, że nie umiecie kłamać i prawda zaraz wyszłaby na jaw.

– Nie zwierzył się nawet Ethanowi?

Pokręciła przecząco głową.

– W zeszły piątek Ethan widział mnie… Cóż, wie, że jestem w ciąży, ale Cal kazał mu przysiąc, że nie piśnie ani słówka.

Lynn zmrużyła oczy.

– To nie wszystko. To nie tłumaczy twojej wrogości wobec nas.

Jane nerwowo splatała i rozplatała dłonie, ale zmusiła się, by patrzeć Lynn w oczy.

– Zgodziłam się na rozwód zaraz po narodzinach dziecka. Niedawno straciliście jedną synową i wnuka; byłoby okrucieństwem sprawiać, byście pokochali inną, którą też stracicie. Nie żebyście zaraz mieli mnie pokochać – dodała pospiesznie. – Mimo wszystko nie miałam prawa wchodzić do rodziny, skoro nie planowałam zostać na stałe.

– Więc postanowiłaś zachowywać się jak najgorzej.

– Wydawało się to najrozsądniejszym wyjściem z sytuacji.

– Rozumiem. – Z jej twarzy niewiele dało się wyczytać i Jane uświadomiła sobie nagle, że znowu widzi taką Lynn, jak podczas ich pierwszego spotkania. Czuła na sobie badawcze spojrzenie niebieskich oczu. – Co czujesz do Cala?

Jane zawahała się i stwierdziła wymijająco:

– Mam wyrzuty sumienia. Postąpiłam okropnie.

– Wszyscy twierdzili, że złapałam Jima na ciążę, ale to nieprawda.

– Lynn, miałaś piętnaście lat, a ja mam trzydzieści cztery. Wiedziałam doskonale, co robię.

– A teraz chcesz to naprawić, uciekając?

Po wszystkim, co powiedziała, spodziewała się raczej, że Lynn będzie zachwycona, mogąc się jej pozbyć.

– On… on nie jest gotów na trwały związek, więc właściwie nie ma znaczenia, kiedy wyjadę. Muszę wracać do pracy, zaszły pewne nieprzewidziane okoliczności. Tak będzie lepiej.

– Jeśli będzie lepiej, czemu wypłakujesz sobie oczy?

Poczuła, że głos jej drży.

– Nie naciskaj, Lynn, proszę.

– Zakochałaś się w nim, tak?

Zerwała się z fotela.

– Muszę iść. Obiecuję, że nie będę wam utrudniała kontaktów z dzieckiem. Nie mogłabym trzymać was z dala od wnuka.

– Mówisz poważnie?

– Oczywiście.

– Nie będziesz się starała trzymać nas z dala od wnuka?

– Nie.

– No dobrze, trzymam cię za słowo. – Wstała. – Od tej chwili.

– Nie rozumiem.

– Chcę mieć wnuka przy sobie od tej chwili. – Cichemu głosowi przeczył stanowczy grymas ust. – Nie chcę, żebyś wyjeżdżała z Salvation.

– Muszę.

– Już łamiesz słowo?

Denerwowała się coraz bardziej.

– Dziecko jeszcze nie przyszło na świat. Czego ode mnie chcesz?

– Chcę cię poznać. Odkąd się znamy, otaczała cię zasłona dymna.

– Wiesz, że oszukałam twojego syna w ohydny sposób. Czy to nie dość?

– Nie wiem dlaczego, ale nie. Nie wiem, co Cal do ciebie czuje, wiem tylko, że ostatnio był szczęśliwy jak nigdy. I nie wiem, dlaczego Annie tak bardzo cię lubi. Moja matka jest trudna, ale nie głupia. Więc może zobaczyła coś, co mi umknęło?

Jane zaplotła ramiona.

– Prosisz o rzecz niemożliwą. Nie wrócę do Cala.

– Więc zostań tu, z Annie i ze mną.

– Tutaj?

– A co, może to za skromny dom?

– Nie o to chodzi. – Już, już miała powiedzieć coś o pracy, ale nagle zabrakło jej sił. Dość już na dzisiaj dramatów. Robiło jej się słabo na samą myśl o jeździe do Asheville i locie do Chicago.

Wśród konarów magnolii błysnął zimorodek i nagle zdała sobie sprawę, że tak naprawdę chce tu zostać; tu, na Heartache Mountain. Tylko na krótko. Lynn jest babką jej dziecka i zna całą prawdę. Chyba może pomieszkać z nią troszeczkę i pokazać, że nie jest zła, tylko słaba?

Było jej niedobrze, marzyła o filiżance herbaty i domowym ciasteczku. Chciała patrzeć na ptaki wśród gałęzi i wypełniać polecenia Annie. Chciała siedzieć w słońcu i łuskać groszek.

Lynn czekała cierpliwie. W końcu Jane odpowiedziała:

– Dobrze, ale tylko na kilka dni i pod jednym warunkiem: obiecasz, że nie pozwolisz Calowi tu przyjechać. Nie chcę go więcej widzieć. Nie mogę.

– W porządku.

– Obiecaj, Lynn.

– Obiecuję.

Lynn pomogła jej wytaszczyć walizkę z samochodu i pokazała gościnny pokój na końcu korytarza. Stało tam wąskie żelazne łóżko i stara maszyna do szycia Singera. Na pożółkłych tapetach widniały błękitne chabry. Lynn zostawiła ją samą. Jane była zbyt zmęczona, by się rozpakować. Zasnęła błyskawicznie. Obudziło ją dopiero wołanie Lynn na kolację.

Posiłek upływał zadziwiająco spokojnie, choć Annie mamrotała przez cały czas, że Lynn nie dodała masła do ziemniaków. Kończyły zmywać, gdy zadzwonił telefon. Lynn podniosła słuchawkę. Jane zorientowała się, kto dzwoni.

– Jak turniej golfowy? – Lynn machinalnie kręciła kabel w palcach. – A to szkoda. – Zerknęła na Jane, nachmurzyła się. – Tak, dobrze słyszałeś. Jest tutaj… tak… Porozmawiać z nią?

Jane pokręciła przecząco głową i posłała jej błagalne spojrzenie. Annie poderwała się od stołu i mrucząc coś gniewnie, przeszła do saloniku.

– Nie, Jane nie chce z tobą rozmawiać… nie, nie mogę jej zmusić… Przykro mi, Cal, nie wiem, jakie ma plany, wiem tylko, że nie chce cię widzieć. – Zmarszczyła czoło. – Uważaj, jak do mnie mówisz, młody człowieku, i sam sobie przekazuj swoje wiadomości!

Milczała przez dłuższą chwilę, ale słowa Cala chyba jej nie uspokajały, bo mars na czole pogłębiał się coraz bardziej.

– Wszystko bardzo pięknie, ale ty i ja musimy sobie wiele wyjaśnić. Zaczniemy od tego, że twoja żona jest w czwartym miesiącu ciąży, a ty nie raczyłeś mnie zawiadomić!

Czas mijał. Mars na czole Lynn wygładzał się stopniowo.

– Ach, tak... rozumiem.

Jane czuła się jak intruz, więc poszła do Annie, do saloniku. Staruszka drzemała na kanapie; nie przeszkadzały jej w tym wieczorne wiadomości. Jane akurat usiadła w fotelu, gdy weszła Lynn.

Zatrzymała się progu i zaplotła ręce na piersi.

– Cal przedstawił mi inną wersję, Jane.

– Tak?

– Nie wspomniał, że go wykorzystałaś.

– A co powiedział?

– Że mieliście przelotny romans i zaszłaś w ciążę.

Uśmiechnęła się lekko. Po raz pierwszy tego dnia poczuła się odrobinę lepiej.

– To miło z jego strony. – Zerknęła na Lynn. – Wiesz, że kłamie, prawda?

Lynn wzruszyła ramionami.

– Na razie w ogóle nie wiem, co o tym wszystkim sądzić.

Annie gwałtownie podniosła głowę.

– Jeśli nie macie do powiedzenia nic ważniejszego niż pan Phillips w telewizorze, trzymajcie buzie na kłódkę.

Trzymały buzie na kłódkę.

Później, gdy Jane zasnęła, a Annie oglądała kanał muzyczny, niewątpliwie z nadzieją, że pokaże się Harry Connick Junior, Lynn starała się uporządkować myśli. Bardzo tęskniła za Jimem, brakowało jej charakterystycznej krzątaniny po domu, ciepłego głosu w środku nocy, gdy uspokajał jakiegoś zdenerwowanego rodzica przez telefon.

Brakowało ciepła jego dużego ciała, ba, nawet tego, że codziennie źle składał gazetę. Brakowało jej własnego domu i własnej kuchni, ale jednocześnie po raz pierwszy od lat ogarnął ją spokój.

Jim ma rację. Utracił dziewczynę, którą przed laty poślubił, ale wie, że to nie jej pragnie teraz. Pragnął siebie samego takim, jakim był wtedy, w szkole, pełnego nadziei osiemnastolatka.

Zdawała sobie sprawę, że nigdy już nie będzie tamtą beztroską dziewczynką. Nie będzie także opanowaną, chłodną panią doktorową Bonner, którą teściowa nauczyła poskramiać wszelkie trywialne przejawy uczucia.

Więc kim jest? Kobietą, która kocha swoich bliskich, tego była pewna. Lubi sztukę, a gór potrzebuje do życia tak samo jak powietrza. I nie wystarczą jej już okruchy uczuć od mężczyzny, którego kocha od piętnastego roku życia.

Tylko że Jim jest uparty i dumny. Kiedy nie uległa na słowo „rozwód", to było dla niego wyzwanie. Jim nigdy nie rzucał słów na wiatr: jeśli Lynn nie wróci do domu, spełni groźbę i przeprowadzi rozwód. Już taki jest, uparty jak osioł, zupełnie jak jego syn. Prędzej się złamie, niż ugnie przed kimś karku.

Problemy jej i Jima zaczęły się ponad trzydzieści pięć lat temu, ale co z Calem? Umiała czytać między wierszami i z opowieści Jane wywnioskowała, że Cal wzdragał się przed trwałym związkiem, którego pragnęła jego żona.

Dlaczego perspektywa stabilizacji wprawia Cala w panikę? Przecież wychował się w kochającej rodzinie. Dlaczego tak się broni przed założeniem własnej?

Od dziecka najbardziej liczyło się dla niego współzawodnictwo. Pamiętała, jak uczyła go grać w klasy – ledwie umiał chodzić, a co dopiero skakać na jednej nodze. Sama była wówczas dzieckiem i najstarszy syn był dla niej także towarzyszem zabaw. Rysowała klasy na chodniku przed domem. Nigdy nie zapomni, z jakim skupieniem i determinacją starał się jej dorównać. Podejrzewała, że żona i dziecko symbolizowały w jego oczach koniec najważniejszej części jego życia, po której nic go nie czeka.

Pewnie zaraz po rozmowie z nią zadzwonił do ojca i powiedział mu o dziecku. Znała Jima doskonale, wiedziała, że ucieszy się na wieść o nowym członku rodziny i że jak ona będzie się martwił o Cala. W przeciwieństwie do niej nie pomyśli jednak o kobiecie śpiącej w gościnnym pokoju.

Lynn zerknęła na matkę.

– Calowi chyba zależy na Jane, w innym wypadku nie okłamałby mnie.

– Calvin ją kocha, tylko sam jeszcze o tym nie wie.

– Ty też nie. Nie na pewno. – Choć sama to sprowokowała, drażniła ją wszystkowiedząca mina matki. A może po prostu nadal jest zła, że Annie zna Jane lepiej niż ona?

– Myśl sobie co chcesz – prychnęła Annie. – Ja i tak wiem swoje.

– Na przykład?

– Po pierwsze, ona nie da sobie w kaszę dmuchać i to się Calowi podoba. I nie boi się z nim kłócić. Drugiej takiej jak Janie Bonner ze świecą nie znajdziesz.

– Więc dlaczego od niego odeszła?

– Chyba nie może się uporać ze swoją miłością. Bo bardzo go kocha, tego twojego syna. Żałuj, że nie widziałaś, jak na siebie patrzą, kiedy im się wydaje, że nikt nie widzi. Dobrze, że nie spalili mi domu.

Lynn przypomniała sobie, jaki Cal był ostatnio szczęśliwy, a także łzy Jane, i musiała przyznać, że matka chyba ma rację.

Annie obserwowała ją chytrze.

– Będą mieli mądrego dzieciaka.

– Na to wygląda.

– Moim zdaniem taki dzieciak nie powinien dorastać sam. Popatrz tylko, biedna Janie Bonner była taka nieszczęśliwa, że aż się wpakowała w tę kabałę.

– Masz rację.

– Mówiła, że jako dziecko czuła się jak dziwadło.

– Rozumiem ją.

– Taki dzieciak musi mieć rodzeństwo.

– Tak, ale do tego trzeba rodziców pod jednym dachem.

– A jakże. – Annie poprawiła się w fotelu i westchnęła. – Chyba nie mamy wyboru, Amber Lynn, i musimy upolować następnego Bonnera.

Lynn uśmiechnęła się pod nosem. Wyszła na werandę, kiedy matka poszła spać. Annie powtarzała uparcie, że wtedy celowo zastawiły sidła na Jima. Nie była to prawda, ale Lynn już dawno przestała starać się jej cokolwiek wytłumaczyć. Annie wierzyła w to, co chciała.

Dochodziła północ. Chłodne nocne powietrze przenikało cienką koszulę, więc zapięła suwak starej bluzy Cala. Zapatrzona w gwiazdy pomyślała, o ileż lepiej je widać ze szczytu Heartache Mountain niż z jej domu w mieście.

Warkot silnika wyrwał ją z zadumy. To na pewno Cal albo Ethan. Miała nadzieję, że to najstarszy syn jedzie po żonę. Zaraz jednak przypomniała sobie swoją obietnicę, że postara się trzymać go z dala od niej. Zmarszczyła brwi.

Jak się okazało, samochód nie należał ani do Cala, ani do Ethana, tylko do jej męża. Nie wierzyła własnym oczom. Odkąd wyprowadziła się z domu, Jim nie przyjechał do niej ani razu.

Pomyślała o ich gorzkim rozstaniu w piątek. Czyżby przywiózł wizytówkę swojego prawnika i pozew rozwodowy? Nie miała pojęcia, jak się załatwia rozwód. Wiedziała tylko, że trzeba się skontaktować z prawnikiem. Czy to wszystko? Umawiasz się z prawnikiem i zanim się obejrzysz, małżeństwo należy do przeszłości?

Jim wysiadł z samochodu i szedł ku niej tym długim, powolnym krokiem, który przyprawiał ją o szybsze bicie serca, odkąd sięgała pamięcią. Właściwie mogła się tego spodziewać. Cal już go zawiadomił i perspektywa narodzin wnuka dała mu kolejny pretekst, by ją namawiać do powrotu. Oparła się o świeżo pomalowaną kolumienkę.

Zatrzymał się przy schodach i podniósł na nią oczy. Milczał przez długą chwilę i tylko na nią patrzył, a gdy w końcu się odezwał, w jego głosie była dziwna, obca nuta.

– Mam nadzieję, że nie przestraszyłem pani tak późną wizytą?

– Nic nie szkodzi, jeszcze nie spałam.

Opuścił wzrok i nagle Lynn doznała wrażenia, że chciałby uciec gdzie pieprz rośnie, ale to niemożliwe. Jim nigdy nie ucieka.

Popatrzył na nią z jakże znajomym błyskiem uporu.

– Jestem Jim Bonner.

Gapiła się bez słowa.

– Lekarz z Salvation.

Czyżby postradał rozum?

– Jim, co z tobą?

Wyglądał, jakby nie wiedział, co powiedzieć; ale przecież to mu się zdarzyło tylko raz, po śmierci Cherry i Jamiego.

Zacisnął ręce, ale zaraz je opuścił.

– Będę z panią szczery: jestem żonaty od trzydziestu siedmiu lat, ale moje małżeństwo wisi na włosku. Jestem z tego powodu w depresji i ciągnęło mnie, żeby zajrzeć do butelki, aż pomyślałem, że może poszukam kobiecego towarzystwa. – Głęboko zaczerpnął tchu. – Słyszałem, że tu na górze mieszka bardzo miła dama ze starą szaloną matką, i tak mi przyszło do głowy, że może da się zaprosić na kolację albo do kina – uśmiechnął się lekko. – Jeśli nie ma pani nic przeciwko romansowi z żonatym mężczyzną, ma się rozumieć.

– Zapraszasz mnie na randkę?

– Tak, szanowna pani. Dawno tego nie robiłem, ale chyba jeszcze nie wszystko zapomniałem.

Uniosła dłoń do ust. Jej serce wezbrało uczuciem. W piątek powiedziała, że chciałaby, by zaczęli od nowa, jak obcy sobie ludzie, ale Jim był wówczas taki zły, że myślała, iż w ogóle jej nie słyszał. Po tylu latach nie sądziła, by zdołał ją czymkolwiek zaskoczyć, a jednak…

Z trudem opanowała ochotę, by rzucić mu się na szyję i wszystko wybaczyć. Nie wybaczy mu tylko dlatego, że zdobył się na mały wysiłek. Przecież to nie wynagrodzi jej lat zaniedbania. Ciekawe, jak wiele wytrzyma.

– Może do siebie nie pasujemy – rzuciła ostrożnie.

– Może nie, ale nie przekonamy się o tym, dopóki nie spróbujemy.

– Sama nie wiem. Mojej mamie to się nie spodoba.

– Matkę proszę zostawić mnie. Doskonale sobie radzę ze staruszkami, nawet jeśli mają nierówno pod sufitem.

Mało brakowało, a roześmiałaby się na głos. Pomyśleć tylko, uparty Jim Bonner w tak romantycznej sytuacji! Była zachwycona i wzruszona, ale coś jej przeszkadzało. Nagle zrozumiała i posmutniała. Przez całe życie miała wrażenie, że żebrze o jego uwagę i uczucie; zawsze była gotowa iść na ustępstwa. On nigdy z niczego dla niej nie rezygnował, bo niczego nie żądała. Nigdy nie rzucała mu kłód pod nogi, a teraz jest gotowa wracać w podskokach tylko dlatego, że zdobył się na mały gest.

Pamiętała go jako napalonego nastolatka. Początkowo nie podobało jej się, jak się kochali, ale nawet przez myśl jej nie przeszło mu odmówić, choć wolałaby siedzieć z nim w kawiarni i plotkować o kolegach z klasy. Nagle ją to rozzłościło. Zranił ją, odbierając jej dziewictwo. Nie naumyślnie, ale jednak ją zranił.

– Pomyślę o tym – powiedziała spokojnie, otuliła się bluzą i weszła do domu.

Odjechał, wzniecając tuman kurzu, zupełnie jak wkurzony nastolatek.

Rozdział 20

Cal zdołał trzymać się z dala od Heartache Mountain przez dwa tygodnie. W pierwszym upił się trzy razy i uderzył Kevina Tuckera, który nie posłuchał go i nie wyjechał gdzie pieprz rośnie. W drugim co chwila wybierał się do Jane, ale duma powstrzymywała go w ostatnim momencie. Przecież to ona odeszła! To nie on wszystko zepsuł idiotycznymi żądaniami.

Co gorsza, nie wiadomo, czy te głupie kobiety w ogóle wpuściłyby go do domu. Najwyraźniej jedyni mężczyźni, którzy mieli wstęp na Heartache Mountain, to Ethan, który się nie liczy, bo to Ethan, i Kevin Tucker, który się liczy jak cholera. Cal pienił się ze złości na myśl, że Kevin jeździ do nich, kiedy tylko przyjdzie mu ochota, a one żartują z nim, karmią go i rozpieszczają! Tuckera, który, na domiar złego, nie wiadomo kiedy wprowadził się do Cala!

Pierwszego wieczoru, gdy upił się w sztok w klubie Mountaineer, Tucker odebrał mu kluczyki, jakby Cal był na tyle głupi, żeby jeździć po pijanemu. Wtedy chciał mu dołożyć, ale nie robił tego z przekonaniem i nie trafił.

Pamiętał tylko, że siedział w mitsubishi Kevina za siedemdziesiąt tysięcy dolarów i jechali do domu. Od tej pory nie mógł się pozbyć szczeniaka.

Dałby sobie rękę uciąć, że go nie zapraszał, ba, pamiętał, że pokazał mu drzwi, ale Kevin Tucker łaził za nim krok w krok, jak ogar, choć przecież wynajął sobie ładny domek, że już nie wspomni o Sally Terryman. I nagle, nie wiadomo jakim cudem, oglądali w najlepsze stare mecze na wideo i Cal tłumaczył mu, na czym polega naprawdę dobry atak.

Przynajmniej dzięki temu nie rozmyślał o pani profesor, aż go głowa bolała, ale i tak nie miał pojęcia, co dalej z tym fantem zrobić. Nie był gotów do małżeństwa po wsze czasy, nie teraz, kiedy musi grać w piłkę, i nie później, gdy będzie miał przed sobą puste, jałowe życie. Ale nie może także utracić Jane. Dlaczego wszystko zagmatwała? Było im tak dobrze.

Mowy nie ma, żeby na kolanach poczołgał się na Heartache Mountain i błagał ją o przebaczenie. On takich rzeczy nie robi. Potrzebował pretekstu, żeby tam pojechać, ale nic nie przychodziło mu do głowy, w każdym razie nic, co mógłby powiedzieć na głos.

Nadal nie rozumiał, czemu Jane od razu nie wróciła do Chicago, ale i cieszył się, bo tym sposobem może jeszcze odzyska rozum i do niego wróci. Powiedziała, że go kocha, a Jane nie rzuca słów na wiatr. Może właśnie dzisiaj zrozumiała, że popełniła błąd, i zaraz przyjedzie?

Zadzwonił dzwonek do drzwi, ale Cal nie był w humorze, więc nie zwrócił na to uwagi. Ostatnio źle sypiał, odżywiał się przeważnie kanapkami. Nawet płatki owocowe straciły swój urok, zbyt wiele wspomnień się z nimi wiązało, więc zamiast śniadania pił kawę. Potarł zarośnięty policzek;

kiedy ostatnio się golił? Nie pamięta, ale nie ma ochoty na golenie. Nie ma ochoty na nic poza oglądaniem nagrań meczów i wrzeszczeniem na Kevina.

Dzwonek zabrzmiał ponownie. Cal zmarszczył brwi. To nie Tucker, sukinsyn zdobył klucz, nie wiadomo skąd. Może to…

Serce fiknęło mu w piersi koziołka, gdy jak wariat biegł do drzwi. Niestety, na progu stała nie pani profesor, tylko jego ojciec.

Jim wpadł jak burza, wywijając brukowcem.

– Widziałeś? Maggie Lowell podsunęła mi to pod nos, akurat kiedy skończyłem badać jej dzieciaka. Na Boga, na twoim miejscu pozwałbym tę babę do sądu i zdarł z niej ostatnią koszulę, a jeśli ty tego nie zrobisz, możesz na mnie liczyć! Nie obchodzi mnie, co o niej powiesz! Od początku mi się nie podobała, ale ty byłeś zaślepiony! – urwał, gdy uważniej przyjrzał się synowi. – Coś ty z siebie zrobił? Wyglądasz okropnie.

Cal wyrwał mu gazetę. Pierwsze, co zobaczył, to zdjęcie jego i pani profesor. Zrobiono je na lotnisku w Chicago, zanim odlecieli do Karoliny Północnej. Była smutna, on zły. Jednak to nie zdjęcie przyprawiło go o zimny dreszcz, tylko podpis:

„Złapałam najlepszego i najgłupszego piłkarza w lidze NFL – opowiada doktor Jane Darlington Bonner".

– Cholera.

– Będziesz przeklinał o wiele gorzej, kiedy to przeczytasz! – wrzasnął Jim. – Nie obchodzi mnie, czy jest w ciąży, czy nie, kłamie jak najęta! Twierdzi, że była twoim prezentem urodzinowym, że udawała prostytutkę, żeby zajść w ciążę. Skąd ty ją wytrzasnąłeś?

– Już ci mówiłem, tato. Mieliśmy romans i zaszła w ciążę. Pech.

– Cóż, najwyraźniej prawda okazała się zbyt pospolita, więc wymyśliła tę bajeczkę. I wiesz co? Czytelnicy w to uwierzą.

Cal zgniótł gazetę. Szukał pretekstu, by pojechać na Heartache Mountain. Wreszcie go znalazł.

Życie bez mężczyzn było cudowne, tak sobie przynajmniej wmawiały. Jane i Lynn jak kotki wygrzewały się w słońcu, czesały się dopiero po południu. Wieczorami podawały Annie ziemniaki z mięsem, a same zajadały gruszki z twarożkiem i nazywały to kolacją. Nie odbierały telefonów, nie nosiły staników, Lynn nawet powiesiła plakat przystojnego młodzieńca w kąpielówkach na ścianie w kuchni. Ilekroć w radiu śpiewał Rod Stewart, tańczyły. Jane pozbyła się dawnych obiekcji, jej stopy tylko śmigały po podłodze.

Stary mały domek stał się dla niej prawdziwym domem. Łuskała groszek, zbierała polne kwiaty, którymi dekorowała stół. Wkładała je do szklanek, słoików, nawet do poobijanego kubka, który Lynn znalazła na górnej półce. Nie pojmowała, czemu tak bardzo zbliżyły się z Lynn; może przyczyniło się do tego podobieństwo ich mężów? Przecież nie potrzebowały słów, by zrozumieć swój ból.

Dopuszczały Kevina do swojego grona, bo je bawił. Potrafił wywołać śmiech, sprawiał, że czuły się piękne i godne pożądania, nawet z gałązkami we włosach i sokiem na ustach. Dopuszczały także Ethana, bo nie miały serca go wyrzucić, ale oddychały z ulgą, gdy się żegnał, bowiem nie potrafił ukryć troski.

Lynn porzuciła spotkania towarzyskie i dopasowane kostiumy. Nie farbowała włosów, nie pielęgnowała paznokci. Komputer Jane ciągle tkwił w bagażniku escorta. Nie zawracała sobie głowy Teorią Wszystkiego, wolała wylegiwać się na starym szezlongu na werandzie i czekać na dziecko.

Niczego im nie brakowało do szczęścia. Powtarzały to sobie każdego dnia. Potem jednak słońce chyliło się ku zachodowi i rozmowy się rwały. Jedna z nich wzdychała ciężko, druga wpatrywała się w mrok.

Wraz z nocą do małego starego domku na Heartache Mountain przychodziła samotność. Łapały się na tym, że nasłuchują, czy na ścieżce nie rozlegną się ciężkie kroki, głęboki głos. Za dnia pamiętały, że ukochani je zawiedli, ale nocami kobiece gospodarstwo spowijał smutek. Chodziły spać coraz wcześniej, żeby noc była jak najkrótsza, żeby jak najszybciej nadszedł świt.

Ich dni były do siebie bardzo podobne. Tamten dzień, dwa tygodnie po przybyciu Jane na Heartache Mountain, zaczął się jak wszystkie inne. Podała Annie śniadanie, posprzątała, poszła na spacer. Kiedy wróciła, zachwyciła ją piosenka Mariah Carey, więc oderwała Lynn od prasowania i zatańczyła z nią w saloniku. Potem odpoczywała na werandzie. Po lunchu szykowała się do pracy w ogródku.

Ramiona ją bolały, ale dzielnie pieliła grządki fasolki i groszku. Było gorąco, postąpiłaby rozsądniej, robiąc to rano, lecz organizacja czasu straciła dla niej wszelki urok. Rano wolała wsłuchiwać się w bicie dziecięcego serduszka.

Wyprostowała się, żeby ulżyć obolałym plecom, i podparła na motyce. Popołudniowa bryza przylepiła jej starą bawełnianą sukienkę do ciała.

Może dzisiaj poprosi Kevina albo Ethana, żeby wyjęli jej komputer, o ile oczywiście dzisiaj je odwiedzą. A może nie. Co będzie, jeśli zacznie pracować, a w radiu zagra Rod Stewart? Albo w ogródku wyrosną nowe chwasty?

Nie, praca to kiepski pomysł, choć Jerry Miles zapewne już spiskuje za jej plecami. Praca to kiepski pomysł, kiedy ma się ogródek do pielenia i dziecko do kochania. Teoria Wszystkiego ją kusiła, ale mierziła biurokracja. Wolała wpatrywać się w górskie szczyty i udawać, że na nich kończy się jej świat.

I tak zastał ją Cal. W ogrodzie, opartą na motyce, z twarzą zwróconą ku słońcu.

Wstrzymał oddech, widząc ją w starej, spranej sukience. Złote włosy tworzyły jasną koronę. Wydawała się częścią nieba i ziemi, jednym z żywiołów.

Pot i wiatr przykleiły cienki materiał do ciała, obnażyły piersi i brzuch, w którym nosi jego dziecko. Rozpięła górne guziki i kołnierzyk rozchylił się, odsłaniając opalony, wilgotny dekolt.

Była opalona i brudna. Wyglądała jak kobieta z gór, jedna z tych dzielnych, zrezygnowanych żon, które podczas Wielkiego Kryzysu z trudem wydzierały jałowej glebie skąpe plony.

Nie zmieniła pozycji, tylko otarła czoło, zostawiając na nim brudną smugę. Zaschło mu w ustach, gdy patrzył na małe krągłe piersi i zaokrąglony brzuch. Nigdy nie wydawała mu się równie piękna jak teraz, w ogrodzie jego babki, nieumalowana. Widać po niej było każdy rok z jej trzydziestu czterech lat.

Gazeta zaszeleściła mu w dłoni. Annie odezwała się za jego plecami:

– Wynocha z mojej ziemi, Calvin! Nikt cię tu nie zapraszał!

Jane gwałtownie otworzyła oczy i upuściła motykę.

Odwrócił się akurat, by zobaczyć, jak ojciec gniewnie wymachuje rękami.

– Odłóż strzelbę, stara wariatko!

Jego matka również wyszła na werandę i stanęła obok Annie.

– A niech to, idealna południowa rodzinka, prawda?

Matka. Rozmawiał z nią przez telefon, ale uparcie odmawiała spotkań. Nie widział jej od kilku tygodni. Co się z nią stało? Nigdy nie była złośliwa, a teraz jej głos wręcz ociekał sarkazmem. Zdumiony, dostrzegł i inne zmiany.

Zamiast drogiego kostiumu, miała na sobie stare czarne dżinsy, krzywo obcięte w połowie uda i zieloną bluzeczkę, którą, o ile sobie przypominał, ostatnio widział na swojej żonie, choć wtedy nie była taka brudna. Podobnie jak Jane, nie była umalowana. Miała dłuższe niż zwykle włosy, z siwymi pasmami, których dawniej nie było.

Wpadł w panikę. Wyglądała jak Matka Ziemia, nie jak jego matka.

Jane tymczasem upuściła motykę i podeszła do werandy. Miała na nogach brudne białe tenisówki bez sznurowadeł. Stanęła obok dwóch kobiet.

Annie stała pośrodku, nadal mierząc do niego z dubeltówki, matka i Jane ustawiły się po jej obu stronach. Choć żadna z nich nie grzeszyła wzrostem, przypominały trzy Amazonki.

Annie trochę krzywo namalowała sobie brwi, co nadawało jej nieco diabelski wygląd.

– Jak ją chcesz odzyskać, Calvin, lepiej uderz w porządne konkury.

– Wcale jej nie chce odzyskać! – warknął Jim. – Zobacz, co mu zrobiła! – Wyrwał Calowi gazetę i wyciągnął w stronę kobiet.

Jane wzięła ją i pochyliła głowę.

Cal nigdy nie słyszał tyle goryczy w głosie ojca.

– Mam nadzieję, że jesteś z siebie dumna – syknął do Jane. – Postanowiłaś zmarnować mu życie i jak na razie idzie ci doskonale.

Jane przeczytała pobieżnie artykuł i błagalnie spojrzała na Cala. Mało brakowało, a byłby się rozpłakał.

– Jane nie ma z tym nic wspólnego, tato.

– Przecież jest tu jej nazwisko, jako autorki! Przestań ją w końcu chronić!

– Jane jest zdolna do wielu rzeczy, nie wyłączając uporu i lekkomyślności – zerknął na nią groźnie – ale nie do tego.

Nie zaskoczyło jej chyba, że się za nią wstawił. To dobrze. Przynajmniej mu ufa. Patrzył, jak nerwowo gniecie gazetę, jakby chciała ukryć artykuł przed całym światem, i obiecał sobie, że Jodie Pulanski drogo za to zapłaci.

Ojciec nadal miał ponurą minę i Cal zrozumiał, że musi wyznać chociaż część prawdy. Nie powie, co zrobiła Jane, to sprawa między nimi, ale wytłumaczy chociaż, czemu tak wrogo odnosiła się do jego rodziny.

Podszedł bliżej. Jim zerknął na Jane wrogo.

– Chodzisz do lekarza? A może kariera pochłania cię do tego stopnia, że nie myślisz o dziecku?

Patrzyła mu prosto w oczy.

– Prowadzi mnie doktor Vogler.

Niechętnie skinął głową.

– Jest dobra. Słuchaj jej poleceń, jasne?

Ręce Annie drżały, widać było, że strzelba ciąży jej coraz bardziej. Cal porozumiewawczo spojrzał na matkę. Wyjęła staruszce broń z rąk.

– Annie, jeśli któraś z nas musi ich powystrzelać, ja to zrobię.

No, świetnie! Na dodatek jego matka zwariowała.

– Jeśli nie macie nic przeciwko temu – wykrztusił – chciałbym porozmawiać z żoną na osobności.

– To zależy od niej. – Matka spojrzała na Jane, ta zaś przecząco pokręciła głową. To dopiero wkurzyło go naprawdę.

– Halo, halo? Jest tu kto?

Trzy damy odwróciły się jednocześnie i jak jeden mąż uśmiechnęły promiennie, gdy następca Cala w drużynie wyszedł zza rogu.

A myślał, że gorzej być nie może...

Kevin zauważył wszystko od razu: kobiety na ganku, mężczyzn na podwórku i strzelbę. Uniósł brew, skinął Jimowi na powitanie i wbiegł na werandę.

– Piękne panie zaprosiły mnie na smażonego kurczaka, i oto jestem. – Oparł się o kolumienkę, którą Cal własnoręcznie pomalował zaledwie miesiąc wcześniej. – Jak tam bobas? – Ze swobodą, która zdradzała, że nie robi tego po raz pierwszy, położył dłoń na brzuchu Jane.

Cal powalił go na ziemię w mgnieniu oka.

Huk wystrzału niemal go ogłuszył. Grudki ziemi boleśnie uderzyły w gołe ramiona. Wskutek hałasu i chwilowej utraty wzroku, spowodowanej pyłem w oczach, nie mógł odpowiednio wycelować i Kevin mu się wymknął.

– Cholera, Bomber, stłukłeś mnie bardziej niż przeciwnicy.

Cal przetarł oczy i poderwał się na równe nogi.

– Trzymaj się od niej z daleka.

Kevin skrzywił się zabawnie i zwrócił do Jane:

– Jeśli tak cię traktował, to nic dziwnego, że od niego odeszłaś.

Cal zazgrzytał zębami.

– Jane, chciałbym z tobą porozmawiać. I to zaraz!

Jego matka, jego słodka, kochana, rozsądna matka, zasłoniła sobą Jane, jakby to była jej córka! Stał z głupią miną, patrzył na matkę i niczego nie pojmował.

– Jakie są twoje zamiary wobec Jane, Cal?

– To nasza sprawa.

– Niezupełnie. Jane ma rodzinę.

– A żebyś wiedziała! Mnie.

– Nie chciałeś jej, więc jej rodziną jesteśmy Annie i ja. A to oznacza, że dbamy o jej dobro.

Widział, jakim zdumionym, szczęśliwym wzrokiem Jane patrzy na jego matkę. Pomyślał o oziębłym draniu, który ją wychował i mimo wszystkich niepowodzeń – mimo strzelby, zdrady matki, nawet mimo Kevina Tuckera – ucieszył się, że wreszcie znalazła kochającą rodzinę. Pech tylko, że akurat jego rodzinę.

Dobry humor przeszedł mu jednak, gdy matka posłała mu surowe spojrzenie, takie samo jak przed dwudziestu laty. Wtedy nie miał wyjścia, zawsze oddawał kluczyki od samochodu.

– Czy dotrzymasz przysięgi małżeńskiej? A może nadal chcesz się jej pozbyć, gdy tylko dziecko przyjdzie na świat?

– Nie zachowuj się, jakbym chciał ją zabić! – Cal łypnął na Tuckera. – I, jeśli łaska, porozmawiajmy o tym w gronie rodzinnym, bez tego tutaj.

– On zostaje – wtrąciła się Annie. – Lubię go. A on lubi ciebie, Calvin. Prawda, Kevin?

– A jakże, pani Glide. I to bardzo. – Kevin uśmiechnął się do niego diabolicznie, jak Jack Nicholson, i spojrzał na Lynn. – A jeśli on nie chce Jane, zgłaszam się na ochotnika.

Jane miała czelność się uśmiechnąć.

Jego matka zawsze umiała skupić się na najważniejszym.

– Nie możesz mieć wszystkiego, Calvin. Albo Jane jest twoją żoną, albo nie. Więc jak?

Zapędziły go w ślepy zaułek. Nie panował już nad sobą.

– No dobrze! Nie będzie rozwodu! – Patrzył na nie płonącym wzrokiem. – Macie! Zadowolone? A teraz chcę porozmawiać z żoną!

Lynn się skrzywiła. Annie potrząsnęła głową, mlasnęła językiem. Jane posłała mu spojrzenie pełne pogardy i weszła do domu.

Drzwi trzasnęły. Kevin gwizdnął cicho.

– Wiesz co, Bomber, może zamiast oglądać tyle nagrań meczów, powinieneś poczytać co nieco na temat psychiki kobiecej.

Zdawał sobie sprawę, że wszystko zepsuł, ale wiedział też, że doprowadzili go do ostateczności. Upokorzyli publicznie, zrobili z niego błazna w obecności żony. Nie patrząc na nich, odwrócił się i odszedł.

Lynn miała łzy w oczach. Chciałaby za nim pobiec, za tym upartym najstarszym synem, który był dla niej także towarzyszem zabaw. Jest na nią wściekły. Może tylko mieć nadzieję, że postąpiła słusznie i że Cal kiedyś to zrozumie.

Myślała, że Jim pobiegnie za nim. On tymczasem podszedł do werandy, ale zwrócił się nie do niej, tylko do Annie. Znała jego zdanie na temat staruszki i spodziewała się zwykłej wrogości, ale czekała ją kolejna niespodzianka.

– Pani Glide, czy mógłbym zaprosić pani córkę na spacer?

Wstrzymała oddech. Dzisiaj Jim zjawił się tu po raz pierwszy od tamtego wieczoru przed dwoma tygodniami, gdy odrzuciła jego propozycję. Za dnia wiedziała, że postąpiła słusznie, nocami jednak żałowała, że wszystko ułożyło się właśnie tak. Nie łudziła się, że schowa dumę do kieszeni i po raz drugi zabawi się w adoratora.

Annie jednak wcale nie była tym zaskoczona.

– Tylko nie oddalajcie się zbytnio od domu – poleciła.

Posłusznie skinął głową.

– No, dobrze. – Kościste palce Annie uderzyły ją w plecy. – Idź, Amber Lynn, Jim ładnie cię prosi. I bądź dla niego miła, nie taka opryskliwa jak ostatnio wobec mnie.

– Dobrze, mamo. – Lynn zbiegła ze schodów. Miała ochotę roześmiać się na głos, mimo łez w oczach.

Jim wziął ją za rękę. Popatrzył na nią i złote błyski w orzechowych oczach przypomniały jej nagle, jaki był czuły i troskliwy podczas każdej ciąży. Nawet gdy była gruba i obolała, całował wielki brzuch i zapewniał, że jest najpiękniejszą kobietą na świecie. Z dłonią wtuloną w jego dłoń zauważyła, jak łatwo przyszło jej zapomnieć o dobrych chwilach i rozmyślać tylko o złych.

Poprowadził ją wąską ścieżką w stronę lasu. Wbrew obietnicy złożonej Annie, wkrótce odeszli daleko od domu.

– Piękny dzień – zaczął – choć nieco zbyt ciepły jak na maj.

– Tak.

– Bardzo tu cicho.

Dziwiło ją, że nadal zwraca się do niej jak do obcej osoby. Poddała się chwili i podążyła za nim tam, gdzie jeszcze nie zdążyli się skrzywdzić.

– Cicho, ale cudownie.

– Czy nie czuje się pani samotna?

– Mam dużo pracy.

– Na przykład?

Patrzył na nią. Uderzyła ją intensywność tego spojrzenia. Chce wiedzieć, co porabia! Chce jej słuchać! Zachwycona, opowiadała ze szczegółami.

– Wstajemy wczesnym rankiem. Najbardziej kocham las zaraz po wschodzie słońca. Kiedy wracam ze spaceru, moja synowa… – urwała, zerknęła na Jima kątem oka. – Ma na imię Jane.

Zmarszczył brwi, ale milczał. Weszli głębiej między krzewy magnolii. Przy ścieżce rosły fiołki i dzwoneczki. Lynn wdychała bogaty, wilgotny aromat ziemi.

– Jane kończy szykować śniadanie, kiedy wracam ze spaceru – podjęła przerwany wątek. – Moja matka domaga się jajecznicy na bekonie, a Jane szykuje naleśniki z mąki razowej i świeże owoce, więc zazwyczaj się kłócą. Ale Jane jest sprytna i radzi sobie z Annie lepiej niż ktokolwiek inny. Po śniadaniu słucham muzyki i sprzątam.

– Jakiej muzyki?

Wiedział doskonale. Przez te lata setki razy przestawiał radio w samochodzie z jej stacji grających muzykę klasyczną na swoje grające ulubione country.

– Kocham Mozarta i Vivaldiego, Chopina, Rachmaninowa. Moja synowa preferuje starego rocka. Czasami tańczymy.

– Ty i… Jane?

– Przepada za Rodem Stewartem. – Lynn parsknęła śmiechem. – Jeśli w radio grają jego piosenki, każe mi rzucać każdą robotę i z nią tańczyć. Podobnie reaguje na nowsze zespoły, takie, których nazwy nic ci nie powiedzą. Chwilami po prostu musi tańczyć. Nie miała po temu okazji w młodości.

– Ale przecież… Słyszałem, że robi karierę naukową – zaczął ostrożnie.

– Tak. Przede wszystkim jednak czeka na dziecko.

Czas mijał.

– Wydaje się wyjątkowa.

– Jest cudowna. – I nagle, rzuciła pod wpływem impulsu: – Może przyjdzie pan do nas na kolację? Miałby pan okazję, by ją lepiej poznać.

– Zaprasza mnie pani? – Na jego twarzy malowały się zdumienie i radość.

– Tak, chyba tak.

– W takim razie dobrze. Bardzo chętnie.

Przez dłuższą chwilę milczeli oboje. Ścieżka się zwężała. Lynn skręciła w bok, w stronę strumienia. Przed laty często tu przychodzili i przesiadywali na zwalonym pniu, który zdążył już spróchnieć. Czasami tylko obserwowali wodę obmywającą omszałe głazy, najczęściej jednak się kochali. Tutaj został poczęty Cal.

Jim odchrząknął i przysiadł na zwalonym pniu, leżącym w poprzek strumyka.

– Dosyć ostro potraktowała pani mojego syna.

– Wiem. – Usiadła obok, ale nie dotykała go. – Mam wnuka, którego muszę chronić.

– Rozumiem.

Ale widać było, że wcale nie rozumie. Zaledwie kilka tygodni temu ukrywałby niepewność pod agresją, teraz jednak wydawał się raczej zamyślony niż gniewny. Czyżby nabierał do niej zaufania?

– Pamięta pani, jak mówiłem, że moje małżeństwo się rozpada?

Zesztywniała.

– Tak.

– To moja wina. Musiałem to pani powiedzieć, na wypadek gdyby… gdyby chciała się pani ze mną spotykać.

– Pana wina?

– W dziewięćdziesięciu dziewięciu procentach. Obwiniałem ją za własne błędy i nawet tego nie widziałem. – Oparł głowę na łokciach i zapatrzył się wodę. – Od lat wmawiałem sobie, że gdybym nie musiał się z nią ożenić jako młody chłopak, byłbym dziś epidemiologiem światowej sławy. Dopiero kiedy odeszła, zrozumiałem, że się oszukiwałem. – Splótł dłonie, duże, silne dłonie, które witały i żegnały ludzi na tym świecie. – Z dala od gór byłbym nieszczęśliwy. Lubię moją pracę.

Wzruszył ją szczery ton. Może w końcu odkrył tę część siebie, którą utracił?

– A pozostały jeden procent?

– Słucham? – Odwrócił się ku niej.

– Powiedział pan, że ponosi winę w dziewięćdziesięciu dziewięciu procentach. A ten jeden?

– Nawet i to nie jest jej wina. – Nie wiadomo, czy to odbicie wody, czy w jego oczach rzeczywiście błyszczy współczucie. – Miała trudne dzieciństwo, nie skończyła nawet szkoły. Twierdzi, ze patrzyłem na nią z góry z tego powodu i pewnie ma rację, jak zwykle, ale moim zdaniem bardzo mi to ułatwiała. Choć osiągnęła więcej niż inni ludzie, zawsze była o sobie złego zdania.

Już otworzyła usta, ale zaraz je zamknęła. Jak mogłaby zaprzeczyć prawdzie?

Zamyśliła się nad swoim życiem. Dostrzegła ogrom pracy i dyscypliny, który doprowadził ją do dzisiejszej pozycji. Polubiła siebie, ale dlaczego zabrało jej to tyle czasu? Jim ma rację. Jak mogła się spodziewać, że będzie ją szanował, skoro sama tego nie robiła? Jej zdaniem to znacznie więcej niż jeden procent. Powiedziała to.

Wzruszył ramionami.

– Nieważne. – Ujął jej dłoń, musnął obrączkę. Nie patrzył na nią. Mówił cicho, głosem przepełnionym uczuciem. – Moja żona to część mnie. Bardzo ją kocham.

Wzruszyło ją to proste wyznanie. Słowa dławiły ją w gardle.

– Szczęściara z niej.

Podniósł głowę i przekonała się, że wilgoć w jego oczach to naprawdę łzy. Przez trzydzieści siedem lat nigdy nie widziała, by płakał, nawet po śmierci Cherry i Jamiego.

– Jim… – Nagle znalazła się jego ramionach, w miejscu, które Bóg stworzył specjalnie dla niej. Uczucia, których nie umiała nazwać, przyprawiały ją o zawrót głowy i dlatego powiedziała zupełnie nie to, co chciała: – Muszę pana uprzedzić, że nie chodzę do łóżka na pierwszej randce.

– Naprawdę? – zapytał ochryple.

– Tak, dlatego że zaczęłam bardzo wcześnie. – Odsunęła się, opuściła wzrok. – Wcale tego nie chciałam, ale kochałam go i nie mogłam odmówić.

Zerknęła do góry, chcąc się przekonać, jak przyjął to wyznanie. Nie miała zamiaru obarczać go nowymi wyrzutami sumienia, zależało jej tylko, by zrozumiał, jak to było.

Uśmiechnął się smutno i dotknął jej ust.

– Czy to zraziło panią do seksu?

– Och, nie. Los obdarzył mnie wspaniałym kochankiem. Początkowo był co prawda troszkę niezdarny, ale szybko się uczył – uśmiechnęła się.

– Miło mi to słyszeć. – Obrysował kciukiem jej dolną wargę. – Czy ktoś już pani powiedział, że jest pani piękna? Nie taka schludna jak moja żona, ale śliczna.

Parsknęła śmiechem.

– Do tego mi daleko.

– Nie zna się pani i tyle. – Pomógł jej wstać. Jeszcze zanim pochylił głowę, wiedziała, że ją pocałuje.

Dotyk jego ust był delikatny, znajomy. Nie przytulił jej, tak że dotykały się tylko ich usta i dłonie, splecione po bokach. Pocałunek szybko przeszedł w bardziej namiętną pieszczotę. Minęło tyle czasu, mieli sobie tyle do powiedzenia, także bez słów. Odpowiadało jej jednak, że Jim ją adoruje, i zapragnęła więcej.

Odsunął się, jakby to wyczuł, i popatrzył na nią nieprzytomnie.

– Muszę… muszę wracać do pracy. I tak już jestem spóźniony, a nie chcę się spieszyć, gdy będziemy się kochać.

Na myśl o tym zakręciło jej się w głowie. Wzięła go za rękę, gdy wracali na ścieżkę.

– Kiedy pan do nas przyjdzie na kolację, może opowie mi pan o swojej pracy?

– Bardzo chętnie – uśmiechnął się pogodnie.

Nagle zdała sobie sprawę, że nie pamięta nawet, kiedy ostatnio wyraziła szczere zainteresowanie tym, co robi mąż. Ograniczała się do zdawkowego: „Jak minął dzień?" Najwyraźniej obie strony muszą się nauczyć słuchać.

Nagle spoważniał.

– Czy mógłbym przyjść z synem?

Po niemal niezauważalnym wahaniu pokręciła przecząco głową.

– Niestety nie. Mama się na to nie zgodzi.

– Nie jest pani za stara, by słuchać matki?

– Czasami instynkt podpowiada jej, co jest właściwe. Akurat teraz to instynkt dyktuje, kogo przyjmujemy, a kogo nie.

– I mojego syna nie?

Poruszyła się niespokojnie.

– Niestety nie. Wkrótce… mam nadzieję. Tak naprawdę to zależy od niego, nie od Annie.

Zacisnął usta w znajomą wąską linię.

– Nie do wiary! Zostawia pani tak ważną decyzję w rękach szalonej staruchy!

Zmusiła go, by się zatrzymał, i pocałowała w uparte usta.

– Może wcale nie jest taka szalona, jak się panu wydaje. W końcu to ona kazała mi iść z panem na spacer.

– A nie zrobiłaby pani tego?

– Nie wiem. Stanęłam teraz na rozstaju i nie chcę wybrać niewłaściwej drogi. Czasami matki wiedzą, co jest dobre dla ich córek. – Patrzyła mu w oczy. – I dla synów.

Pokręcił głową i zrezygnowany opuścił ramiona.

– No dobrze. Poddaję się.

Z trudem powstrzymała się, by go znowu nie pocałować.

– Jadamy wcześnie, o szóstej.

– Będę na czas.

Rozdział 21

TEGO WIECZORU LYNN zachwalała Jane, jakby była ukochaną córką na wydaniu. Rozwodziła się nad jej zaletami, aż Jim otwierał usta ze zdumienia, a potem zostawiła ich samych w salonie, żeby wyjaśnili sobie wszelkie nieporozumienia.

Jane krajało się serce, gdy widziała podobieństwo ojca i syna. Najchętniej usiadłaby koło Jima na kanapie i wtuliła się w jego szerokie ramiona, jakże podobne do ramion Cala. Nie zrobiła tego jednak, tylko głęboko zaczerpnęła tchu i opowiedziała o wszystkim.

– Nie napisałam tego artykułu – zapewniła. – Ale to w dużej mierze prawda.

Spodziewała się krytycyzmu.

– Cóż, Ethan pewnie miałby co nieco do powiedzenia na temat wyroków bożych – stwierdził Jim.

Zaskoczył ją.

– Nie myślałam o tym.

– Kochasz Cala, prawda?

– Całym sercem. – Opuściła wzrok. – Ale to nie znaczy, że zgodzę się być nieistotnym dodatkiem do jego życia.

– Przykro mi, że wam się nie układa. On sam chyba nie ma na to wpływu. Mężczyźni w naszej rodzinie są bardzo uparci. – Poruszył się niespokojnie. – Chyba i ja mam nieczyste sumienie.

– Tak?

– Dzisiaj dzwoniłem do Sherry Vogler.

– Dzwoniłeś do mojej lekarki?

– Wiedziałem, że się nie uspokoję, dopóki nie upewnię się, że wszystko w porządku. Powiedziała, że jesteś zdrowa jak rydz, nie udało mi się jednak wydusić z niej, czy to chłopiec, czy dziewczynka. Powiedziała, że skoro ty możesz poczekać, mogę i ja. – Popatrzył na nią ze skruchą. – Nie powinienem był rozmawiać z nią za twoimi plecami, ale nie chcę, żeby coś ci się stało. Gniewasz się?

Pomyślała o Cherry i Jamiem, i o swoim ojcu, któremu chyba nigdy na niej nie zależało, i zanim się obejrzała, uśmiechała się od ucha do ucha.

– Nie, nie gniewam się. Dzięki.

Pokręcił głową.

– Miła z ciebie kobieta, Janie Bonner. Starucha się nie pomyliła co do ciebie.

– Wszystko słyszę! – wrzasnęła starucha z sąsiedniego pokoju.

Później, podczas bezsennej nocy na wąskim łóżku, Jane uśmiechnęła się na wspomnienie świętego oburzenia Annie. Nie było jej jednak do śmiechu, gdy myślała o tych, których utraci, gdy stąd wyjedzie: Jima, Lynn i Annie, góry, które z dnia na dzień stawały jej się bliższe, i Cala. Tylko jak można utracić coś, czego się nigdy nie miało?

Najchętniej wtuliłaby twarz w poduszkę i szlochała na cały głos, ale tylko rąbnęła w kołdrę pięścią, wyobrażając sobie, że to Cal… Gniew minął. Leżała na wznak, wpatrzona w sufit. Właściwie co ona tu robi? Czyżby podświadomie czekała, aż mąż mieni zdanie i zrozumie, że ją kocha? Dzisiejszy dzień udowodnił, że nigdy do tego nie dojdzie.

Przypomniała sobie okropną, upokarzającą chwilę, gdy po południu krzyknął, że rozwodu nie będzie. Słowa, które tak bardzo chciała usłyszeć, ale wypowiedziane w złości.

Musi spojrzeć prawdzie w oczy. Może rzeczywiście zmienił zdanie, ale zrobił to przede wszystkim z poczucia obowiązku, nie z miłości. Nie odwzajemni jej uczucia. Musi się z tym pogodzić i zacząć nowe życie. Najwyższy czas opuścić Heartache Mountain.

Wiatr się wzmagał, w pokoiku było coraz zimniej. Choć miała ciepłą kołdrę, chłód zdawał się przenikać do kości. Skuliła się w kłębek. Musi stąd wyjechać. Do końca życia będzie wdzięczna za dwa tygodnie na Heartache Mountain, ale czas wyjść z kryjówki i wziąć się do pracy.

Nieszczęśliwa, usnęła w końcu, po to tylko, by zaraz obudził ją łoskot pioruna i mokra, zimna dłoń na ustach. Nabrała tchu, by wrzasnąć, ale dłoń skutecznie kneblowała jej usta, a znajomy, niski głos szepnął jej do ucha:

– Cicho... to ja.

Natychmiast otworzyła oczy. Pochylała się nad nią ciemna postać. Wiatr i deszcz wpadały przez szeroko otwarte okno. Intruz puścił ją i zamknął okno, gdy małym domkiem wstrząsnął grzmot.

Ciągle przerażona, usiadła z trudem.

– Wynoś się!

– Cicho, bo zbudzisz Medeę i jej służkę.

– Nie waż się powiedzieć na nie złego słowa.

– Zjadłyby własne dzieci na kolację.

To okropne. Dlaczego po prostu nie zostawi jej w spokoju?

– Co tu robisz?

Wziął się pod boki i łypnął na nią gniewnie.

– Chciałem cię porwać, ale na dworze jest zimno i mokro, więc musimy poczekać.

Przysiadł na fotelu przy starej maszynie do szycia. W jego włosach i na kurtce lśniły krople deszczu. Przy świetle błyskawicy dostrzegła, że nadal jest nieogolony i mizerny, jak po południu.

– Chciałeś mnie porwać?

– Nie myślisz chyba, że pozwolę ci tu zostać z tymi wariatkami?

– Nie powinno cię obchodzić, co robię.

Puścił te słowa mimo uszu.

– Musiałem z tobą porozmawiać bez tych wampirzyc. Po pierwsze, przez pewien czas musisz się trzymać z daleka od miasteczka. Kręcą się tam reporterzy zwabieni artykułem.

Ach, więc dlatego przyszedł. Nie żeby wyznać miłość do grobowej deski, tylko żeby ostrzec przed dziennikarzami. Z trudem ukryła rozczarowanie.

– Cholerni krwiopijcy – burknął.

Usiadła wygodniej i spojrzała mu prosto w oczy:

– Nie mścij się na Jodie.

– Nie ma mowy.

– Mówię poważnie.

Kolejna błyskawica ukazała twardy błysk w jego oczach.

– Wiesz dobrze, że to ona zawiadomiła gazetę.

– Już po wszystkim, nie zrobi nic więcej, więc po co? – Podciągnęła kołdrę pod brodę. – To tak, jakbyś rozdusił mrówkę. Jest żałosna. Daj jej spokój.

– Nie leży w moim charakterze pokorne przyjmowanie ciosów i nadstawianie drugiego policzka.

Zesztywniała.

– Wiem.

– No dobrze – westchnął – dam jej spokój. Pewnie i tak nie mamy powodów do zmartwienia. Wieczorem Kevin zwołał konferencję prasową i zapowiedział następną dla nowych grup dziennikarzy. Wyobraź sobie, że doskonale sobie z tym poradził.

– Kevin?

– Twój rycerz bez skazy. – Nie umknął jej sarkazm w jego głosie. – Wpadłem do klubu na piwo i zastałem go w otoczeniu pismaków. Powiedział im, że artykuł mówi prawdę.

– Co?

– Ale tylko do pewnego stopnia. Powiedział, że przed tamtym wieczorem spotykaliśmy się już od kilku miesięcy. Urodzinowy prezent był, według niego, twoim pomysłem. O ile mnie pamięć nie myli, mówił coś o kryzysie wieku średniego i konieczności szukania nowych podniet. Muszę przyznać, że dzieciak doskonale sobie radził. Kiedy skończył, nawet ja byłem święcie przekonany, że było tak, jak opowiedział.

– Mówiłam, że jest kochany.

– Ach tak? Więc wiedz, że twój kochany Kevin dał także jasno do zrozumienia, że zaczęliśmy się spotykać tylko dlatego, że on cię rzucił. Tak się tym przejęłaś, że zaraz poderwałaś nagrodę pocieszenia, czyli mnie.

– A to świnia.

– Z ust mi to wyjęłaś.

W rzeczywistości wcale nie był na niego zły. Wstał i odsunął krzesło. Jane znieruchomiała, gdy przysiadł na skraju łóżka.

– Skarbie, posłuchaj. Wiesz, że mi przykro, prawda? – Położył jej dłoń na ramieniu. – Powinienem był zadzwonić do Briana, gdy tylko zmieniły się moje uczucia wobec ciebie, ale chyba nie byłem na to przygotowany. Poradzimy sobie. Musimy tylko zostać sami.

Łamał jej serce.

– Nie ma z czym.

– Po pierwsze, jesteśmy małżeństwem i spodziewamy się dziecka. Bądź rozsądna, Jane. Potrzebujemy trochę czasu.

Nie, nie ulegnie słabości, która namawia ją, by mu zaufała. Nie będzie kolejną słabiutką kobietką ogłupioną uczuciem.

– Mój dom jest w Chicago.

– Nie mów tak. – I znowu w jego głosie zabrzmiały nuty gniewu. – Po drugiej stronie tej góry czeka na ciebie prawdziwy dom.

– To twój dom, nie mój.

– Nieprawda.

Pukanie do drzwi zaskoczyło ich oboje. Cal zerwał się z posłania.

– Jane? – zapytała spokojnie Lynn. – Jane, coś słyszałam. Czy wszystko w porządku?

– Tak.

– Słyszałam dwa głosy. Czyżby był u ciebie mężczyzna?

– Tak.

– Dlaczego jej powiedziałaś? – syknął Cal.

– Chcesz go? – dopytywała się Lynn.

Jane pogrążała się w rozpaczy.

– Nie.

Długa chwila milczenia.

– A więc dobrze. Chodź do mojego pokoju, będziesz spała ze mną.

Jane odrzuciła kołdrę. Cal złapał ją za rękę.

– Nie rób tego, Jane. Musimy porozmawiać.

– Był na to czas. Jutro wracam do Chicago.

– Nie możesz! Dużo ostatnio myślałem i mam ci wiele do powiedzenia.

– Powiedz komuś, kogo to interesuje. – Wyrwała mu się i wyszła.

Jane chce uciec. Nie może do tego dopuścić, ani teraz, ani za milion lat. Przecież ją kocha!

Dowiedział się od ojca, że kobiety z Heartache Mountain wstają wcześnie, więc skoro świt zjawił się na szczycie. Nie zmrużył oka, odkąd nocne spotkanie z Jane zakończyło się fiaskiem. Teraz, gdy było za późno, zdał sobie sprawę, że był to błąd.

Trzeba było jej powiedzieć, że ją kocha, ledwie wszedł do małego pokoiku, póki kneblował jej usta. On tymczasem paplał o porwaniu i o dziennikarzach, krążył dookoła, zamiast przejść do sedna sprawy, do jedynej kwestii, która ma jakiekolwiek znaczenie. Może to dlatego, że było mu wstyd: tak dużo czasu musiało upłynąć, zanim przejrzał na oczy.

Stało się to wczoraj po południu, gdy jak błyskawica mknął w dół; tuż po tym, jak publicznie zrobił z siebie idiotę, wrzeszcząc, że się nie rozwiedzie. Jej mina – wyraz najwyższej pogardy – była jak cios w serce. Zależało mu, by miała o nim dobre zdanie, było to dla niego ważniejsze niż opinie dziennikarzy z działu sportowego. Jane jest dla niego wszystkim.

Teraz już wiedział, że ta miłość nie jest niczym nowym. Nowa była tylko wiedza, że ją kocha. Patrząc wstecz, doszedł do wniosku, że zakochał się w niej chyba tamtego dnia w ogródku Annie, gdy się pokłócili; wtedy, gdy się dowiedział, ile naprawdę ma lat.

Nie dopuści do rozwodu. Myśl o końcu kariery go przerażała, ale nawet w połowie nie tak bardzo, jak perspektywa utraty Jane. Zmusi ją, by go wysłuchała, najpierw jednak zadba, by mu nie uciekła.

Drzwi małego domku były zaryglowane – pomyśleć, że sam zainstalował zasuwę dwa tygodnie temu! Wątpliwe, by go wpuściły, uznał, więc kopnął w drzwi z całej siły i wkroczył do kuchni.

Jane stała przy zlewie w koszulce z Prosiaczkiem, ze zwichrzonymi włosami i buzią szeroko otwartą ze zdumienia. Na jego widok szybko zamrugała oczami.

Przed chwilą, w salonie, dostrzegł swoje własne odbicie, więc nie zdziwiła go jej reakcja; nieogolony, o czerwonych oczach, w złym humorze, wyglądał jak najgorszy bandyta po tej stronie Gór Skalistych. I dobrze, jeśli o niego chodzi. Niech wiedzą od samego początku, że z nim nie ma żartów.

Annie siedziała przy stole we flanelowej koszuli na piżamie z różowej satyny. Nie umalowała się jeszcze i wyglądała na całe osiemdziesiąt lat. Na jego widok zaczęła gniewnie fukać i mruczeć, ale Cal ją uprzedził i zabrał strzelbę z jej miejsca w kąciku.

– Szanowne panie, jesteście rozbrojone. Nie możecie stąd wyjść bez mojego pozwolenia.

Zabrał strzelbę i wyszedł na werandę, gdzie oparł wiekową dubeltówkę o ścianę i rozsiadł się w starym bujanym fotelu. Oparł nogi na czerwonej przenośnej lodówce, którą ze sobą przytaszczył. Było tam sześć puszek piwa, paczka kiełbasy, batoniki czekoladowe i bochenek chleba. Niech nie liczą, że wezmą go głodem. Oparł się wygodnie i zamknął oczy. Nikt mu nie stanie na drodze do szczęścia, nawet jego najbliżsi.

Ethan pojawił się koło jedenastej. Cal słyszał niewyraźnie odgłosy ze środka: stłumione rozmowy, szum wody, kaszel Annie. Przynajmniej teraz tyle nie pali; matka i Jane nie pozwalały jej na to.

Ethan zatrzymał się przy najniższym schodku. Jak z niesmakiem zauważył Cal, znowu wyprasował podkoszulek.

– Co tu się dzieje, Cal? I dlaczego twój dżip blokuje drogę? – Wszedł na werandę. – Myślałem, że cię nie wpuszczają do domu.

– Bo tak jest. Oddawaj kluczyki, jeśli chcesz do nich wejść.

– Moje kluczyki? – Zerknął na strzelbę przy ścianie.

– Jane się wydaje, że dzisiaj wyjedzie, ale nie może wyruszyć swoim wrakiem, bo mój dżip tarasuje szosę. Będzie się pewnie starała namówić ciebie, żebyś ją zawiózł. Usuwam pokusę z twojej drogi i tyle.

– Przecież nie zrobiłbym ci tego. Wiesz, że wyglądasz jak złoczyńca z listów gończych?

– Może nie zechcesz dać jej kluczyków, ale pani profesor jest prawie taka sprytna jak sam Pan Bóg. Na pewno coś wymyśli.

– Czy ty aby troszkę nie przesadzasz?

– Nie znasz jej, a ja tak. Kluczyki.

Ethan bardzo niechętnie rozstał się z kluczykami do samochodu.

– Nie przyszło ci do głowy, żeby jej posłać kilka tuzinów czerwonych róż? To działa na większość kobiet.

Cal prychnął pogardliwie i wstał z fotela. Podszedł do połamanych drzwi, wsadził głowę do środka i zawołał:

– Hej, pani profesor, wielebny składa wam wizytę. Wiesz, ten, który cię widział gołą jak oskubany kurczak.

Cofnął się, przytrzymał drzwi Ethanowi i wrócił na swoje miejsce na fotelu. Wyjął batonik z przenośnej lodówki. Właściwie jego brak zasad moralnych dorównuje jej inteligencji, stwierdził nagle.

Kevin pojawił się godzinę później. Choć Cal zdawał sobie sprawę, jak wiele mu zawdzięcza, nie tak łatwo pozbyć się starych nawyków. Nachmurzył się.

– Cholera, Bomber, co tu się dzieje? Dlaczego dwa samochody blokują drogę?

Był już zmęczony ciągłym tłumaczeniem.

– Nie wejdziesz do środka, póki mi nie oddasz kluczyków.

W przeciwieństwie do Ethana, dzieciak się nie kłócił. Wzruszył tylko ramionami, oddał mu kluczyki, wsadził głowę do środka i oznajmił:

– Nie strzelajcie, miłe panie, idzie porządny facet.

Cal prychnął tylko, splótł ręce na piersi i zmrużył oczy. Prędzej czy później Jane będzie musiała wyjść i z nim porozmawiać. Zaczeka.

O pierwszej przybył ojciec. Cholera, zjeżdża ich coraz więcej, a nikt nie wychodzi.

Jim skinął w stronę drogi.

– Co to? Parking?

Cal wyciągnął rękę:

– Oddawaj kluczyki, jeśli chcesz tam wejść.

– Cal, to się musi skończyć.

– Robię co w mojej mocy.

– Nie możesz jej po prostu powiedzieć, że ją kochasz?

– Nie da mi dojść do słowa.

– Mam nadzieję, że wiesz, co robisz. – Jim rzucił mu kluczyki i zniknął w domku.

Cal także miał taką nadzieję, ale za nic nie przyznałby się do wątpliwości, zwłaszcza ojcu.

Jego uczucia wobec Jane były teraz tak oczywiste, że nie mieściło mu się w głowie, iż kiedyś było inaczej. Życie bez niej byłoby puste i jałowe, i nawet sport nie wypełniłby tej próżni. Najchętniej zapominałby, jak odrzucił jej miłość tamtego dnia, gdy odeszła. Nigdy nie dostał równie cennego daru, a odtrącił go jak worek śmieci. Nic dziwnego, że odpłaca mu tą samą monetą.

Wychodził z założenia, że mimo podstępu, którym się posłużyła, by zajść w ciążę, Jane jest staroświecka i jeśli już się zakocha, to na zawsze. Nawet jednak przy tym założeniu nie zasługiwał na nią, skoro nie potrafił docenić daru od losu. Trudno, będzie tu siedział do końca życia, jeśli będzie trzeba.

Popołudnie dłużyło się niemiłosiernie. Z tyłu domu dochodziły dźwięki muzyki, znak, że w najlepsze trwa zaimprowizowany piknik. Po Jane nie było śladu. Dobiegł go zapach mięsa pieczonego na grillu. Kevin przybiegł przed dom po dysk, który ktoś rzucił za daleko. Wygląda na to, że wszyscy bawią się doskonale, tylko nie on. Jest obcy we własnej rodzinie. Tańczą na jego pogrzebie.

Wyprostował się czujnie, widząc dwie postacie wśród drzew, po wschodniej stronie domu. W pierwszej chwili pomyślał, że Jane namówiła kogoś, by jej pomógł uciec na piechotę. Już się szykował do sprintu, gdy rozpoznał rodziców.

Zatrzymali się pod wiekowym drzewem, na które się często wspinał jako mały chłopiec. Matka oparła się o pień, ojciec przyciągnął ją do siebie i Cal ani się obejrzał, kiedy całowali się jak dwójka dzieciaków.

Między rodzicami wreszcie się układa. Uśmiechnął się po raz pierwszy od wielu dni. Zaraz jednak spoważniał, gdy zobaczył, gdzie zmierzają ojcowskie dłonie.

Szybko odwrócił fotel w drugą stronę. Pewnych rzeczy wolał nie widzieć.

Przez następnych kilka godzin drzemał z krótkimi przerwami. Ethan i Kevin zaglądali do niego co jakiś czas, ale rozmowa się nie kleiła. Ethan mówił coś polityce, Kevin, jak łatwo się domyślić, o piłce. Ojca nigdzie nie było widać, ale Cal wolał nie myśleć, co robią z mamą. Jane nie dawała znaku życia.

Zmierzchało, gdy pojawiła się matka. Była potargana, miała gałązki we włosach i zaczerwienioną szyję.

Na jego widok nachmurzyła się.

– Jesteś głodny? Przynieść ci coś do jedzenia?

– Nie potrzebuję łaski. – Nie mógł się pozbyć wrażenia, że go zdradziła.

– Zaprosiłabym cię do środka, ale Annie się na to nie zgodzi.

– Chciałaś powiedzieć, Jane.

– Skrzywdziłeś ją, Cal. Czego się spodziewasz?

– Że tu do mnie wyjdzie i porozmawiamy.

– Żebyś znowu na nią nawrzeszczał, tak?

Akurat wrzaski ani mu w głowie, ale zanim zdążył jej to powiedzieć, był sam na werandzie. Biorąc pod uwagę, że chciał chronić rodziców przed swoim życiem prywatnym, wpakował się w niezłe tarapaty.

Nadeszła noc. Powoli musiał się pogodzić z tym, że poniósł klęskę. Ukrył twarz w dłoniach. Nie wyjdzie do niego. Jakim cudem tak bardzo wszystko zepsuł?

Drzwi zaskrzypiały cicho. Podniósł głowę i zobaczył ją. Opuścił nogi na ziemię i wyprostował się błyskawicznie.

Miała na sobie tę samą sukienkę, co tamtego dnia, gdy od niego odeszła: kremową, z dużymi brązowymi guzikami, ale we włosach nie było przepaski; rozsypywały się niesfornie, jak wtedy, gdy byli w łóżku.

Wsunęła ręce do kieszeni.

– Czemu to robisz?

Najchętniej porwałby ją na ręce i zaniósł do lasu, żeby to ona miała suche liście we włosach.

– Nie wyjedziesz stąd, Jane. Najpierw musisz dać nam szansę.

– Mieliśmy niejedną szansę, ale wszystkie zaprzepaściliśmy.

– Ja, nie my. Obiecuję, że nie zmarnuję jeszcze jednej.

Wstał i podszedł do niej. Instynktownie cofnęła się o krok. Zatrzymał się niechętnie. Nie tylko on nie lubi, by go zapędzać w kozi róg.

– Kocham cię, Jane.

Jeśli miał nadzieję, że to wyznanie zwali ją z nóg, był w błędzie. Zamiast radości, posmutniała.

– Nie kochasz mnie, Cal. Nie rozumiesz? Dla ciebie to kolejna gra. Wczoraj zrozumiałeś, że przegrywasz, tylko że ty jesteś urodzonym zwycięzcą i nie godzisz się z porażką.

Zwycięzcy nie zawahają się przed niczym, byle zwyciężyć, mówią nawet rzeczy nieprawdziwe.

Gapił się na nią zdruzgotany. Nie wierzy mu! Jak może myśleć, że to gra?

– Mylisz się. Mówię poważnie.

– Może w tej chwili tak ci się wydaje, ale pamiętaj, co się stało po tym, jak zobaczyłeś mnie nago. Gra dobiegła końca, Cal, i przestałeś się mną interesować. Teraz też tak będzie. Gdybym zgodziła się wrócić, straciłbyś zainteresowanie.

– Nie przestałem się tobą interesować, gdy zobaczyłem cię nago! Skąd ci to przyszło do głowy? – Zdał sobie sprawę, że wrzeszczy, i ze zdenerwowania miał ochotę wrzeszczeć jeszcze głośniej. Dlaczego nie może rozmawiać jak każdy normalny człowiek?

Przełknął ślinę, nie zwracając uwagi na strumyki potu na czole.

– Kocham cię, Jane, i nie zmienię tego, tak jak i ty. Pod tym względem jesteśmy podobni. Więc odwołaj swoich aniołów stróżów.

– Moich? Oni strzegą ciebie! – oburzyła się. – Usiłowałam się ich pozbyć, ale nie mają zamiaru się ruszyć. Wbili sobie do głowy, że ich potrzebujesz. Ty! Ethan zasypał mnie łzawymi historyjkami z waszego dzieciństwa, Kevin opisał ze szczegółami każdy punkt, jaki zdobyłeś lub prawie zdobyłeś, lub mogłeś zdobyć, jakby mnie to obchodziło! Twój ojciec ograniczył się do wychwalania twoich zdolności umysłowych, choć akurat tego wolałabym nie słyszeć!

– Matka pewnie mnie nie chwaliła?

– Najpierw opowiadała, z jakim organizacjami dobroczynnymi współpracujesz. Potem wspominała, jak grała z tobą w klasy, ale zaczęła płakać i odeszła, więc nie bardzo wiem, co chciała mi przez to powiedzieć.

– A co powiedziała Annie?

– Że jesteś szatańskim pomiotem i lepiej mi będzie z dala od ciebie.

– Nieprawda.

– No, prawie.

– Jane, kocham cię. Nie odchodź.

Skrzywiła się żałośnie.

– W tej chwili kochasz wyzwanie, które stanowię, ale to za mało, by na tym budować dalsze życie. – Otuliła się ramionami. – Ostatnie tygodnie pozwoliły mi wiele zrozumieć. Nie wiem, dlaczego się łudziłam, że możemy być razem na dłużej. Przecież byłyby to nie kończące się awantury. Ty to uwielbiasz, ale ja potrzebuję kogoś, kto będzie przy mnie, gdy wyzwanie straci już swój urok.

– Na Boga, ty nic nie rozumiesz! – Boże, znowu wrzeszczy. Nabrał tchu i ściszył głos. – Nie możesz zaryzykować i mi uwierzyć? Wiem, co mówię.

– Zbyt wysoka stawka.

– Posłuchaj mnie, Jane. Nie chodzi tu o walki i wyzwania. Kocham cię i chcę z tobą spędzić resztę życia.

Pokręciła przecząco głową.

Zabolało. Otwiera się przed nią, a ona… Nie przychodziło mu do głowy nic, co mogłoby ją przekonać.

Odezwała się cicho:

– Jutro wyjeżdżam, nawet gdybym musiała wezwać policję na pomoc. Do widzenia, Cal. – Odwróciła się na pięcie i weszła do domu.

Zacisnął powieki. Był zmęczony i załamany. Ale nie podda się, o nie.

Wizja publicznej deklaracji uczuć budziła w nim sprzeciw, ale nie przychodziło mu do głowy nic innego, niż zdać się na osąd innych. Zacisnął zęby i wszedł za nią do środka.

Rozdział 22

Annie wpatrywała się w telewizor, gdzie Whitney Houston tańczyła przy wyłączonym dźwięku. Rodzice siedzieli na kanapie, trzymali się za ręce i patrzyli sobie w oczy. Ethan i Kevin dostawili kuchenne taborety do stolika i grali w karty. Na widok Cala wszyscy podnieśli głowy. Jane zniknęła.

Poczuł się głupio, ale wiedział, że spowodowała to duma, uczucie na które teraz nie mógł sobie pozwolić. Nie teraz, gdy musi mieć po swojej stronie całą drużynę. Z trudem wziął się w garść.

– Jane mi nie wierzy.

Ethan i Kevin zerkali znad kart. Matka zmarszczyła czoło.

– Lubi tańczyć, wiesz? Nie country, ale starego rocka.

Nie bardzo wiedział, jak to ma mu pomóc, ale i tak zapamiętał tę informację.

– Mam dosyć tego zamieszania! – Annie rzuciła pilota na poręcz fotela. – Jimie Bonner, idź po Janie, w tej chwili! Najwyższy czas, żebyście załatwili swoje sprawy i dali mi święty spokój!

– Tak jest, szanowna pani. – Z lekkim uśmiechem wstał z kanapy i poszedł do pokoju gościnnego.

Jane podniosła głowę znad walizki, gdy stanął w progu.

– Co się stało?

– Musisz iść do salonu i porozmawiać z Calem.

– Już to zrobiłam. Raz wystarczy.

– Musisz. Annie tak powiedziała.

– Nie.

Uniósł brew.

– Co powiedziałaś?

– Powiedziałam: nie. – Niestety, zabrzmiało to raczej jak pytanie niż stwierdzenie, ale Jim Bonner z uniesioną brwią onieśmieliłby każdego.

– W tej chwili jestem dla ciebie surogatem ojca. Masz tam iść. Natychmiast.

Rozbawiona patrzyła, jak wskazuje palcem mały salonik. Nie mogła się powstrzymać, by nie porównać jego wzroku ze spojrzeniem własnego ojca i zrobiło jej się niedobrze.

– Żadnych kłótni! I to już!

Zastanawiała się, czy jeśli go nie posłucha, wlepi jej klapsa.

– Jim, to nic nie da.

Podszedł do niej, przytulił, dodał otuchy.

– Musi spróbować. Zasługuje na szansę…

Przywarła policzkiem do jego koszuli.

– Już ją miał, przed chwilą na werandzie.

– Najwyraźniej nie dokończył. – Delikatnie popchnął ją w stronę drzwi. – Idź już. Jestem z tobą.

W oświetlonym salonie Cal wydawał się jeszcze bardziej niebezpieczny niż na werandzie, w mdłym świetle zmierzchu. Widziała zmrużone oczy rewolwerowca. Chciałaby wierzyć, że pozostali trzej mężczyźni pospieszą jej w razie czego na ratunek, ale podejrzewała, że są po jego stronie.

Cal nie zwracał na nią uwagi, gdy przemknęła w sam róg, koło telewizora, jak najdalej od niego. Przemawiał do pozostałych, jakby jej tam nie było:

– Oto fakty… Kocham Jane, a ona kocha mnie. Oboje chcemy być razem. Wy wszyscy stoicie między nami. – Umilkł.

Mijały długie sekundy.

– I tyle? – zapytał Ethan.

Cal skinął głową.

Kevin przekrzywił głowę i zapytał głośno:

– Ej, Jane, Cal twierdzi, że stoimy wam na drodze. Wrócisz do niego, jeśli wyjdziemy?

– Nie.

– Przykro mi, Bomber, musisz wymyślić coś lepszego.

Cal posłał mu piorunujące spojrzenie.

– Wynocha stąd! To nie ma nic wspólnego z tobą! Mówię poważnie, Tucker. Jazda stąd, i to już!

Jane widziała, że Kevin był w stanie opierać się Calowi tylko do pewnego momentu. Teraz szykował się do wyjścia, ale głos Annie pchnął go z powrotem na stołek.

– On zostaje!

Cal odwrócił się do niej.

– Nie należy do rodziny!

– Nie, ale on to przyszłość, Calvin, przyszłość, o której nie chcesz nawet myśleć.

Jej słowa go rozjuszyły. Sięgnął go kieszeni, wyjął kluczyki i rzucił Kevinowi, a ten złapał je zręcznie.

– Przykro mi, pani Glide, ale jestem umówiony.

Jane podbiegła do niego; wreszcie dostrzegła drogę ucieczki.

– Pójdę z tobą.

Wszyscy znieruchomieli.

– To bardzo kiepski pomysł – oznajmił Kevin.

– Siadaj, Jane – polecił Jim ojcowskim głosem. – Dzisiaj już i tak nie zdążysz na samolot, więc równie dobrze możesz wysłuchać Cala. Kevin, dzięki za pomoc.

Kevin skinął głową, uśmiechnął się do Jane, zerknął na Cala i wyszedł.

Jane opadła na fotel. Cal odchrząknął, wbił ręce w kieszenie i znowu zwrócił się do rodziny, nie do niej:

– Uważa, że jej pragnę, bo mnie odtrąca, i gdy zniknie wyzwanie, przestanę się nią interesować. Mówiłem, że to nieprawda, ale mi nie wierzy.

– Przecież lubisz wyzwania – zauważyła Lynn.

– Wyzwania… Wspólne życie z kimś, kto szuka Teorii Wszystkiego, to aż za duże wyzwanie. Macie pojęcie, jak to jest, gdy po całym domu poniewierają się karteluszki z wzorami matematycznymi? Bierzesz gazetę, a tam wyższa matematyka, chcesz dopisać piwo do listy zakupów, a tam… Albo bierzesz pudełko płatków, a całe opakowanie zabazgrane! I widzisz to wszystko bladym świtem!

– Nigdy nie pisałam na pudełku! – poderwała się Jane na równe nogi.

– Jak to nie? Na moich płatkach owocowych!

– Zmyślasz. On zmyśla. Rzeczywiście, czasami notuję gdzie popadnie, ale…- Urwała, bo przypominała sobie poranek sprzed kilku tygodni, gdy nie mogła znaleźć żadnego papieru poza opakowaniem płatków. Usiadła i oznajmiła sztywno: – Coś takiego może budzić irytację, ale to nie wyzwanie.

– Na wszelki wypadek, gdybyś nie wiedziała, pani profesor: czasami mówię do ciebie i nagle, nie wiadomo kiedy, uciekasz, nie ma cię. – Oparł dłonie na biodrach i podszedł do niej. – Fizycznie stoisz naprzeciwko mnie, ale twój umysł odfruwa.

Zadarła głowę.

– Irytacja, nie wyzwanie.

– Zabiję ją. – Usiadł na kanapie koło rodziców, głośno zgrzytając zębami. – Widzicie, co mnie czeka?

– Ale za to – odezwał się Ethan – dobrze wygląda bez ubrania.

– Ethan! – Przerażona Jane zwróciła się do Lynn. – To nie tak. To był wypadek…

Lynn otworzyła szeroko oczy.

– Dziwny wypadek.

– Zmieniacie temat – wtrąciła się Annie. – Ja tam wierzę Calvinowi. Jeśli twierdzi, że cię kocha, Janie Bonner, mówi poważnie.

– Ja też mu wierzę – oznajmiła Lynn.

– Ja też – poparł ją Jim.

Ethan milczał.

Jane patrzyła na niego jak na ostatnią deskę ratunku.

Spojrzał na nią przepraszająco:

– Przykro mi Jane, ale nie ma co do tego najmniejszych wątpliwości.

Wyobrażała sobie, że są jej rodziną, że zależy im na jej szczęściu, ale gdy kości zostały rzucone, więzy krwi okazały się silniejsze. Nie oni będą się co rano budzić z pytaniem, czy to już dziś mąż przestanie się nią interesować.

– Strzępicie sobie języki. – Cal pochylił się do przodu i oparł ręce na kolanach. Odezwał się niskim, twardym głosem: – Rzecz w tym, że Jane jest naukowcem, a naukowcy potrzebują dowodów. O to chodzi, prawda, Jane? Chcesz, żebym udowodnił, że cię kocham, tak jak ty w kółko udowadniasz te równania rozsypane po całym domu.

– Miłość nie jest taka – zauważyła Lynn.

– Ona w to nie uwierzy, mamo. Jane musi mieć konkretne elementy do swoich równań. A wiesz dlaczego? Bo do tej pory nikt nigdy jej nie kochał i nie wierzy, by to było możliwe.

Wyprostowała się, jakby ją uderzył. Słyszała dzwonienie w uszach, w głowie jej się kręciło.

Cal poderwał się na równe nogi.

– Chcesz dowodu, że cię kocham? W porządku, dostaniesz go. – Trzema susami znalazł się przy niej. Bez ostrzeżenia wziął ją na ręce i ruszył do drzwi.

– Przestań, Cal! Puść mnie!

Lynn podniosła się energicznie.

– Cal, to chyba nie jest dobry pomysł.

– Próbowałem już waszym sposobem – krzyknął przez ramię. – Teraz spróbuję moim. – Otworzył drzwi jednym kopnięciem i wyniósł ją na dwór.

– Nie załatwisz tego za pomocą seksu – syknęła Jane. Gniew stanowił jej tarczę obronną. Dlaczego on nie pojmuje, że siłą nie rozwiązuje się takich problemów? Łamie jej serce po raz kolejny i nawet nie zdaje sobie z tego sprawy.

– A kto mówił o seksie? Może marzysz na głos?

Prychnęła wściekle. Zeszli z werandy i zbliżali się do samochodów. Choć bynajmniej nie była kruszynką, Cal zachowywał się, jakby niósł kogoś lekkiego jak piórko. Oddychał spokojnie, szedł równym krokiem.

Postawił ją ziemi koło dżipa, wsadził rękę do kieszeni i wydobył pęk kluczyków. Po chwili podprowadził ją do blazera ojca, który stał na końcu i blokował dwa pozostałe wozy.

– Wsiadaj.

– Cal, tylko odsuwamy nieuniknione.

Wepchnął ją do środka i zamknął drzwiczki.

Spojrzała w okno. Musi zachować ostrożność, jeżeli nie będzie uważała, Cal namówi ją, by z nim została, a to byłaby katastrofa. Lepiej już teraz cierpieć, niż przechodzić przez to jeszcze raz, gdy mąż wreszcie dojdzie do wniosku, że ma jej dosyć.

„Jane musi mieć konkretne elementy do swoich równań. Dlaczego? Bo do tej pory nikt nigdy jej nie kochał i nie wierzy, by to było możliwe".

Nie chciała myśleć o tych słowach. To jego zdanie, nie jej. Jane nie ma na tyle niskiej samooceny, by odrzucić szczere uczucie. Może to prawda, że nikt nigdy jej nie kochał, ale to nie znaczy, że nie potrafiłaby dostrzec prawdziwej miłości na swojej drodze.

Czy aby na pewno?

Cal wjechał na autostradę. Jego głos wyrwał ją z zadumy.

– Dziękuję, że nie wywlekałaś naszych brudów przy rodzicach.

– Nie wyobrażam sobie, żeby było coś, czego jeszcze nie wiedzą.

– W porządku, Jane, nie zabiję cię, jeśli poruszysz ten temat. Wiem, dawniej się złościłem, ale teraz będzie inaczej. Nie trzeba szczególnej bystrości, by zrozumieć, że w tej chwili nie mam żadnych celów, i dziękuję, że nie wypomniałaś mi tego przy wszystkich.

– Nie masz celu?

– To, że nie wiem, co będę robił, gdy na dobre zejdę z boiska, nie znaczy, że nie jestem ciebie godny. Pewnie tak myślisz, ale wszystko się zmieni, i to wkrótce. Muszę mieć więcej czasu, żeby rozpatrzyć wszystkie opcje, i tyle.

Gapiła się na niego, nie wierząc własnym uszom. Po raz pierwszy przyznał, że nie będzie do końca życia grał w piłkę. Tylko co to ma wspólnego z jej uczuciami? Nawet przez moment nie uważała jego braku planów za przeszkodę.

– Nigdy nie mówiłam, że nie jesteś mnie godny.

– Nie musiałaś. Wiem, co sobie pomyślałaś. Godni ludzie pracują.

– Ty też.

Zdawał się jej nie słyszeć.

– Jesteś fizykiem. To wartościowa praca. Mój ojciec jest lekarzem, Ethan kapłanem. Moi kumple z Mountaineer to farmerzy, nauczyciele, hydraulicy. Budują domy albo prowadzą ciężarówki. Pracują. A ja?

– Ty grasz w piłkę.

– A potem?

Wstrzymała oddech, nadal nie mogąc uwierzyć, że sam mówi o nieuchronnym kresie kariery.

– Tylko ty możesz sobie na to odpowiedzieć.

– Otóż, właśnie nie mogę. Nie mam pojęcia, co zrobić z resztą życia. Bóg jeden wie, że mam dosyć pieniędzy, ale nigdy nie uważałem ich za miernik czyjejś wartości.

W końcu zrozumiała. To, że Cal tak bardzo się wzdragał przed uznaniem swojego wieku i faktu, że wkrótce przestanie grać, wynikało nie z zarozumialstwa, tylko z obaw, co będzie robił później.

Nie wiedziała, czemu tak ją to zdziwiło. Przecież ten sam mężczyzna nalegał na małżeństwo z kobietą, której nienawidził, tylko dlatego, żeby dziecko urodziło się z legalnego związku. Pod pozorami *macho* krył się człowiek o staroświeckich zasadach i wartościach. Według jego kodeksu honorowego mężczyzna bez pracy nie zasługuje na szacunek.

– Cal, jest tyle rzeczy, które mógłbyś robić. Na przykład zostać trenerem.

– Byłbym okropny. Nie wiadomo, czy zauważyłaś, ale nie toleruję głupoty. Gdybym wydał polecenie i nie posłuchaliby mnie, nie miałbym cierpliwości powtarzać, a tak nie tworzy się dobrej drużyny.

– A Kevin? Twierdzi, że bardzo wiele się od ciebie nauczył.

– Bo łapie za pierwszym razem.

– Doskonale wypadasz w telewizji. Może dziennikarstwo? Sprawozdania sportowe?

– Nie pociąga mnie to. Raz na jakiś czas chętnie, ale nie na stałe. To nie dla mnie.

– Studiowałeś biologię. Może coś w tym kierunku?

– Skończyłem przed piętnastu laty. Niewiele już pamiętam.

– Masz doświadczenie w interesach, może założysz własną firmę?

– Interesy mnie nudzą, tak było i będzie. – Zerknął na nią, ale nie popatrzył w oczy. – Pomyślałem sobie, że może mógłbym popracować nad golfem. Za kilka lat miałbym szanse zakwalifikować się do ligi zawodowej.

– Myślałam, że grasz kiepsko.

– Nie kiepsko – najeżył się. – Nieźle – westchnął. – Zapomnij o tym. To głupi pomysł.

– Coś wymyślisz.

– Żebyś wiedziała. Więc jeśli to cię powstrzymuje, możesz odetchnąć z ulgą. Nie mam zamiaru leniuchować do końca życia, nie przyniósłbym ci takiego wstydu.

– Chyba raczej sobie. – Ciekawe, od jak dawna go to gryzie? – Twoja przyszła praca nie jest naszym problem, Cal. Nadal nie rozumiesz. Nie pozwolę, żebyś po raz drugi odrzucił moją miłość. To zbyt bolesne.

Skrzywił się.

– Nawet nie wiesz, jak tego żałuję. Wpadłem w panikę. Niektórzy dorastają wolniej niż inni. – Przykrył jej dłoń swoją. – Jesteś dla mnie najważniejsza na świecie. Wiem, nie wierzysz mi, ale zaraz ci to udowodnię.

Puścił ją, skręcił na parking i zatrzymał blazera przed sklepem z artykułami gospodarstwa domowego. Zaklął pod nosem.

– Już zamknięte. Nie pomyślałem o tym.

– Przywiozłeś mnie do sklepu z artykułami żelaznymi, żeby mi udowodnić, że mnie kochasz?

– Obiecuję, że wkrótce wybierzemy się na tańce. Rock, nie country. – Wysiadł, obszedł wóz dookoła, przytrzymał jej drzwiczki. – Chodź.

Zaskoczona, poszła za nim wąską alejką koło apteki. Stanęli przed tylnym drzwiami sklepu, ale były zamknięte. I nagle Cal je wyłamał.

Alarm zawył przeraźliwie.

– Cal! Zwariowałeś?

– Chyba tak. – Złapał ją za rękę i wciągnął do środka.

Co on wyrabia?

Trzymał jej nadgarstek w żelaznym uchwycie, prowadząc przez ciemny sklep. Minęli leżaki i dział oświetleniowy. Zmierzali do działu farb. Alarm wył coraz głośniej.

– Policja zaraz tu będzie! – jęknęła Jane.

– Nie martw się policją, Odell Hatcher to mój stary kumpel. Martw się tapetą do kuchni.

– Tapetą? Przywiozłeś mnie tu, żebym wybrała tapetę?

Spojrzał na nią, jakby była opóźniona w rozwoju.

– A niby jak inaczej miałbym ci udowodnić, że cię kocham?

– Ale…

– O, proszę bardzo. – Posadził ją delikatnie na niskim stołeczku i podszedł do półki, na której piętrzyły się dziesiątki albumów z próbkami tapet. – Jezu, nie wiedziałem, że to takie skomplikowane. – Czytał napisy na grzbietach: – Zmywalne, papierowe, baranek, łazienka, jadalnia. Baranek? Co to jest? Nie mają czegoś z… bo ja wiem, z końmi na przykład? Widzisz gdzieś konie?

– Konie?

Po raz pierwszy kącik jego ust drgnął w uśmiechu, jakby dotarła do niego absurdalność tej sytuacji.

– Mogłabyś mi pomóc, a nie tylko po mnie powtarzać.

Do jękliwego alarmu dołączyła syrena policyjna, opony zapiszczały przeraźliwie.

– Poczekaj tu – polecił. – Załatwię to. A na wszelki wypadek schowaj się za ladą, gdyby Odell chciał użyć broni.

– Broni! Calvinie Bonner, przysięgam, że kiedy to się skończy…

Nie dokończyła, bo ściągnął ją ze stołka na ziemię.

– Odell, to ja! – wrzasnął. – Cal Bonner.

– Zejdź mi z drogi, Cal – odkrzyknął szorstki głos. –
Mamy tu włamanie. Nie mów tylko, że wzięli cię jako
zakładnika!

– Nie ma żadnego włamania. Wywaliłem drzwi, bo
muszę wybrać tapety. Moja żona też tu jest, więc wybij
sobie z głowy strzelaninę. Powiedz Harleyowi, że jutro się
z nim rozliczę. I pomóż mi wyłączyć ten cholerny alarm.

Minęło dobre piętnaście minut, zanim zjawił się właściciel sklepu, Harley Crisp, i uciszył wycie.

Cal tłumaczył się z włamania do sklepu, a Jane przysiadła
na stołku i starała się zrozumieć, jakim sposobem doszedł
do wniosku, że wybieranie tapety będzie dowodem jego
miłości. Nie widziała żadnego związku. Był wściekły, że
zerwała tę kuchenną w róże, ale co to ma wspólnego z
miłością? W jego umyśle jednak taki związek najwyraźniej
istniał. Gdyby nalegała na wyjaśnienia, spojrzałby na nią
z niedowierzaniem, które podawałoby w wątpliwość wyniki wszystkich testów na inteligencję, jakie kiedykolwiek
przechodziła.

Mimo chaosu w głowie wiedziała jedno: w mniemaniu
Cala takie zakupy stanowią dowód miłości. Ogarnęło ją
zdradzieckie ciepło.

Harley Crisp zamknął za sobą drzwi i wepchnął do kieszeni pokaźny zwitek gotówki. Zostali sami.

Cal popatrzył na nią z nagłą niepewnością.

– Nie myślisz, że to głupota, prawda? Rozumiesz, o co
chodzi z tymi tapetami?

Nie miała zielonego pojęcia, ale nie przyzna się do tego
za skarby świata, nie teraz, gdy mąż patrzy na nią z miłością
w oczach.

– Wiesz, skarbie, wolałbym wygrać dla ciebie mecz –
oznajmił ochryple. – Dan Calebow zrobił to kiedyś dla
Phoebe, ale sezon się jeszcze nie zaczął, zresztą to by cię

nie przekonało. I byłoby tak łatwe, że nie stanowiłoby żadnego dowodu. Chciałem dokonać czegoś trudnego, bardzo trudnego. – Czekał z nadzieją wypisaną na twarzy.

– Wybrać tapetę? – zapytała z wahaniem.

Ożywił się, jakby dała mu klucze do wszechświata.

– Rozumiesz! – Porwał ją w ramiona. – Bałem się, że nie zrozumiesz. Obiecuję, że już wkrótce coś wymyślę w sprawie mojej pracy.

– Och, Cal… – Nie posiadała się z radości. Nie miała pojęcia, jakimi drogami wędrował jego umysł, nie wiedziała, co wspólnego ma jego miłość z włamaniem do sklepu i tapetami, ale wiedziała, że ją kocha. Oddaje jej swoje waleczne serce. A ona nie może pozwolić, by rany przeszłości pozbawiły ją szczęścia.

Patrzyli sobie głęboko w oczy i widzieli tylko miłość.

– Teraz to będzie prawdziwe małżeństwo, skarbie – szepnął. – Na zawsze.

A potem właśnie tam, w dziale tapet, pociągnął ją na podłogę i zaczął się z nią kochać. Oczywiście nie chciał, by miała na sobie choćby skrawek ubrania.

Gdy byli już nadzy, sięgnął do kieszeni dżinsów. Oparła się na łokciu i patrzyła, jak wyciąga sfatygowaną różową wstążkę zakończoną wielką kokardą.

– Zachowałeś ją – stwierdziła.

Pocałował jej pierś.

– Najpierw chciałem ci ją wepchnąć w gardło, a potem związać i patrzeć, jak szczury pożerają cię żywcem.

– Aha. – Dotknęła jego ramienia. – A teraz co zrobisz?

Mruknął coś i powiedział:

– Obiecaj, że nie będziesz się śmiać.

Skinęła głową.

– Byłaś najpiękniejszym prezentem, jaki kiedykolwiek dostałem na urodziny.

– Dzięki.

– Chciałbym ci się odwdzięczyć, ale uprzedzam, że dostaniesz coś gorszego. Ale i tak musisz zachować ten prezent.

– Dobrze.

Zawiązał sobie różową kokardę na szyi i uśmiechnął się szeroko:

– Wszystkiego najlepszego, Różyczko.

Rozdział 23

DOPRAWDY, JANE, to największa głupota, na jaką mnie namówiłaś. Nie wiem, czemu cię posłuchałem. – Pewnie dlatego, że w ciągu ostatniego miesiąca stawał na głowie, spełniając jej zachcianki. Była wielka jak słoń i marudna jak niedźwiedź. Nawet teraz najchętniej zmyłaby mu głowę, ot tak, dla zasady. Ale go kocha, więc zamiast sprawić mu burę, przytuliła się do silnego ramienia.

Siedzieli w wielkiej limuzynie mknącej w stronę Heartache Mountain. Drzewa wzdłuż drogi mieniły się barwami jesieni: złotem, brązem i czerwienią. To jej pierwszy październik w górach i nie mogła się już doczekać, kiedy dotrą do Salvation. Tęskniła także za starymi przyjaciółmi. Cal i jego rodzice zabierali ją na każde przyjęcie i początkowa rezerwa miejscowych szybko zmieniła się w szczerą sympatię.

W miarę jak zbliżali się do miasteczka, rosło zdenerwowanie Jane. Cal zamówił limuzynę, bo po ostatniej kontuzji nie mógł prowadzić, a nie pozwoliłby jej usiąść za kierownicą wcześniej niż po porodzie. Może to i lepiej. Kręgosłup jej pękał po długim locie, zresztą była zbyt roztargniona, by koncentrować się na krętej szosie. Od kilku tygodni miała skurcze Braxtona-Hicksa, te próbne skurcze, które przygotowują do porodu. Dzisiaj były silniejsze niż zwykle.

Pocałował ją w czubek głowy. Westchnęła i przytuliła się mocniej. Jeśli potrzebowała jeszcze dowodów miłości Cala, dostała ich aż nadto w ciągu ostatnich tygodni. W końcowej fazie ciąży stała się apodyktyczna, zmienna i opryskliwa. On zaś reagował czułością i optymizmem. Czasami próbowała go sprowokować, ale zawsze obracał wszystko w śmiech.

Jemu to dobrze, pomyślała kwaśno. Nie on nosi pół tony przyszłego olimpijczyka albo noblisty. Nie on nosi sukienkę jak namiot, nie jego bolą plecy i nie jego męczą uporczywe skurcze. Z drugiej strony, ostatnio nie grał, więc się tym martwił. Za to dzięki kontuzjom mógł wyrwać się do Salvation w środku sezonu.

Pogłaskała go delikatnie po nodze. Chciało jej się płakać na wspomnienie brutala z drużyny Bearsów, który go przyprawił o ostatnią kontuzję… Do tej pory Cal grał wspaniale, a ten drań tak go załatwił! Rozerwałaby go gołymi rękami.

Kevin udawał, że mu współczuje, ale Jane nie dała się nabrać. Kevin rozkoszował się każdą minutą na boisku, więc cieszył się na dwa tygodnie bez Cala. Gdyby tak jej nie drażnił, byłaby z niego dumna, tak jak Cal, choć za nic by się do tego nie przyznał.

Czasami wydawało się, że Kevin spędza u nich więcej czasu niż u siebie. Sprzedali domek Jane w Glen Ellyn i zamieszkali w apartamencie Cala, dopóki nie zdecydują, gdzie chcą osiąść na stałe. Z niewiadomych przyczyn Cal upierał się, że chce uczestniczyć w podejmowaniu wszelkich decyzji w kwestii wystroju wnętrza, nie wyłączając koloru pościeli. On i Kevin urządzili ze smakiem pokój dziecinny, jasny i przytulny dzięki żółtym okiennicom.

Nawet Kevin nie wiedział, że Cal planuje ogłosić rezygnację z dalszej kariery po zakończeniu sezonu. Nie bardzo go to cieszyło, bowiem nadal nie wiedział, czym się zajmie, ale miał dosyć kontuzji. Powiedział także, że w życiu są rzeczy ważniejsze niż piłka.

– Kobiety w dziewiątym miesiącu ciąży nie powinny latać – burknął teraz. – Cud, że w ogóle wpuścili cię na pokład.

– Niechby spróbowali mnie powstrzymać! Wy, sławy, możecie wszystko! – Naburmuszyła się zabawnie. – Wczoraj zrozumiałam, że nasze dziecko nie może się urodzić w Chicago. Że chcę być blisko rodziny.

Uwielbiał, kiedy robiła taką minę, więc pocałował ją lekko.

– Mogłaś o tym pomyśleć miesiąc temu, a nie tuż przed porodem.

– Wtedy nie bylibyśmy razem.

To fakt. Byli sobie potrzebni do życia w większym stopniu niż podejrzewali. Dawali sobie namiętność, zadowolenie i energię, co znalazło odzwierciedlenie w ich pracy. Cal miał duże szanse pobić wszelkie ligowe rekordy.

Zaraz po ich powrocie do Chicago Jane została uhonorowana specjalną nagrodą. Nie wiedziała, że typowano ją od dawna i dzięki temu wszelkie paskudne plany Jerry'ego Milesa spaliły na panewce. W sierpniu usunięto go ze stanowiska. Jego zastępcą został jeden z najbardziej znanych i szanowanych fizyków w kraju. Namówił Jane, by na stałe związała się z Laboratorium Preeze. Ba, posunął się nawet do przekupstwa w postaci grupy młodych, entuzjastycznych pomocników do jej dyspozycji.

W tym momencie jednak Cala nie interesowała kariera Jane, tylko zdrowie, więc robiła co w jej mocy, by go uspokoić.

– Pomyśl logicznie, Cal. Dzisiaj rano rozmawiałam z doktor Vogler. Przecież prowadzi mnie od początku.

– Mimo wszystko mogłaś o tym pomyśleć trochę wcześniej.

Im bardziej zaawansowana była ciąża, tym silniejsze pragnienie, by dziecko przyszło na świat w Salvation. Nie mogła jednak zostawić Cala w Chicago. Kontuzja umożliwiła błyskawiczną zmianę planów.

Dziecko się poruszyło, a Jane odniosła wrażenie, że ogromne szczypce ściskają jej kręgosłup. Cal wpadnie w szał, gdy się dowie, więc stłumiła jęk.

Właściwie miał rację, podróż samolotem była głupotą. Ale przecież pierwiastki rodzą bez końca, a Jim i Lynn na nią czekają. Teść zadzwoni po doktor Vogler we właściwym momencie.

Na szczęście Cal był tak pogrążony w myślach, że niczego nie zauważył.

– Co ci się stało w rękę? – Dotknął jej nadgarstka.

Oddychała z trudem.

– To... nic takiego. – Nie puszczał, choć się wyrywała. – Chyba niechcący ubrudziłam się długopisem.

– Dziwne, bo mi to przypomina równanie.

– Och, podchodziliśmy do lądowania – naburmuszyła się – i nie mogłam się dostać do notesu. – Wstrzymała oddech, gdy dziecko skoczyło czystego potrójnego aksela z podwójnym toolopem. Kręgosłup płonął żywym ogniem, ale to przecież tylko skurcze Braxton-Hicksa. Stłumiła jęk i postanowiła zapomnieć o bólu dzięki kłótni.

– Nie kłócisz się ze mną.

– Jak to nie? Kłócimy się cały czas o tę podróż.

– Sprzeczamy, nie kłócimy. Już nie wrzeszczysz.

– Przykro mi, ale jakoś nie mogę się na ciebie porządnie wkurzyć.

– Dlaczego? Przecież ja sama siebie nie znoszę!

– To szaleństwo, prawda? Sam tego nie rozumiem.

Łypnęła na niego.

– I znowu to robisz.

– Co?

– To, co mnie wkurza.

– Uśmiecham się?

– Tak.

– Przykro mi. – Położył dłoń na jej twardym brzuchu. – Jestem taki szczęśliwy. Nie mogę przestać.

– To się postaraj!

Z trudem powstrzymała się od śmiechu. Kto by się spodziewał, że wojownik pokroju Cala Bonnera polubi takie głupstwa? Może zrozumiał, jak dobrze jest się wygłupiać i patrzeć w oczy pełne bezbrzeżnej miłości. Jak mogła kiedykolwiek wątpić w jego uczucie?

Kiedy Cal Bonner twierdził, że kogoś kocha, nie rzucał nigdy słów na wiatr.

Wybił jej z głowy obawy, że dziecko będzie genialne, tłumacząc, że powodem jej nieszczęśliwego dzieciństwa była nie inteligencja, ale oziębły ojciec. Ich dziecko będzie miało inną rodzinę.

Wyjrzał przez okno.

– Cholera!

– Co?

– Zobacz! Zaczyna padać! – Denerwował się coraz bardziej. – A co, jeśli uznasz, że pora urodzić, na szczycie tej cholernej góry, a drogi będą zalane i nie zdążymy do szpitala? Co wtedy?

– Takie rzeczy zdarzają się tylko w książkach.

– Odjęło mi rozum, gdy się na to zgodziłem.

– Musieliśmy, już ci tłumaczyłam. Chcę urodzić tutaj. I śniło mi się, że Annie leży na łożu śmierci.

– Dzwoniłaś do niej rano. U niej wszystko w porządku.

– Była zmęczona. Pewnie się nie kładła, do świtu spiskując przeciwko naszym rodzicom.

Uśmiechnęła się. Zawsze mówił o nich „nasi rodzice"; dał jej nie tylko miłość, ale i rodzinę.

Nie mogła dłużej tłumić uczuć. Rozpłakała się.

– Jesteś najwspanialszym mężem na ziemi. Nie zasłużyłam na ciebie!

Wydawało jej się, że usłyszała westchnienie, ale może to tylko szum wiatru?

– Czy poczujesz się lepiej, jeśli obiecam, że spiszę wszystkie bzdury, które wygadywałaś przez ostatni miesiąc, i zapewnię, że odbiję to sobie, kiedy tylko wrócisz do zdrowia?

Skinęła głową.

Parsknął śmiechem i ją pocałował. Limuzyna wspinała się na Heartache Mountain.

– Kocham cię, Janie Bonner, kocham cię całym sercem. Tamten wieczór, gdy weszłaś z różową kokardą na szyi, to najszczęśliwszy dzień w moim życiu.

– Moim też – chlipnęła.

W domku Annie paliły się wszystkie światła, czerwony samochód Jima stał na podwórzu. Jane ostatnio widziała teściów w Chicago, dwa tygodnie temu. Przyjechali na mecz Cala. Cały czas zachowywali się jak nowożeńcy. Tamtej nocy Cal oznajmił, że trzeba kupić nowe łóżko do pokoju gościnnego. Takie, które nie skrzypi!

Nie mogła się doczekać spotkania z Lynn i Jimem, więc sama otworzyła sobie drzwiczki.

– Poczekaj, Jane, leje jak…

Już szła na werandę. Cal utykał lekko, ale dogonił ją, zanim zapukała do drzwi. Lynn otworzyła błyskawicznie.

– Cal, jak mogłeś? Dlaczego jej na to pozwoliłeś?

Jane zalała się łzami.

– Chcę urodzić tutaj!

Lynn i Cal wymienili spojrzenia.

– Im mądrzejsza baba – mruknął – tym bardziej szaleją hormony.

Jim uściskał serdecznie Jane, akurat gdy dopadł ją kolejny skurcz. Jęknęła głośno.

Złapał ją za ramię.

– Masz skurcze?

– Nie, boli mnie kręgosłup. Czasami skurcze Braxtona--Hicksa, i tyle.

Annie odezwała się z fotela przed telewizorem, Jane chciała ją objąć, ale brzuch na to nie pozwalał. Staruszka poklepała jej dłoń.

– Był najwyższy czas, żebyś mnie odwiedziła.

– Jak często masz te skurcze? – zapytał Jim.

– Co kilka minut – jęknęła i przycinęła dłoń do pleców. – O Jezu!

Cal pokuśtykał przez dywan.

– Chcesz powiedzieć, że ona rodzi?

– Nie zdziwiłbym się. – Jim podprowadził ją do kanapy, położył dłoń na brzuchu i zerknął na zegarek.

Cal wpadł w panikę.

– Przecież szpital jest piętnaście kilometrów stąd! Na tych drogach to nam zajmie dwadzieścia minut! Dlaczego nic nie mówiłaś, skarbie? Dlaczego nie powiedziałaś, że masz skurcze?

– Bo zawiózłbyś mnie do szpitala, a oni odesłaliby mnie do domu. Zresztą plecy mnie bolą po samolocie. Au!

Jim zerknął na zegarek. Cal stracił głowę.

– Tato, musimy ją zawieźć do szpitala, zanim zaleje szosę!

– Przecież ledwie kropi – zauważyła Lynn – a drogi nie zalało od dziesięciu lat. A poza tym pierwsze dziecko nie spieszy się na świat.

Nie słuchał jej, biegł do drzwi.

– Limuzyna już odjechała! Weźmiemy blazera! Ty prowadzisz, tato. Usiądę z nią na tylnym siedzeniu.

– Nie! Chcę urodzić tutaj! – jęknęła Jane.

Cal spojrzał na nią z przerażeniem.

– Tutaj?

Skinęła głową.

– Chwileczkę. – Obniżył głos do złowieszczego pomruku, który sprawił jej przyjemność mimo bólu. – Kiedy się upierałaś, że chcesz urodzić tutaj, myślałem, że chodzi ci o te okolice, a dokładnie rzecz biorąc, tutejszy szpital!

– Nie! Tutaj! W domku Annie! – Wcale tego nie planowała, ale w tej chwili zrozumiała, że to idealne miejsce.

Cal miał w oczach strach i gniew. Zwrócił się do ojca:

– Boże! Jest na najlepszej drodze, by zostać najbardziej znanym fizykiem w tym kraju, a durna jak but! Nie urodzisz tutaj! Urodzisz w szpitalu, i koniec!

– O, jak dobrze – uśmiechnęła się przez łzy – wrzeszczysz na mnie.

Jęknął.

Jim poklepał jej dłoń.

– Na wszelki wypadek pozwól, że cię zbadam, dobrze? Chodźmy do sypialni, muszę wiedzieć, w jakiej jesteśmy fazie.

– Czy Cal może iść z nami?

– Oczywiście.

– A Lynn? Niech Lynn też pójdzie.

– Dobrze, Lynn też.

– I Annie.

Jim westchnął.

– No to chodźmy.

Cal objął ją ramieniem i zaprowadził do dawnego pokoju Lynn. W progu złapał ją skurcz tak silny, że musiała chwycić się framugi. Trwał bardzo, bardzo długo, tak że dopiero po chwili zauważyła, co się stało.

– Cal?

– Tak, skarbie?

– Czy mam mokre stopy?

– Stopy? Boże! – powtórzył bezmyślnie. – Odeszły ci wody! Tato! Jane odeszły wody!

Jim poszedł do łazienki umyć ręce, ale usłyszał ryk syna.

– W porządku, Cal, już idę. Na pewno zdążymy do szpitala.

– Skoro jesteś taki pewien, to po co badanie?

– Na wszelki wypadek. Ma częste skurcze.

Cal zesztywniał. Podprowadził żonę do podwójnego łoża. Lynn przyniosła ręczniki, a Annie ściągnęła ozdobną kapę. Jane nie chciała usiąść, dopóki Lynn nie wyścieli posłania ręcznikami, więc Cal sięgnął pod obszerną sukienkę i zdjął rajstopy, które rano włożyła przy jego pomocy. Lynn zdążyła już przygotować łóżko. Pomógł żonie się położyć.

Annie ustawiła stare krzesło w kąciku i obserwowała wszystko uważnie. Jim wrócił do pokoju. Do Jane dotarło, że będzie ją badał, i ogarnął ją wstyd. Może i jest lekarzem, ale przede wszystkim jej teściem.

Nie mogła dłużej myśleć, bo następny skurcz pozbawił ją oddechu. Krzyknęła. Nagle nabrała pewności, że coś jest nie tak.

Jim szeptał do syna. Cal przytrzymywał jej kolana, szeroko rozwarte podczas badania. Lynn nuciła coś pod nosem.

– Cholera, czuję stopę – powiedział Jim. – Dziecko jest źle ułożone.

Jane przeraziła się, ale nadszedł kolejny skurcz.

– Cal, posadź ją sobie na kolanach – polecił Jim. – Jane, nie przyj! Lynn, biegnij do samochodu po moją torbę.

Zewsząd otaczał ją ból i strach. Nic nie rozumiała. Dlaczego Jim poczuł stopę? Jaką stopę? Spojrzała na niego w panice.

– Co się dzieje? Przecież nie rodzę. To za szybko. Coś jest nie w porządku, tak?

– Dziecko jest niewłaściwie ułożone – usłyszała.

Jęknęła z bólu i przerażenia. Porody, podczas których dziecko jest źle ułożone to porody bardzo wysokiego ryzyka. Takie dzieci zazwyczaj przychodziły na świat w sterylnych salach szpitalnych, a nie w górskich chatkach. Dlaczego nie chciała pojechać do szpitala? Naraziła życie dziecka na szwank.

– W środę było dobrze – odezwał się Cal. Nie zwracając uwagi na bolącą nogę, wziął Jane na kolana.

– Czasami się odwracają – mruknął Jim. – Rzadko, ale to się zdarza.

Cal rozsunął kolana żony i przytulił ją.

Jej dziecko jest w niebezpieczeństwie. Zapomniała o skrępowaniu. Mając za plecami swojego wojownika, może walczyć do końca świata.

Jim poklepał jej dłoń.

– Posłuchaj, skarbie, to pójdzie bardzo szybko. Nie tak, jak się spodziewałaś. Nie przyj teraz. Cal, musimy uważać, pępowina może się zaplątać wokół szyi. Pilnuj, żeby nie parła.

– Oddychaj, skarbie, oddychaj! O, tak. Tak jak ćwiczyliśmy. Doskonale ci idzie.

Ból odbierał jej rozum. Wydawało jej się, że pożera ją straszna bestia, ale Cal oddychał razem z nią, szeptał słowa otuchy i miłości.

Odruch, by przeć, stawał się nie do wytrzymania. Musi!

Ale Cal jej nie pozwalał. Groził i kusił. Słuchała go, bo nie miała innego wyjścia. Oddychała, dyszała, sapała i dzielnie walczyła z naturalnym odruchem.

– O, tak! – krzyknął Jim. – Tak, skarbie! Doskonale sobie radzisz!

Nie rozróżniała już skurczów. Wcale nie było tak jak na filmach, które oglądali, gdzie przyszli rodzice spacerują, grają w karty i odpoczywają między kolejnymi skurczami.

Minuty mijały. Jej świat ograniczał się do głosu Cala i do mgły bólu. Słuchała go ślepo.

– Oddychaj! Tak, skarbie! Idzie ci doskonale. – Wydawało się, że jego siła przenika jej ciało.

Ochrypł nagle.

– Oddychaj, skarbie. I otwórz oczy, żebyś mogła to zobaczyć.

Opuściła wzrok i zobaczyła, jak Jim wyjmuje dziecko z jej wnętrza. Ona i Cal krzyknęli jednocześnie, gdy pojawiła się główka. Jane wpadła w ekstazę na widok maleństwa w silnych dłoniach dziadka. Jim opróżnił mu buzię i nozdrza strzykawką, którą podała mu Lynn, i położył niemowlę na brzuchu Jane.

– Dziewczynka!

Maleństwo kwiliło cichutko. Pochylili się nad mokrym, zakrwawionym noworodkiem. Jim przeciął pępowinę.

– Cal!

– To nasza dziewczynka, skarbie.

– Och, Cal…

– Boże, jest piękna.

– Ty też. Kocham cię.

– Kocham cię, Cal.

Mówili coś bez sensu, całowali się, płakali. Lynn także płakała, owijając maleństwo w ręcznik. Jane była tak zaabsorbowana dzieckiem, że nawet nie zauważyła, kiedy urodziła łożysko.

Annie Glide z dumą patrzyła na prawnuczkę.

– Będzie z niej niezłe ziółko. Poczekajcie tylko, a sami zobaczycie. Ma w sobie krew Glide'ów.

Lynn roześmiała się cicho i podała dziecko Jane, ale to Cal wziął małą pierwszy.

– Chodź tu, skarbie. Pokaż się.

Przytrzymał ją tak, że oboje z Jane mogli się do woli napatrzeć na małą pomarszczoną twarzyczkę. Przywarł ustami do czółka.

– Witaj na świecie, kochanie.

Rozbawiona i spokojna Jane obserwowała, jak ojciec i córka się poznają. Przypomniała sobie, jak dawno, dawno temu krzyknęła do Cala, że to tylko jej dziecko. Dopiero teraz, patrząc na dziadków, szczęśliwych, jakby dostali gwiazdkę z nieba, prababkę i ojca, który już stracił dla córeczki głowę, zrozumiała, jak bardzo się wówczas myliła.

I wtedy zrozumiała. Pojęła Teorię Wszystkiego.

Cal gwałtownie podniósł głowę.

– Wiem! – zawołał. Jego donośny śmiech sprawił, że maleństwo otworzyło oczy, ale nie rozpłakało się. Znała go już. Już go sobie owinęła dookoła palca.

– Jane! Mamo! Tato! Wiem, co będę robił w przyszłości!

Jane poruszyła się ciekawie.

– Co? Powiedz!

– Nie do wiary! – krzyknął. – Tyle się gryzłem, a od-powiedź była w zasięgu ręki!

– Czemuś nie mówił, że cię coś gryzie, Calvin? – zapytał starczy głos z kącika. – Powiedziałabym ci to dawno temu.

Wszyscy zwrócili się w tamtą stronę.

Babka łypnęła na nich wrogo.

– Każdy głupi by się domyślił, że przeznaczeniem Calvi-na jest leczyć ludzi w tych górach, tak jak jego tata i dziadek. To Bonner z krwi i kości.

– Lekarz? – Jane nie mogła wierzyć własnym uszom. – Chcesz być lekarzem?

Cal się nastroszył.

– Nie sądzisz, że mogłaś mi to powiedzieć już dawno temu? – warknął na Annie.

Prychnęła gniewnie.

– Nikt mnie o to nie pytał.

Jane zaniosła się śmiechem.

– Będziesz lekarzem? Wspaniale!

– Zanim skończę medycynę, będę starym lekarzem. Myślisz, że zniesiesz męża-studenta?

– Bardzo mnie to cieszy.

W tym momencie Rosie Darlington Bonner uznała, że ignorowali ją wystarczająco długo. W końcu to jej wielki dzień i należy jej się trochę uwagi, może nie? Bądź co bądź, czeka ją wiele pracy. Trzeba będzie powitać na świecie małych braciszków, zawrzeć wiele przyjaźni, wspinać się na drzewa, denerwować rodziców i przede wszystkim pisać powieści.

Czeka ją także wiele testów z matmy, które będzie oblewała z zadziwiającą regularnością, i to nieszczęście w laboratorium chemicznym, ale to wina kretyna nauczyciela, który nie zna się na prawdziwej literaturze. Może to i lepiej, że ci dwoje, którzy patrzą na nią z głupimi minami, nie wiedzą jeszcze o tym laboratorium…

Rosie Darlington Bonner zaczęła wrzeszczeć na całe gardło.

Witaj, świecie! Oto jestem!

Podziękowania

Mówi się, że najbardziej pociąga nas nieznane. Zaczynam w to wierzyć, bo to już moja druga książka, w której mowa jest o fizyce i technice, dziedzinach, w których, powiedzmy sobie szczerze, jestem kompletnym laikiem.

W pracy pomogły mi liczne książki, choć często rozumiałam z nich zaledwie jedną dziesiątą. Chciałabym wymienić przede wszystkim: God and the New Physics Paula Daviesa, Chaos; Making of a New Science Jamesa Gleicka, The God Particle Leona Ledermana i Dicka Tersi. Także artykuł Exploring Everything w „Scientific American" ze stycznia 1996 okazał się wielce pomocny.

Dziękuję mojemu mężowi, Billowi, za towarzystwo, gdy oglądałam na wideo szesnastogodzinną serię wykładów profesora Richarda Wolfsona, poświęconych teorii względności Einsteina. Profesor Wolfson i mój mąż bawili się doskonale.

Wielkie dzięki wszystkim w wydawnictwie Avon Books za pomoc. Dziękuję jak zawsze mojej redaktorce Carrie Feron i jej cudownej asystentce Ann McKay Thoroman. Jak zwykle jestem wdzięczna mojemu agentowi Steve'owi Axelrodowi.

Do powstania tej książki przyczynili się też inni. Dziękuję doktorowi Robertowi Millerowi, Pat Hagan, Lisie Libman, mojej przyjaciółce Diane i wszystkim zwolennikom płatków śniadaniowych w rodzinie Phillipsów.

I moim czytelnikom – nawet nie wiecie, jak wielkie znaczenie mają wasze listy. Dziękuję.